Alegria

CIP-BRASIL. CATALOGAÇÃO NA PUBLICAÇÃO
SINDICATO NACIONAL DOS EDITORES DE LIVROS, RJ

L953a

Lowen, Alexander, 1910-2008
Alegria : a entrega ao corpo e à vida / Alexander Lowen ; ilustração Caroline Falcetti ; tradução Maria Silvia Mourão Netto. - [4. ed., rev.]. - São Paulo : Summus, 2022.
288 p. ; 21 cm.

Tradução de: Joy : the surrender to the body and to life
Inclui bibliografia
ISBN 978-65-5549-080-0

1. Corpo e mente (Terapia). 2. Psicoterapia bioenergética. I. Falcetti, Caroline. II. Netto, Maria Silvia Mourão. III. Título.

22-78465 CDD: 615.85
CDU: 615.851.1

Meri Gleice Rodrigues de Souza - Bibliotecária - CRB-7/6439

Alegria

A entrega ao corpo e à vida

Alexander Lowen

Do original em língua inglesa
JOY — The surrender to the body and to life

Editora executiva: **Soraia Bini Cury**
Tradução: **Maria Silvia Mourão Netto**
Revisão da tradução: **Samara dos Santos Reis**
Revisão: **Raquel Gomes**
Ilustrações: **Caroline Falcetti**
Projeto gráfico, diagramação e
montagem de capa: **Crayon Editorial**
Imagem de capa: **cocoparisienne – Pixabay**

Summus Editorial
Departamento editorial
Rua Itapicuru, 613 – 7º andar
05006-000 – São Paulo – SP
Fone: (11) 3872-3322
http://www.summus.com.br
e-mail: summus@summus.com.br

Atendimento ao consumidor
Summus Editorial
Fone: (11) 3865-9890

Vendas por atacado
Fone: (11) 3873-8638
e-mail: vendas@summus.com.br

Impresso no Brasil

Este livro é dedicado à minha esposa,
Rowfreta Leslie Lowen,
uma pessoa verdadeiramente religiosa

Sumário

Introdução

Foi há 48 anos que realizei o meu primeiro atendimento terapêutico. Eu acabara de concluir minha análise com Wilhelm Reich. O trabalho dele estava se tornando conhecido, o que resultava na procura desse tipo de terapia. Como havia poucos profissionais treinados nessa abordagem, fui requisitado, apesar de ainda não ser médico . Como iniciante, cobrei de meu primeiro paciente dois dólares por hora, o que naquela época também constituía uma quantia pequena. Porém, quando relembro essa experiência inicial, questiono se valeu até mesmo aquela modesta soma. Eu não fazia ideia da profundidade e da gravidade das perturbações que afligem tantas pessoas em nossa cultura — a depressão, a ansiedade, a insegurança e a falta de amor e alegria de viver.

Depois de trabalhar com pessoas por quase meio século, período em que escrevi onze livros, acredito ter chegado a uma compreensão do problema humano e ter formulado os princípios de uma abordagem terapêutica eficiente, que denomino análise bioenergética. Este livro descreverá o processo dessa terapia e ilustrará sua aplicação prática por meio de casos de meus pacientes. Quero deixar claro que não se trata de uma cura rápida e fácil, embora seja eficaz. Entretanto, sua eficácia depende da experiência e da autocompreensão do terapeuta. Uma vez que os problemas com que as pessoas se defrontam vão se estruturando em sua personalidade por anos a fio, não é realista esperar uma cura rápida ou fácil. Milagres quase nunca acontecem. O único milagre que ocorre regularmente é o da criação de uma nova vida. Este livro é dedicado a ele.

A teoria fundamental da análise bioenergética é a da identidade funcional e a da antítese mente-corpo de processos psicológicos e físicos. "Funcional" refere-se ao fato de que corpo e mente agem como uma unidade no funcionamento do todo e no nível profundo dos processos energéticos. A antítese reflete-se no fato de que na superfície a mente pode influenciar o corpo, e este, é claro, afeta o pensamento e os processos mentais.

A análise bioenergética baseia-se na ideia de que somos seres unitários e de que o que acontece na mente deve também estar acontecendo no corpo. Assim, se a pessoa está deprimida, com pensamentos de desespero, impotência e fracasso, seu corpo manifestará uma atitude deprimida correspondente, evidenciada na baixa formação de impulsos, na mobilidade reduzida e na respiração limitada. Todas as funções corporais estarão deprimidas, inclusive o metabolismo, o que resulta em menor produção de energia.

É óbvio que a mente pode influenciar o corpo tanto quanto o corpo afeta a mente. É possível, em certos casos, melhorar o funcionamento corporal de um indivíduo por meio de uma mudança em sua atitude mental, mas qualquer mudança provocada desse modo será temporária, a menos que os processos corporais fundamentais sejam significativamente modificados. Por outro lado, trabalhar diretamente na recuperação de funções corporais como a respiração, a movimentação, a percepção sensorial e a autoexpressão provoca um efeito imediato e duradouro em sua atitude mental. Em última análise, aumentar o nível de energia da pessoa é a mudança fundamental que o processo terapêutico deve produzir a fim de atingir o objetivo de libertá-la das restrições de seu passado e das inibições do presente.

FIGURA 1 — Hierarquia das funções da personalidade

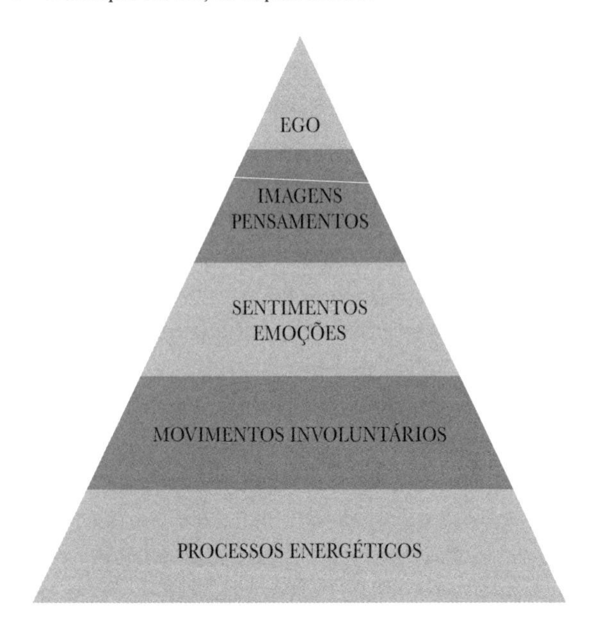

A Figura 1 mostra a hierarquia das funções da personalidade como uma pirâmide, com o ego no topo. Essas funções são inter-relacionadas e interdependentes, e todas assentam-se sobre uma base que representa a produção e o uso da energia.

A terapia visa ajudar o indivíduo a recuperar o potencial pleno de seu ser. Todos aqueles que a procuram sofreram uma diminuição considerável da capacidade de viver e gozar da plenitude da vida em virtude de traumas de infância. Esse é o distúrbio básico de sua personalidade, subjacente aos sintomas apresentados. Embora os sintomas denotem como o indivíduo foi prejudicado em seu processo de desenvolvimento, o que está por trás disso é a perda de uma parte do *self*. Todos os pacientes sofrem de alguma limitação pessoal profunda: consciência de si limitada, autoexpressão restrita e senso de autodomínio reduzido. Essas funções básicas são os pilares do templo do *self*. Sua fraqueza gera insegurança na personalidade, o que corrói todos os esforços do indivíduo para encontrar a paz e a alegria que conferem à vida plena satisfação e significado profundo.

Superar essas limitações é um objetivo ambicioso para qualquer iniciativa terapêutica — e, como eu disse anteriormente, não é algo fácil de se conquistar. Sem uma clara compreensão do objetivo terapêutico, a pessoa pode ficar perdida num labirinto de conflitos e ambivalências que confundem e frustram a maioria de seus esforços. Trata-se, porém, de um empreendimento essencial, capaz de ajudar substancialmente os muitos indivíduos de nossa cultura para quem a vida é uma luta pela sobrevivência e a alegria, uma rara experiência.

1. Alegria

LIBERTANDO-SE DA CULPA

Quando trabalho com meus pacientes, a maioria deles sai da sessão sentindo-se bem. Alguns chegam a sentir-se alegres, mas essas sensações agradáveis em geral não duram muito. Resultam da vivência, durante a sessão, de libertar-se de tensões que os restringiam, de sentir-se mais vivos e compreender mais profundamente o seu *self*. Essas sensações não duram porque o avanço foi conquistado com a minha ajuda e os pacientes não conseguem manter sozinhos a abertura para o mundo e a liberdade. Porém, cada irrupção de sentimentos, cada alívio de tensão é um passo em direção à recuperação do *self*, mesmo que não seja possível preservar totalmente essa conquista. Outro motivo é que o paciente, conforme mergulha cada vez mais fundo na busca física e psicológica de si mesmo, acaba encontrando mais recordações e sentimentos assustadores de um período primitivo de sua infância, sentimentos que foram reprimidos mais profundamente em prol da sobrevivência. No entanto, se nos aprofundamos no *self*, também adquirimos coragem para lidar com esses medos e traumas de forma madura, ou seja, sem negação nem repressão. Em algum lugar, bem no fundo de cada um de nós, está a criança inocente e livre que sabia que a dádiva da vida era a dádiva da alegria.

As crianças pequenas costumam ser receptivas a esse sentimento. Elas são conhecidas por literalmente pular de alegria. Os filhotes de animais fazem a mesma coisa, erguendo as patinhas e correndo de um lado para o outro numa alegre entrega à vida. É muito raro ver uma pessoa madura ou mais velha sentir e agir dessa forma. Dançar pode ser o mais próximo que conseguem chegar disso, e é por isso que dançar é a atividade mais natural nas ocasiões festivas. As crianças, porém, não precisam de ocasiões especiais para estar alegres. Deixe-as livres, na companhia de seus pares, e logo surgirá uma atividade prazerosa. Lembro-me de que tinha 4 ou 5 anos e estava na rua com várias outras crianças quando começou a nevar forte. Ficamos todos muito felizes e começamos a dançar em volta de um poste de luz, cantando: "Está nevando, está nevando, um menininho está crescendo"[1]. Sempre me lembro da alegria que senti naquela ocasião. As crianças costumam sentir alegria quando recebem de presente um objeto que desejavam muito, o que as leva a saltar e dar gritinhos de prazer. Os adultos são mais reservados em suas demonstrações de qualquer sentimento, o que limita a intensidade de suas sensações agradáveis. Além disso, são sobrecarregados com preocupações e responsabilidades e perseguidos por culpas, o que refreia sua felicidade a tal ponto que a alegria é raramente vivenciada.

Vivenciei a alegria em algumas ocasiões muito simples. Caminhando, há algum tempo, por uma estrada de terra, senti que meu espírito pairava no ar. A estrada era conhecida, não tinha nada de especial, mas, ao dar um passo e sentir os pés pressionando o solo, experimentei uma onda de energia percorrendo o meu corpo, que parecia ter crescido cinco centímetros. Algo dentro de mim se libertara; eu me senti feliz. Desde esse dia, resquícios dessa vivência permanecem vivos em mim, e, embora tenham ocorrido alguns episódios dolorosos e perturbadores em minha vida desde então, consigo experimentar em meu corpo, quase o tempo todo, uma sensação boa. Atribuo essa sensação aos anos de terapia, que iniciei em 1942 e ao trabalho que realizo comigo mesmo desde então. A terapia permitiu-me entrar em contato com minha criança interior, que conhecia um pouco de alegria apesar de uma infância basicamente infeliz, e integrar à minha vida adulta aqueles atributos que tornam a alegria possível.

A infância — presumindo que seja saudável, normal — é caracterizada pelas duas características que conduzem à alegria: liberdade e inocência. A importância da liberdade para o sentimento de alegria praticamente dispensa explicações. É difícil imaginar alguém sentindo-se alegre se seus movimentos são restringidos por forças externas. Quando eu era pequeno, o castigo mais temível que minha mãe podia me impor era obrigar-me a ficar dentro de casa num dia em que os outros meninos estivessem brincando lá fora. Um dos motivos pelos quais eu, como tantas outras crianças, ansiava por crescer, era o desejo de conquistar a liberdade. Quando atingi a maioridade, libertei-me do controle exercido por meus pais. Em nossa cultura, liberdade significa o direito de ir em busca da própria felicidade ou alegria de viver. Infelizmente, a liberdade externa não basta. É preciso ter também liberdade interior — isto é, aquela que nos permite expressar abertamente os sentimentos. Eu não tinha essa liberdade, assim como acontece hoje com tantas pessoas. Nosso comportamento e nossas manifestações são controlados por um superego, com suas listas de "faça" e "não faça" e o poder de punir se suas leis forem transgredidas. O superego é a interiorização do genitor "ditatorial". No entanto, opera abaixo do nível da consciência, de modo que não percebemos que as limitações que ele impõe aos nossos sentimentos e ações não decorrem de nosso livre-arbítrio. Destronar o superego, recuperando a própria liberdade de expressão, não transforma o indivíduo em um ser selvagem; ao contrário, é algo que lhe permite ser um membro responsável da sociedade, uma pessoa verdadeiramente digna. Só um ser humano livre é capaz de respeitar os direitos e a liberdade dos demais.

Não obstante, devemos reconhecer que o convívio social requer algumas restrições à nossa conduta individual, para o bem da harmonia grupal. Todas as sociedades humanas regulamentam o comportamento social de seus membros, mas essas normas avaliam atos, não sentimentos. O indivíduo pode ser considerado culpado se violar o código social de conduta aceito, mas será condenado apenas pela transgressão cometida, e não por um sentimento ou desejo. As sociedades civilizadas que se baseiam no poder ampliam o conceito de culpa e incluem, além dos atos, pensamentos e sentimentos.

Essa mudança está exemplificada na história bíblica de Adão e Eva. A Bíblia relata em detalhe como, ao comer o fruto da árvore do conhecimento, eles perderam a inocência e alegria de viver. Antes de comerem o fruto proibido, viviam em estado de graça no Jardim do Éden, o paraíso original, como animais, seguindo os instintos naturais de seu corpo. Depois de comerem a maçã, passaram a distinguir o certo do errado, o bem do mal. Seus olhos foram abertos e viram que estavam nus. Cobriram-se porque ficaram envergonhados, e esconderam-se de Deus porque se sentiram culpados. Nenhum outro animal distingue o certo do errado, sente vergonha ou culpa. Nenhum outro animal julga os próprios sentimentos, pensamentos e atos. Nenhum outro animal julga a si mesmo. Nenhum outro animal pode conceber que seja "bom" ou "mau". Nenhum outro animal tem superego ou autoconsciência, a menos que seja um cachorro que viva uma relação de dependência com os donos, muito parecido com o que ocorre com as crianças.

Treinamos nossos cães para que sigam certos padrões de comportamento que consideramos certos ou bons, e os punimos quando eles desobedecem. O cachorro que não consegue obedecer costuma ser chamado de "mau", mas a maioria de fato aprende a comportar-se de modo que agrade ao dono. Ensinar um cachorro, ou uma criança, a comportar-se numa situação civilizada é necessário para o convívio social, e tanto o cachorro quanto a criança naturalmente tentarão se conformar ao que se espera deles, desde que essa expectativa não viole a sua integridade. Muitas vezes, contudo, essa integridade é violada, fazendo que o animal ou a criança resistam, levando a uma luta pelo poder que não podem vencer. Por fim, acabarão se submetendo a essa violação que, na realidade, anula seu espírito. É possível observar esse comportamento no cachorro acovardado que enfia o rabo entre as pernas quando está diante do dono, e também na criança cujos olhos perderam o brilho, cujo corpo enrijeceu e cujos modos são submissos. Ela se tornará um adulto neurótico, que pode até saber como vencer, mas não sabe sentir a alegria de viver.

Aqueles que buscam terapia, por mais bem-sucedidos que sejam, tiveram seu espírito anulado a tal ponto que a alegria lhes é um sentimento estranho. Os sintomas particulares que apresentam são meras manifestações externas de sua angústia. Alguns foram anulados a ponto de sofrer disfunções, enquanto outros conseguem ser funcionais. É um erro presumir que, por não fazer terapia ou não acreditar que precise disso, o indivíduo seja sadio. Comecei a fazer terapia com Reich na ilusão de que estava tudo bem comigo, mas logo descobri que, na realidade, eu estava assustado, inseguro e fisicamente tenso. Em meu livro *Bioenergética*[2] relato algumas vivências nessa terapia, que me chocaram ao revelar a profundidade de minha neurose, mas também me indicaram o rumo para recuperar minha integridade e deram-me coragem para seguir o caminho que eu havia escolhido.

Esse caminho era a entrega ao corpo. Eu precisava abrir mão de minha identificação com o ego em favor de uma identificação com meu corpo e seus sentimentos. Em nível egoico, considerava-me brilhante, inteligente e superior. Acreditava ser capaz de realizar e conquistar muitas coisas, embora não soubesse exatamente quais. Eu queria ser famoso. Era conduzido por uma ambição incomum, introduzida em mim por minha mãe para compensar a falta de ambição de meu pai, mas felizmente tive dele apoio suficiente para impedir que ela me dominasse. Entregar-me ao meu corpo implicaria abrir mão dessa imagem egoica inflada que encobria e compensava sentimentos mais profundos de inferioridade, vergonha e culpa. Se eu aceitasse esses sentimentos, me sentiria terrivelmente humilhado — algo que inconscientemente estava tentando evitar. A entrega ao corpo implica uma entrega à sexualidade, que eu pressentia estar na raiz de meus medos mais profundos de rejeição e humilhação. Não obstante, foi o fascínio da alegria e do êxtase sexual que me levou a Reich e à terapia com ele.

No nível consciente, eu não me sentia culpado por minha sexualidade. Como adulto moderno e sofisticado, conseguia aceitá-la como algo natural e positivo. Porém, no nível corporal, sentia-me conduzido por um desejo que nunca se satisfazia de verdade. Eu era um indivíduo tipicamente narcisista, cujo comportamento sexual parece liberado, mas cuja liberdade é externa, não interna; uma liberdade para agir, mas não para sentir. Eu negava qualquer sentimento de culpa em relação à sexualidade, mas não conseguia me entregar por completo a nenhuma mulher, nem permitir que a excitação me arrebatasse durante o sexo. Como a maioria dos indivíduos de nossa cultura, minha pelve estava imobilizada por tensões musculares crônicas e era incapaz de movimentar-se livre e espontaneamente no clímax do ato sexual. Quando finalmente me livrei dessas tensões no decorrer da terapia com Reich e minha pelve começou a movimentar-se em harmonia com minha respiração, senti a mesma alegria que deve sentir aquele que é libertado da prisão.

Tensões musculares crônicas em diferentes partes do corpo constituem a prisão que impede a livre expressão do espírito de um indivíduo. Essas tensões se encontram no maxilar, no pescoço, nos ombros, no peito, no alto das costas, na região lombar e nas pernas. Manifestam a inibição de impulsos que a pessoa não ousa expressar, temendo punições verbais ou físicas. A ameaça de rejeição ou de perda do amor de um dos pais é um risco de vida para uma criança pequena e costuma provocar mais medo do que o castigo corporal. A criança que vive com medo é tensa, ansiosa e contraída, e amortecerá sua sensibilidade para não sentir dor ou medo. Desse modo, a sobrevivência parece assegurada, mas a repressão torna-se um modo de vida para esse indivíduo. O prazer fica subordinado à sobrevivência, e o ego, que antes servia ao corpo em seu desejo de obtenção de prazer, agora o controla em nome da segurança. Surge uma cisão entre o ego e o corpo. Este passa a ser controlado por um anel de tensão na base do crânio que interrompe a ligação energética entre a cabeça e o corpo — entre pensar e sentir.

Como representante do instinto de autopreservação, cabe ao ego assegurar a sobrevivência. Para tanto, ele se valendo de sua capacidade de coordenar a reação do corpo à realidade externa. Por meio do controle que exerce sobre a musculatura voluntária, assume o comando de todas as funções corporais que poderiam interferir na sobrevivência. Porém, como o general que se torna um ditador depois de saborear o poder de comandar, o ego reluta em abrir mão de sua hegemonia. Embora o perigo tenha passado — aquela criança amedrontada é agora um adulto independente —, o ego não consegue aceitar a nova realidade e renunciar ao controle. Agora se tornou um superego, que deve manter tal controle por temer que, caso abandone seu posto, a anarquia irrompa. Tive inúmeros pacientes que, já adultos independentes, continuavam sentindo medo dos pais, medo até mesmo de falar abertamente com eles. Diante dos progenitores, acovardavam-se como cães assustados. Em decorrência da terapia, conquistam a coragem de falar livremente com o pai ou a mãe e surpreendem-se ao ver que essa pessoa que consideravam tão ameaçadora não é mais o monstro que temiam.

A diferença entre ego e superego é que o primeiro tem a capacidade de abrir mão do controle quando a situação permite. O mesmo não ocorre com o controle do superego. Pouquíssimas pessoas — praticamente ninguém — são capazes de relaxar conscientemente o maxilar contraído, os músculos tensos do pescoço, os músculos enrijecidos das costas ou as pernas doloridas. Na maioria dos casos, nem sequer estão cientes da tensão e do controle inconsciente que isso representa. Muitas sentem a tensão no corpo por causa da dor que ela provoca, mas não têm a menor ideia de que a tensão e a dor são resultantes de seu modo de agir ou de se conter. Algumas consideram sua rigidez um sinal de força, prova de que podem enfrentar as adversidades, de que não vão desmoronar nem sucumbir em situações de estresse, de que podem suportar desconforto e até mesmo sofrimento. Acredito que nos tornamos uma nação de sobreviventes tão temerosos de doença e morte que somos incapazes de viver como um povo livre.

Esse medo de renunciar ao controle do ego é a principal causa de nossa infelicidade e insatisfação. Apesar disso, a maioria das pessoas não percebe quanto está assustada. Todo músculo cronicamente tenso no corpo é um músculo assustado, ou não se defenderia com tanta tenacidade contra o fluxo dos sentimentos e da vida. Esse é também um músculo enraivecido, pois a raiva é a reação natural a limites impostos à força e à negação da liberdade. E há tristeza ao perder o potencial para um estado de excitação prazerosa que faria o sangue circular, o corpo vibrar e as ondas de excitação propagarem-se por todo o corpo. Tal estado de vitalidade é a base física para a vivência da alegria, como sabem muitas pessoas religiosas. É na busca desse estado de excitação que os quacres vibram, os fanáticos giram e os dervixes rodopiantes dançam até atingir o êxtase.

A alegria é uma experiência religiosa. Na religião, está associada com a entrega a Deus e a aceitação de Sua graça. O cerne da crença bíblica é: "E te alegrarás perante o Senhor, o seu Deus". Essa afirmação, encontrada em Deuteronômio 16:11, é o conselho de Moisés aos filhos de Israel depois de terem sido libertados de seu cativeiro no Egito. O termo hebraico para alegria é *gool*, cujo significado principal é rodopiar influenciado por uma emoção violenta. Essa palavra, que o salmista usou para descrever Deus, retrata-o rodopiando num deleite sublime.

Segundo o Novo Testamento (João 15:11), Jesus disse que ensinava para que seus fiéis pudessem ter alegria. Ele também disse: "Tenho lhes dito estas palavras para que a minha alegria esteja em vocês e a alegria de vocês seja completa". O cristianismo afirma que ser uno com Deus, o Pai, é vivenciar a alegria.

Outra visão da alegria é dada em um poema de Schiller, "Ode à alegria", no qual esse sentimento é descrito como tendo sido moldado a partir de uma chama celestial com o poder de instigar o desabrochar do botão de flor, de obter o sol do céu e de "arremessar esferas rodopiando pelo éter sem fim".[3]

Essas imagens sugerem que Deus no céu pode ser identificado com forças cósmicas que criam as estrelas. De todas elas, a mais importante para a vida na terra é o nosso sol. Ele é a chama celestial, a esfera rodopiante cujos raios tornam nosso planeta fértil. Quando brilha, ilumina e aquece a terra, promovendo a dança da vida. Para muitas criaturas, acordar para um dia claro e ensolarado enche-as de alegria. A criatura humana é particularmente sensível a essa chama celestial. Não é de surpreender, portanto, que os antigos egípcios adorassem o sol como um deus.

Rabindranath Tagore, erudito e sábio hindu, associa a alegria a processos naturais.

> A compulsão não é atração básica para o homem, mas a alegria é, e a alegria está em toda parte. Está na grama verde que recobre a terra, na serenidade azul do céu, na incansável exuberância da primavera, na abstinência silenciosa do inverno, na carne viva que anima nossa estrutura corporal, na postura perfeita da figura humana — nobre e ereta — ao viver, no exercício de todos os nossos poderes... Só terá alcançado a verdade decisiva aquele que souber que o mundo todo é uma criação da alegria.[4]

Mas alguém pode perguntar: e a tristeza? Todos sabemos que há tristeza na vida. Para cada um de nós, ela surge quando morre alguém que amamos, quando perdemos poder devido a um acidente ou doença, quando nossas esperanças são frustradas. Assim como o dia não existe sem a noite, nem a vida sem a morte, a alegria não pode existir sem a tristeza. Há dor na vida, assim como prazer, mas podemos aceitar a dor desde que não estejamos presos a ela. Podemos aceitar a perda se soubermos que não estamos condenados a um luto contínuo. Podemos aceitar a noite porque sabemos que o dia nascerá, e podemos aceitar a tristeza quando sabemos que a alegria brotará novamente. Mas a alegria só brota quando nosso espírito é livre. Infelizmente, muitas pessoas têm sido anuladas, e para elas a alegria não é possível enquanto não se curarem.

Como o homem perdeu a jovialidade? A Bíblia oferece algum entendimento sobre isso ao dizer que houve um tempo em que o homem e a mulher viviam no Jardim do Éden, que era o paraíso. Como todos os outros animais nesse jardim, viviam em um estado de abençoada ignorância. Lá havia duas árvores cujos frutos eles estavam proibidos de comer: a árvore do conhecimento e a árvore da vida. A serpente induziu Eva a comer o fruto da árvore do conhecimento, dizendo-lhe que era bom. Eva protestou, dizendo que, se comesse o fruto proibido, morreria. Porém, a serpente argumentou que ela não morreria porque se tornaria semelhante a Deus que distingue o bem do mal. Eva então comeu o fruto e convenceu Adão a fazer o mesmo. Assim que o fizeram, eles conquistaram o conhecimento.

Essa história revela como o ser humano tornou-se uma criatura consciente de si. O conhecimento proibido era a consciência da sexualidade. Todos os outros animais estão nus, mas nenhum sente vergonha. Todos os outros animais são sexuados, mas não conscientes de sua sexualidade. Essa consciência de si priva a sexualidade de sua naturalidade e espontaneidade – e, inclusive, priva o ser humano de sua inocência. A perda da inocência leva à culpa, que destrói a alegria.

A história é alegórica, mas descreve a experiência de todo ser humano no processo de aculturação. Toda criança nasce inocente e livre; nesse estado, vivencia a alegria. A alegria é o seu estado natural, assim como de todos os filhotes de animais, como é óbvio para qualquer um que tenha visto cabritinhos na primavera saltando de alegria.

SENTINDO A VIDA DO CORPO

A alegria pertence ao reino das sensações corporais positivas; não é uma atitude mental. Não se pode decidir ser alegre. As sensações corporais positivas começam partindo de base que pode ser descrita como "boa". Seu oposto é sentir-se "mal", o que significa que, em vez de uma excitação positiva, há uma excitação negativa de medo, desespero ou culpa. Se o medo ou desespero for muito grande, a pessoa reprimirá todo o sentimento, caso em que o corpo se tornará insensível ou sem vida. Quando os sentimentos são reprimidos, a pessoa perde a capacidade de sentir: entra em depressão, estado que, infelizmente, pode se tornar um modo de vida. Por outro lado, quando a excitação prazerosa aumenta, partindo de uma sensação boa, a pessoa conhece a alegria. Se a alegria transborda, torna-se êxtase.

Quando a vida do corpo é forte e vibrante, o sentimento, assim como o tempo, é variável. Podemos sentir raiva num momento, depois afeto, e chorar a seguir. Assim como o sol às vezes aparece depois da chuva, a tristeza às vezes se transforma em prazer. Essa mudança de humor, assim como uma mudança no tempo, não compromete o equilíbrio básico do indivíduo. As mudanças acontecem na superfície e não perturbam as pulsações profundas que proporcionam uma sensação de bem-estar à pessoa. A repressão do sentimento é um processo de insensibilização que diminui a pulsação interna do corpo, sua vitalidade, seu estado de excitação. Por esse motivo, reprimir um sentimento é reprimir todos os outros. Se reprimimos nosso medo, reprimimos nossa raiva. A repressão da raiva resulta na repressão do amor.

Nós, seres humanos, somos ensinados desde cedo que certos sentimentos são "ruins", enquanto outros são "bons". Inclusive, está escrito assim nos dez mandamentos. Amar e honrar pai e mãe é bom; odiá-los é ruim. É um pecado desejar a mulher do próximo, mas se ela for uma mulher atraente e o homem for viril, esse desejo é perfeitamente natural.

É importante observar, porém, que pecado não é ter o sentimento: agir com base nele é que o transforma numa questão social. Em benefício da harmonia em sociedade, temos de impor controle ao comportamento. "Não matarás" e "não roubarás" são restrições necessárias quando as pessoas vivem em grupos grandes ou pequenos. Os seres humanos são criaturas sociais cuja sobrevivência depende da ação cooperativa do grupo. As restrições ao comportamento, que promovem o bem-estar do grupo, não são necessariamente prejudiciais ao indivíduo. As restrições aos sentimentos são outra questão. Como os sentimentos são a vida do corpo, julgá-los bons ou ruins é julgar o indivíduo, e não os seus atos.

Condenar qualquer sentimento é condenar a vida. Os pais costumam fazer isso, dizendo ao filho que ele é mau por ter certos sentimentos. Isso é especialmente verdadeiro quando se trata de sensações sexuais, mas também se aplica a outras sensações. Os pais em geral humilham um filho por ele ser medroso, o que o obriga a negar seu medo e agir com coragem. Entretanto, não sentir medo não significa que a pessoa seja corajosa. Nenhum animal selvagem distingue o certo do errado, tem noção de vergonha ou sente culpa. Nenhum animal julga seus sentimentos ou atos — ou a si mesmo. Nenhum animal vivo na natureza tem um superego ou é consciente de si. Está livre das constrições internas decorrentes do medo.

Sentir é perceber um movimento interno. Se não há movimento, não há sentimento. Assim, se deixamos o braço pender imóvel por vários minutos, deixamos de sentir esse membro. Dizemos que ele "dormiu". Esse princípio serve para todos os sentimentos. A raiva, por exemplo, é uma onda de energia corporal que ativa os músculos que executariam a ação raivosa. Essa onda constitui um impulso que, quando percebido pela mente consciente, gera um sentimento. A percepção, porém, é um fenômeno de superfície: um impulso leva a um sentimento apenas quando atinge a superfície do corpo, o que inclui o sistema muscular voluntário[5]. Há muitas pulsações no corpo que não resultam em sentimentos porque permanecem confinadas. Geralmente não sentimos os batimentos do coração porque a pulsação não atinge a superfície. Porém, se essa pulsação tornar-se muito forte, seu efeito será percebido na superfície do corpo e nos tornaremos conscientes desse órgão.

Quando um impulso alcança um músculo, este fica pronto para agir. Se for um músculo voluntário, a ação estará sujeita ao controle do ego e pode ser reprimida ou modificada pela mente consciente. Um bloqueio à ação cria um estado de tensão no músculo, que se encontra energeticamente pronto para agir, mas é incapaz de fazê-lo por um comando repressor da mente. Nesse ponto, a tensão é consciente, o que significa que pode ser aliviada, tanto pela eliminação do impulso como por uma descarga diferente — por exemplo, dando um soco na mesa em vez de no rosto de alguém. Entretanto, se o insulto ou a ofensa que provocou a raiva continuar irritando e perturbando, o impulso de raiva não poderá ser eliminado. Isso vale para os conflitos entre pais e filhos, já que estes não têm como escapar da hostilidade dos progenitores. Na maioria dos casos, a criança não tem meios de descarregar o impulso sem provocar mais raiva e hostilidade nos pais. Numa situação como essa, a tensão torna-se crônica e dolorosa. O alívio só é possível amortecendo a área, paralisando-a para que todo sentimento desapareça.

Os indivíduos que, por medo, reprimiram sua raiva dos pais mostram uma acentuada tensão nos músculos superiores das costas. Em muitos casos, essa região é arredondada e suspensa, como seria em um cachorro ou gato pronto para atacar. Poderíamos descrever essa pessoa dizendo que "está com as costas eriçadas" para indicar uma atitude raivosa. O indivíduo, porém, não está em contato com sua postura corporal nem com a raiva potencial subjacente. Essa parte de seu corpo está congelada, e ele, insensível. Trata-se de alguém que pode ter um acesso de raiva à menor provocação, sem perceber que está despejando um sentimento reprimido há muito tempo. Infelizmente, essa raiva não alivia a tensão por ser uma reação explosiva, e não uma legítima expressão da raiva subjacente.

Essas tensões musculares crônicas são encontradas por todo o corpo, como sinais de impulsos bloqueados e sentimentos perdidos. A mandíbula é uma região de tensão muscular crônica tão grave que, em alguns indivíduos, constitui uma doença conhecida como disfunção temporomandibular. Os impulsos que estão bloqueados são os de chorar e morder. A pessoa imobiliza a mandíbula para manter o autocontrole em situações nas quais poderia desmoronar e chorar, ou sair correndo de medo. Quando esse controle é consciente e pode ser submetido à vontade, ele serve ao bem-estar da pessoa. A tensão crônica na mandíbula, por outro lado, não pode ser aliviada por meio de um esforço consciente, exceto momentaneamente, pois indica uma atitude de determinação habitual ou caracterológica. Toda tensão crônica representa uma limitação da capacidade do indivíduo de se expressar. A maioria de nós sofre de consideráveis tensões musculares crônicas — no pescoço, peito, cintura e pernas, para citar algumas regiões — que nos prendem, restringindo a graça de nossos movimentos e destruindo nossa capacidade de nos expressar de forma livre e plena.

A tensão muscular crônica é o aspecto físico da culpa, porque representa as ordens do ego contra certos sentimentos e atos. Alguns indivíduos que sofrem de tais tensões de fato sentem culpa, mas a maioria não tem consciência dela nem de seu motivo. Especificamente, a culpa é o sentimento de não ter o direito de ser livre, de fazer o que quiser. De modo geral, é a sensação de não estar à vontade no próprio corpo, de não se sentir bem. Quando alguém não se sente bem consigo mesmo, o pensamento subjacente é: "Devo ter feito alguma coisa errada ou ruim". Por exemplo, quando a pessoa conta uma mentira, sente-se mal ou culpada porque traiu seu verdadeiro *self*, seus verdadeiros sentimentos. É natural que se sinta culpada pela mentira. Há indivíduos, porém, que não se sentem culpados quando mentem, mas isso ocorre porque eles não sentem; reprimiram os sentimentos. Por outro lado, ninguém pode se sentir culpado quando se sente "bem" ou alegre. Os dois estados de ânimo — sentir-se bem/alegre e sentir-se mal/culpado — são incompatíveis.

Na maioria dos casos, o fruto proibido desperta sentimentos confusos. É gostoso, o que justifica sua proibição. Todavia, como é proibido pelo superego — ou seja, aquela parte da mente consciente que incorporou as ordens dos pais —, não podemos nos entregar a esse prazer. Isso cria um gosto amargo na boca, que se torna o cerne do sentimento de culpa. A sexualidade é, com certeza, o fruto proibido em nossa cultura, e praticamente todos os indivíduos civilizados sofrem de alguma dose de culpa ou vergonha por suas fantasias e sensações sexuais. Nos narcisistas, há uma negação e dissociação dos sentimentos; em consequência, eles não sentem vergonha nem culpa, mas também são incapazes de sentir amor.[6] O comportamento sexual desses indivíduos parece desinibido e livre, mas sua liberdade é externa, não interna — em atos, não em sentimentos. Seus atos sexuais constituem um desempenho, não uma entrega ao amor. Para eles, o sexo é um ato, não uma vivência prazerosa. Sem a liberdade interior para sentir profundamente e expressar os próprios sentimentos de forma plena, não pode haver alegria.

A liberdade interior manifesta-se na graciosidade do corpo, em sua suavidade e vitalidade. Corresponde a estar livre de culpa, vergonha e constrangimento. É uma característica de todos os animais selvagens, mas que está ausente na maioria dos seres civilizados. É a expressão física da inocência, de um modo de agir espontâneo, sem artifícios e verdadeiro para o *self*.

Infelizmente, a inocência perdida não pode ser recuperada. Depois de conquistado o conhecimento de certo e errado e da sexualidade, estaremos fadados a ser pecadores? Teremos de viver uma vida de artifícios, manipulações e autoilusões? Devemos lembrar que todas as religiões pregam uma salvação. Não estamos condenados ao inferno ou sequer ao purgatório, embora muitas pessoas pareçam levar a vida nesses níveis. A salvação sempre envolve a entrega a Deus, o abandono do próprio egotismo, o compromisso com uma vida moral. Mas é mais fácil falar do que fazer. Perdemos o contato com Deus porque perdemos o contato com o Deus dentro de nós — aquele espírito que anima e ilumina o nosso ser, o centro pulsante de nosso *self* interior que dá significado à vida.

Neste livro, descreverei a angústia e o sofrimento que meus pacientes relataram e que os levaram a procurar tratamento. Estabelecer uma ligação com nosso Deus interior é a meta da terapia. Esse Deus reside no *self* natural, no corpo que foi criado à Sua imagem e semelhança. O *self* natural está enterrado bem no fundo do corpo, sob várias camadas de tensão que representam as ordens do superego e os sentimentos reprimidos. Para chegar a esse *self*, o paciente deve voltar no tempo, até seus primeiros anos de vida. É uma jornada árdua, pois desperta recordações assustadoras e evoca sentimentos dolorosos. Porém, conforme a repressão é removida e a supressão dos sentimentos diminui, o corpo que Deus criou vai lentamente recobrando sua plena vitalidade.

Não se pode fazer sozinho a viagem de autodescoberta que constitui o processo terapêutico. Como Dante, em *A divina comédia*, o viajante solitário está perdido e confuso. Angustiado por estar perdido numa floresta e sentindo-se ameaçado por animais selvagens, Dante invoca Beatriz, sua protetora no céu. Ela lhe envia Virgílio, o poeta romano, para que seja seu guia ao longo do caminho para casa através do Inferno, que apresenta perigos ao viajante. Virgílio conseguiu ajudar Dante a atravessar em segurança essa região terrível porque ele mesmo já havia feito aquele trajeto. Com a ajuda de Virgílio, Dante cruza o Inferno em segurança; depois, passa também pelo Purgatório e então entra no Paraíso. No processo terapêutico, o guia é uma pessoa que realizou uma viagem de autodescoberta semelhante, atravessando seu próprio inferno. Para ser um guia eficiente na terapia analítica, o terapeuta deve ter se submetido a uma autoanálise minuciosa, que tenha levado à sua autorrealização.

Para o paciente em terapia, o inferno é o inconsciente reprimido, o submundo no qual estão enterrados todos os terrores do passado — desespero, angústia, obsessão. Se o paciente descer até esse mundo escuro, vivenciará toda a dor de seu passado enterrado; reviverá os conflitos que não conseguiu enfrentar e descobrirá a força com a qual sonhava, mas que não acreditava ser possível. Inicialmente, a força vem da orientação, do apoio e do incentivo do terapeuta, mas vai se tornando a força do paciente à medida que ele se dá conta de que seus terrores são medos da infância que um adulto consegue enfrentar. O inferno só existe na escuridão da noite e da morte. À luz do dia — ou seja, em consciência plena —, não vemos nenhum monstro de verdade. As madrastas malvadas transformam-se em mães nervosas que aterrorizavam a criança. Sentimentos que são considerados vergonhosos, perigosos e inaceitáveis transformam-se em reações naturais a situações anormais. Aos poucos, o paciente recupera seu corpo e, com ele, sua alma e seu *self*.

Em outro livro[7], salientei que o inconsciente é aquela parte do corpo que não sentimos. Há muitas partes de nosso corpo que não conseguimos sentir. Não temos consciência do funcionamento de nossos vasos sanguíneos, nervos, glândulas endócrinas, rins etc. Alguns faquires hindus parecem aprofundar sua percepção consciente a tal ponto que são capazes de sentir esses órgãos, mas a consciência normalmente não funciona assim. A consciência é como a ponta do *iceberg* que se projeta acima da superfície do mar, mas também inclui a parte que está logo abaixo da superfície, que também pode ser vista. Nas pessoas com problemas ou conflitos emocionais, há áreas do corpo dentro do limite normal de consciência que não são sentidas porque foram imobilizadas por tensões crônicas. A imobilização bloqueia os impulsos ameaçadores, mas também amortece aquela parte do organismo, o que resulta na perda daquela parte do *self*. Essas áreas, portanto, representam conflitos emocionais que foram reprimidos no inconsciente. Por exemplo, a maioria das pessoas não sente a tensão no maxilar nem percebe que essa tensão reflete a repressão dos impulsos de chorar ou morder. Esses conflitos representam o inconsciente reprimido. Constituem o submundo no qual estão enterrados aqueles sentimentos que o ego ou a mente consciente acredita serem perigosos, vergonhosos e inaceitáveis.

Como as almas no inferno, esses sentimentos que estão mortos para a mente consciente vivem no submundo da angústia. Às vezes, a angústia atinge a consciência, mas, como ameaça a sobrevivência, é mais uma vez empurrada para baixo. É possível sobreviver se vivermos na superfície, onde podemos controlar o comportamento e os sentimentos, mas isso implica o sacrifício dos sentimentos profundos. Viver na superfície, em termos de valores egoicos, é um modo de vida narcisista que acaba se mostrando vazio e quase sempre resulta em depressão. Viver na profundidade do próprio ser pode ser doloroso e assustador a princípio, mas traz plenitude e alegria se tivermos coragem de atravessar nosso inferno interior até atingir o paraíso.

Os sentimentos profundos que estão enterrados são aqueles que pertencem à criança que fomos, à criança que era inocente e livre e conhecia a alegria, porém teve seu espírito anulado ao ser obrigada a sentir-se culpada e envergonhada de seus impulsos naturais. Essa criança ainda vive em nosso coração, mas perdemos o contato com ela, o que significa que perdemos o contato com a parte mais profunda de nosso ser. Para nos encontrarmos, para encontrar essa criança enterrada, devemos descer a essas regiões, à escuridão do inconsciente. Temos de encarar os medos e perigos dessa descida, e para isso precisamos da ajuda de um guia-terapeuta que tenha concluído essa viagem em processo próprio de autodescoberta.

Essas ideias encontram paralelo no pensamento mitológico, para o qual o diafragma é equiparado à superfície da terra. A metade do corpo acima do diafragma encontra-se na luz do dia; a parte de baixo, que é a barriga, encontra-se no escuro da noite e no inconsciente. A mente consciente tem certo controle sobre os processos da metade superior do corpo, mas pouco ou nenhum controle sobre os processos da metade inferior, que incluem as funções de sexualidade, excreção e reprodução. Essa parte do corpo está intimamente associada com a natureza animal do homem, ao passo que as funções da metade superior estão mais sujeitas às influências culturais. O modo mais simples de descrever essa diferença é dizer que comemos como seres humanos, mas defecamos como animais. Talvez porque a metade inferior do corpo esteja mais associada com nossa natureza animal, e suas funções, sobretudo a sexualidade e o movimento, sejam capazes de nos proporcionar vivências extremamente prazerosas, até mesmo extasiantes.

2. A entrega ao corpo

A RENDIÇÃO DO EGO NARCISISTA

A ideia de rendição não é bem-vista em nossa cultura, que considera a vida uma luta, uma batalha ou, no mínimo, uma competição. Para muitas pessoas, a vida demanda alguma conquista, algum sucesso. A identidade do indivíduo em geral está vinculada à sua atividade em vez de ao seu ser. Isso é típico de uma cultura narcisista, na qual a imagem é mais importante do que a realidade. De fato, para muitos, ela substitui a realidade.[8] Em uma cultura narcisista, o sucesso parece proporcionar autoestima, mas somente porque infla o ego, enquanto o fracasso surte o efeito oposto. Nessa atmosfera, o termo "entrega" ou "rendição" equivale a ser derrotado, mas, na realidade, é apenas a derrota do ego narcisista.

Sem uma rendição do ego narcisista, é impossível se entregar ao amor. Sem essa entrega, a alegria é inatingível. Render-se não significa abandonar nem sacrificar o ego. Significa que ele reconhece seu papel como subordinado ao *self* – como o órgão da consciência e não o senhor do corpo. Devemos reconhecer que o corpo tem uma sabedoria proveniente de bilhões de anos de evolução, mas que o ser humano jamais compreenderá. O mistério do amor, por exemplo, está além do alcance do conhecimento científico. A ciência não consegue relacionar o coração como bomba que envia sangue para o corpo todo com o coração como o órgão do amor, que é um sentimento. Os sábios entenderam esse aparente paradoxo. A afirmação de Pascal de que "o coração tem razões que a própria razão desconhece" é verdadeira.

Não é verdade que mente e corpo são iguais, como afirmam algumas pessoas. Essa aparente igualdade é fruto da visão limitada da mente consciente, que só enxerga a superfície das coisas. Como nossa visão do proverbial *iceberg*, só vemos um pouco mais que dez por cento de sua massa. A parte oculta na escuridão, a parte inconsciente de nosso corpo, é o que mantém nossa vida fluindo. Não vivemos por nossa vontade. Ela não consegue regular ou coordenar os complexos processos bioquímicos e biofísicos do corpo. É incapaz de afetar o metabolismo do corpo do qual nossa vida depende. E esse é um conceito muito tranquilizador, pois, se o inverso fosse verdade, a vida sofreria um colapso ao primeiro fracasso da vontade.

Tomemos como exemplo o desenvolvimento do embrião até tornar-se um ser humano, processo que nos assombra a mente. Aquele minúsculo organismo, o ovo fertilizado, "sabe" o que tem de fazer para potencializar sua possibilidade inerente de tornar-se um ser humano. É impressionante. Ainda assim, nós, seres humanos, temos a arrogância de pensar que sabemos mais do que a natureza. Deposito minha fé no poder do corpo vivo de curar a si mesmo. Isso não quer dizer que não podemos auxiliar o processo de cura. Mas não podemos substituí-lo. A terapia é um processo natural no qual o terapeuta apoia a função de cura do próprio corpo. Não é o médico que diz ao corpo como reparar um osso fraturado, e não é o médico que ordena à pele que se regenere depois de um corte ou ferimento. Em muitos casos, a cura acontecerá mesmo sem o apoio de um profissional de medicina.

Mas por que isso não acontece com a enfermidade emocional ou mental? Se ficamos deprimidos, por que não nos curamos espontaneamente? Na verdade, há pessoas que o fazem. Infelizmente, na maioria dos casos, a depressão tende a reaparecer porque sua causa subjacente persiste.[9] Essa causa é a inibição da expressão dos sentimentos de medo, tristeza e raiva. Tal repressão e a tensão concomitante reduzem a motilidade do corpo, o que produz um estado de diminuição ou depressão da vitalidade. Aliada a isso está a ilusão de que seremos amados se formos bons, servis, bem-sucedidos e assim por diante. Essa ilusão serve para manter o ânimo durante a luta para obter amor, mas, como o amor verdadeiro não pode ser conquistado por meio do desempenho, cedo ou tarde a ilusão cai por terra e o indivíduo entra em depressão. Esta desaparecerá se ele for capaz de sentir e expressar seus sentimentos. Conseguir que um paciente deprimido chore ou fique com raiva vai tirá-lo da depressão — ao menos temporariamente. Expressar os sentimentos alivia a tensão, permitindo ao corpo recuperar sua motilidade, o que aumenta sua vitalidade. Esse é o aspecto físico do processo terapêutico. Quanto ao aspecto psicológico, a pessoa precisa descobrir a ilusão e entender sua origem na infância e seu papel como mecanismo de sobrevivência.

Todos os pacientes sofrem de alguma ilusão em graus variados. Alguns têm a ilusão de que a riqueza material traz felicidade, ou de que a fama garante o amor, ou de que a submissão os protegerá de uma possível violência. Desenvolvemos essas ilusões cedo na vida, a fim de sobreviver a uma situação penosa na infância, e quando adultos temos medo de renunciar a elas. Talvez a maior de todas as ilusões seja a crença de que a mente consciente controla o corpo e que, se mudarmos nosso pensamento, podemos mudar nossos sentimentos. Nunca vi isso acontecer, embora a ilusão de que a mente é todo-poderosa traga alívio temporário. Porém, como todas as outras, ela cairá por terra quando o indivíduo ficar sem energia, e o resultado será a depressão.

As ilusões são as defesas do ego contra a realidade e, embora nos poupem da dor de uma realidade assustadora, tornam-nos prisioneiros da irrealidade. Saúde emocional é a capacidade de aceitar a realidade e de não fugir dela. Nossa realidade básica é o nosso corpo. Nosso *self* não é uma imagem em nosso cérebro, mas um organismo real, vivo e pulsante. Para nos conhecermos, temos de sentir nosso corpo. A perda da sensibilidade em qualquer parte é a perda de parte do *self*. A autopercepção consciente, o primeiro passo no processo terapêutico de autodescoberta, é a percepção do corpo — o corpo todo, da cabeça aos pés. Muitos indivíduos estressados perdem a percepção do corpo. Dissociam-se dele para fugir da realidade, o que é um tipo de reação esquizofrênica e constitui um grave desequilíbrio emocional. Porém, quase todos os ocidentais se dissociam de partes de seu corpo. Alguns não sentem as costas — é como se não tivessem coluna. Outros carecem de sensibilidade no estômago. Essas pessoas manifestarão uma falta de coragem. Cada parte do corpo contribui para o nosso senso de *self* se estivermos em contato com ela, o que só acontece se ela estiver viva e móvel. Quando todas as partes do corpo estão carregadas de energia e vibrantes, sentimo-nos vivos e alegres. Contudo, para que isso ocorra, precisamos nos entregar ao corpo e às suas sensações.

Entregar-se significa deixar o corpo vivo e livre. Significa dar total liberdade aos seus processos involuntários, como a respiração. O corpo não é uma máquina que se liga ou desliga. Ele sabe o que fazer. Na verdade, estamos renunciando à ilusão do poder da mente.

O melhor modo de começar é com a respiração. Essa é a base da técnica que Reich empregou em sua terapia comigo. A respiração talvez seja a função corporal mais importante, haja vista que a vida depende tanto dela. É uma atividade natural e involuntária, mas ao mesmo tempo está sujeita ao controle consciente. Em circunstâncias normais, não temos consciência de nossa respiração. Porém, quando há dificuldade de inspirar ar suficiente, como em altitudes elevadas, a pessoa torna-se consciente do esforço para respirar. Para quem sofre de enfisema, respirar é uma luta dolorosa e constante.

Os estados emocionais afetam diretamente a respiração. Quando sentimos raiva, nossa respiração torna-se mais rápida, a fim de ajudar-nos a mobilizar mais energia para a ação agressiva. O medo surte o efeito oposto, levando-nos a prender a respiração. Se o medo torna-se pânico, como quando tentamos desesperadamente fugir de uma situação ameaçadora, a respiração fica rápida e curta. No estado de terror, mal se consegue respirar, pois ele exerce um efeito paralisante no corpo. No estado de prazer, a respiração é lenta e profunda. No entanto, se a excitação prazerosa elevar-se até a alegria e o êxtase, como no orgasmo sexual, a respiração torna-se muito rápida, mas também muito profunda, reagindo à intensidade da descarga sexual. Estudar a respiração do paciente permite ao terapeuta compreender o seu estado emocional.

Embora eu já tenha descrito minha terapia com Reich em outras obras, contarei novamente algumas de minhas experiências para ilustrar o conceito de entrega. Deitei-me numa cama vestindo apenas shorts para que Reich pudesse observar a minha respiração. Sentado de frente para a cama, ele pediu que eu respirasse — o que comecei a fazer como de costume — enquanto estudava meu corpo. Depois de dez ou quinze minutos, Reich observou: "Lowen, você não está respirando". Respondi que estava. "Mas", ele disse, "seu peito não está se movendo". Não estava. Ele me pediu que colocasse a mão sobre o seu peito para sentir o movimento. Senti o seu peito subir e descer e decidi mobilizar o meu com cada respiração. Fiz isso durante um tempo, respirando pela boca, sentindo-me bastante relaxado. Então, Reich pediu-me que arregalasse os olhos e, ao fazer isso, emiti um grito alto e prolongado. Ouvi o meu grito, mas não tinha nenhum sentimento ligado a ele. Estava vindo de mim, mas eu não estava conectado a ele. Reich pediu-me para parar de gritar porque as janelas de sua sala estavam abertas e davam para a rua. Retomei a respiração de antes como se nada tivesse acontecido. Fiquei surpreso com o grito, mas não emocionalmente abalado. A seguir, Reich pediu-me que repetisse a ação de arregalar os olhos, e mais uma vez gritei sem estabelecer nenhuma ligação emocional com esse ato.

Nós nos encontrávamos três vezes por semana, mas nada de espetacular aconteceu nos dois ou três meses seguintes. Reich incentivava-me a me soltar e respirar mais livremente, o que eu tentava fazer. Apesar de meus esforços, Reich dizia que minha respiração não estava solta, que eu respirava conscientemente, como se fosse um exercício, em vez de deixar que ela simplesmente acontecesse. De forma inconsciente, eu controlava a respiração para que nada mais acontecesse, mas não sabia disso naquela época. Eu tentava abrir mão do meu controle, entregar-me ao meu corpo e aos seus processos involuntários, mas isso era difícil. Respirar de modo mais pleno, embora de maneira consciente, provocava hiperventilação. Fortes sensações de formigamento, conhecidas como parestesia, surgiram em minhas mãos e braços. A certa altura, minhas mãos congelaram numa contratura parkinsoniana. Estavam rígidas como garras e paralisadas. Mas não fiquei assustado. Respirei mais calmamente e aos poucos a contratura foi se soltando e a parestesia desapareceu. Minhas mãos voltaram a se aquecer. Depois de várias sessões em que a respiração mais profunda produziu essa síndrome de hiperventilação, a reação desapareceu. Meu corpo havia se adaptado à respiração mais profunda e estava mais relaxado.

Pouco tempo depois, a terapia foi interrompida pelas férias de Reich. Quando retomamos o trabalho, voltamos à entrega e à respiração espontânea. No decurso desse ano de terapia, muita coisa aconteceu. Uma delas foi uma experiência infantil que revivi e explicou os gritos de minha primeira sessão. Ao deitar na cama, tive a impressão de que veria uma imagem no teto. Com o decorrer de várias sessões, a impressão tornou-se mais forte. Depois, a imagem apareceu. Vi o rosto de minha mãe. Ela estava olhando para mim com olhos muito irritados. Senti que eu era um bebê de aproximadamente 9 meses, deitado num carrinho do lado de fora de minha casa e chorando por minha mãe. Ela devia estar fazendo algo importante, pois quando veio me olhou com tanta raiva que congelei de terror. Os gritos que não pude emitir, então, explodiram de dentro de mim em minha primeira sessão de terapia, 32 anos depois.

Em outra ocasião, senti-me movido por uma força interior. Meu corpo começou a balançar e, saindo da posição deitada, sentei-me e depois fiquei em pé. De frente para a cama, comecei a socá-la com os punhos cerrados. Enquanto fazia isso, vi o rosto de meu pai e sabia que estava batendo nele, pois ele havia me dado uma surra quando eu tinha 7 ou 8 anos. Mais tarde, quando o indaguei sobre esse incidente, ele confirmou, explicando que eu tinha ficado na rua até tarde, deixando minha mãe preocupada, e que ela havia exigido o castigo. O fato surpreendente a respeito dessa experiência foi que meus movimentos não estavam sendo feitos de modo consciente. Eu não decidi me levantar e socar a cama. Meu corpo agiu por conta própria, assim como o fez quando gritei.

Durante o segundo ano de terapia com Reich, minha respiração mostrava-se muito mais solta. Embora eu não conseguisse entregar-me por completo ao meu corpo, sua motilidade tinha aumentado consideravelmente. Enquanto eu ficava deitado na cama, respirando, surgiam vibrações em minhas pernas conforme eu as afastava e unia devagar. Essas vibrações indicavam que uma corrente de energia estava fluindo por elas, o que era muito agradável. Também senti essas vibrações nos quadris. Elas decorriam em parte da liberação da tensão nos músculos dessas regiões, mas em parte compõem um fenômeno natural da vida. Os corpos vivos são sistemas vibratórios; os corpos mortos não se movem. Apesar dos dois surtos e do desenvolvimento da vitalidade de meu corpo, eu não era capaz de entregar-me por completo até atingir o orgasmo. Nessa altura, Reich sugeriu que interrompêssemos a terapia, uma vez que parecíamos ter chegado a um beco sem saída.

Essa sugestão exerceu um grande impacto em mim. Desmoronei e chorei muito. Interromper a terapia representava o fracasso e a derrota do meu sonho de conquistar a saúde sexual. Expressei esse sentimento a Reich e também quanto eu queria sua ajuda. Pedir ajuda também era difícil. Eu acreditava que tinha de fazer isso sozinho e por mim mesmo. Mas entregar-me ao corpo e suas sensações era algo que eu não conseguia fazer. Fazer é o oposto de entregar-se. Fazer é uma função do ego, enquanto entregar-se ao corpo requer o abandono do ego. Eu não me considerava um indivíduo egoísta ou narcisista, mas desde então soube que esse era um aspecto importante de minha personalidade. Eu era incapaz de desmoronar e chorar (a menos que fosse pressionado até o limite, ou seja, ameaçado de perder o que meu coração desejava), pois, inconscientemente, estava determinado a ser bem-sucedido.

Reconhecendo o significado do meu colapso emocional, Reich concordou em continuar a terapia. Depois desse episódio, consegui entregar-me mais e minha respiração tornou-se mais fluida e profunda. Quando chegaram novamente as férias de Reich, ele sugeriu que eu ficasse um ano inteiro afastado da terapia. Acolhi a sugestão, pois queria um tempo para ficar bem. O colapso que aquele choro representara permitiu-me uma entrega ao meu sentimento de amor mais plena do que eu jamais fora capaz. Cerca de um ano antes, eu me apaixonara por uma mulher, mas o relacionamento não estava consolidado. Em certo momento, quando parecia que ia terminar, desmoronei de novo, expressando meu amor por ela. Depois desse episódio, tive a experiência sexual mais intensa e prazerosa de minha vida até então, que reconheci ser fruto dessa entrega ao meu sentimento mais profundo. No ano seguinte, casei-me com ela — e, devo acrescentar, continuo casado.

Quando retomei a terapia um ano depois, minha capacidade de entrega às ações involuntárias do meu corpo tinha melhorado muito, e não demorou para que o reflexo do orgasmo surgisse. Senti-me animado e alegre. Senti-me transformado, mas isso não durou. As experiências transformadoras revelam a possibilidade da alegria e, portanto, são significativas e preciosas, mas quase nunca vão suficiente fundo para surtir um efeito duradouro. Para que isso ocorra, devemos trabalhar com os conflitos provenientes do passado que estão profundamente estruturados na personalidade, tanto psicológica como física. Muitos dos meus problemas haviam ficado sem solução na terapia com Reich, e por isso eu não conseguia ser livre e totalmente aberto aos meus sentimentos. Apesar disso, minhas experiências terapêuticas convenceram-me de que o caminho para a alegria só poderia ser alcançado por meio de uma entrega ao corpo.

Após diversos anos de estudo que me levaram a receber o título de médico, voltei a clinicar, usando a técnica que tinha aprendido com Reich. O paciente se deitava numa cama, relaxado e respirando, enquanto eu o incentivava a entregar-se à sua respiração e ao seu corpo. Também conversávamos sobre sua vida e seus problemas. Mas não acontecia quase nada. Sentado numa cadeira, observando-o, senti necessidade de me alongar sobre o espaldar para obter uma respiração mais profunda. Ocorreu-me que era isso que meus pacientes precisavam fazer. Na cozinha do consultório havia um banco-escada de três degraus. Enrolei um cobertor e amarrei-o nele. Depois, pedi ao paciente que se deitasse de costas sobre ele com os braços estendidos para trás, como demonstrado na Figura 2. O efeito foi muito positivo. A respiração do paciente aprofundou-se visivelmente devido a esse alongamento. Pude observar a onda respiratória e notar onde ela estava bloqueada.

Desde então, o uso do banco bioenergético tornou-se padrão em minha abordagem terapêutica. Nos 40 anos que se seguiram desde que o introduzi na análise bioenergética, tenho conseguido aumentar sua eficácia ao levar o paciente a usar a voz enquanto está sobre ele. Descreverei como coordeno a voz com a respiração no próximo capítulo.

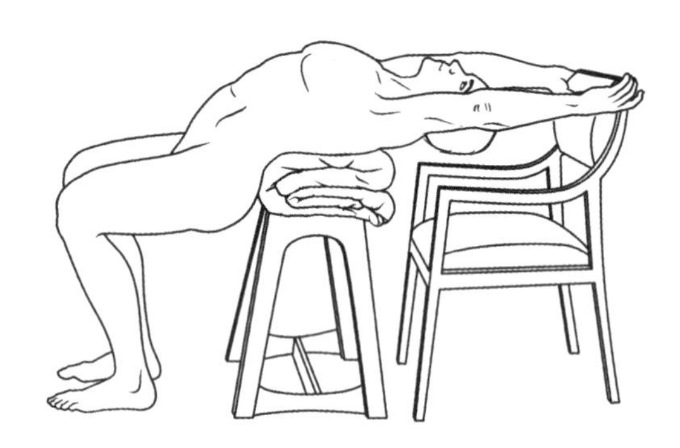

Outra mudança importante que fiz na técnica reichiana foi a prática de exercícios específicos destinados a proporcionar uma melhor consciência corporal, uma autoexpressão mais plena e mais autodomínio. Antes de conhecer Reich, eu tinha sido professor de educação física. Minha considerável experiência com exercícios mostrava-me que eles podiam surtir um grande efeito nos sentimentos e no estado de espírito das pessoas. Desenvolvi os exercícios voltados para a terapia originalmente para aumentar a motilidade do próprio corpo, e depois comecei a elaborar outros para lidar com problemas emocionais específicos que eu observava no corpo de um paciente. Muitos deles envolvem a expressão de sentimentos e serão descritos nos próximos capítulos.

O primeiro exercício que fiz para aumentar a sensação nas pernas e, com isso, o senso de segurança é chamado de arco. Na realidade, é uma posição muito conhecida porque também é praticado no *tai chi chuan*, mas eu não a conhecia em 1953, quando a utilizei pela primeira vez. Mantive os pés bem afastados, os joelhos flexionados e o corpo ligeiramente arqueado. Para manter o arco, coloquei os punhos nas costas, na linha da cintura. Essa posição proporcionava uma sensação de segurança, de estar mais em contato com a porção inferior do meu corpo. A posição também facilitava a respiração mais profunda, que é um dos motivos pelos quais os chineses a empregam. Em seguida, inverti a posição, curvando-me para a frente com os dedos tocando o chão, mantendo os pés cerca de 30 centímetros afastados um do outro, ligeiramente voltados para dentro. Nessa posição, senti-me próximo do chão e de minhas pernas e pés. Se eu conservasse o peso do corpo sobre os pés e esticasse lentamente meus joelhos sem travá-los, minhas pernas quase sempre começavam a vibrar.

A Figura 3 ilustra essa posição.[10]

FIGURA 3

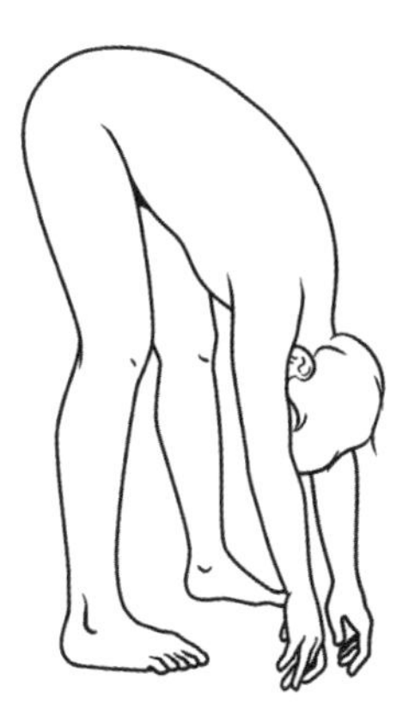

Na terapia com Reich, vivenciei vibrações sobretudo nas pernas e nos quadris enquanto estava deitado na cama, respirando. Era uma ação involuntária que se desenvolvia em reação à onda de excitação que fluía através do meu corpo. Aqueles que não conseguem se entregar por serem muito contraídos têm dificuldade de permitir que essas vibrações ocorram. No entanto, realizar esses exercícios regularmente permite que o corpo se torne mais vivo. Descobri que essas vibrações também eram induzidas por movimentos suaves das pernas e sempre resultavam em sensações prazerosas nessas áreas. Entretanto, na terapia de Reich esses movimentos não eram considerados parte do programa terapêutico. Hoje, esses e outros compõem a abordagem bioenergética para ajudar o indivíduo a sentir-se conectado com seu corpo e a realidade (*grounded*). Eles fizeram isso por mim e eu os pratico com regularidade, assim como os utilizo com meus pacientes.

GROUNDING E REALIDADE

A entrega ao corpo está associada à renúncia das ilusões e à volta à realidade. O indivíduo conectado com a realidade é descrito como alguém "pé no chão", ou seja, que sente a conexão entre os pés e o chão sobre o qual se apoia. Pessoas tensas ou nervosas não sentem esse contato, pois seus pés estão relativamente adormecidos — elas podem saber que seus pés tocam o chão, mas não têm a sensação do contato. Retiraram essa energia como excitação da parte inferior do corpo para reagir contra o medo. Quando o medo é muito grande, o indivíduo pode perder toda a sensibilidade de seu corpo, limitando sua consciência à cabeça. Viverá, então, num mundo de fantasia comum em crianças e adultos autistas ou esquizoides. Muitos vivem mais em sua cabeça para evitar a percepção dos sentimentos assustadores e dolorosos do corpo. Alguns de fato desligam-se e dissociam-se do corpo em situações de medo extremo. Essa é uma reação de tipo esquizofrênico e representa uma ruptura com a realidade. Um de meus pacientes contou que sentia como se estivesse fora do corpo, observando-o de cima. Ele era, evidentemente, muito perturbado.

O contato com a realidade não é uma condição tudo ou nada. Alguns de nós estão mais conectados com ela do que outros. Como o contato com a realidade é o requisito para a sanidade, também o é para a saúde emocional e física. Muitas pessoas, entretanto, não compreendem o que é a realidade, pois a equiparam com a norma cultural, e não com aquilo que sentem no corpo. Evidentemente, quando a sensibilidade está reduzida ou ausente, tendemos a buscar o significado da vida além do *self.* Aqueles cujo corpo é cheio de vida conseguem sentir a realidade de seu ser e podem ser descritos como sensíveis. É possível medir o contato de um indivíduo com a realidade observando quão viva ele é e quanto consegue sentir. As pessoas sensíveis são centradas. Nós as descrevemos como *grounded.*

Estar *grounded* significa sentir os pés no chão. Para sentir o chão, é preciso ter pés e pernas energeticamente carregados. Estes devem ser vivos e ágeis, ou seja, mostrar algum movimento espontâneo e involuntário, como uma vibração. A vibração não precisa ser intensa; pode ser discreta — apenas um murmúrio, como o som do motor de um carro. Quando não há esse som no carro, sabemos que o motor morreu. Quando os pés de alguém parecem sem vida e suas pernas, imóveis e paralisadas, sabemos que ele não tem contato sensível com o chão. Quando suas pernas e os pés estão plenamente vivos, ele consegue sentir uma corrente de excitação fluindo através deles, excitando-os, aquecendo-os e vibrando-os. Fui consultado por uma jovem esquizofrênica que tinha caminhado até o meu consultório por ruas cobertas de neve calçando apenas um par de tênis leves. Seus pés estavam frios e azuis, mas ela não sentia dor nenhuma, nem percebia o que estava acontecendo com eles. Eles estavam insensíveis e praticamente sem vida. Evidentemente, ela não tinha nenhum *grounding* e estava completamente sem contato com seu corpo.

O *grounding* é um processo energético em que há um fluxo de excitação através do corpo, da cabeça aos pés. Quando esse fluxo é forte e pleno, a pessoa sente seu corpo, sua sexualidade e o chão sobre o qual se apoia. Está em contato com a realidade. Esse fluxo de excitação está ligado às ondas respiratórias, de modo que, quando a respiração é fluida e profunda, a excitação flui de maneira similar. Se a respiração ou o fluxo está bloqueado, a pessoa não sente seu corpo abaixo do bloqueio. Se o fluxo é restrito, a sensibilidade é reduzida. O fluxo de excitação pulsa — fluindo para baixo, até os pés, depois para cima, até a cabeça, como as oscilações de um pêndulo —, estimulando os segmentos do corpo: cabeça, coração, órgãos genitais e pernas. Dado que a onda da excitação atravessa a área pélvica em seu fluxo descendente, qualquer distúrbio sexual grave bloqueará o fluxo até as pernas e os pés. Quando um indivíduo não está *grounded*, seu comportamento sexual também não o estará, ou seja, estará dissociado da sensibilidade no resto do corpo.

Uma vez que estar *grounded* significa estar apoiado sobre os próprios pés, isso também denota os estados de maturidade e independência. Pelo mesmo motivo, a posição ereta representa uma posição mais adulta do que a deitada numa cama, mais infantil. Nesse sentido, é mais fácil para um paciente regredir a uma posição infantil quando está deitado do que em pé. Isso explica por que vivências tais como o reflexo do orgasmo — que o paciente pode ter durante uma sessão de terapia, deitado numa cama — não se traduzem necessariamente em mudanças no comportamento adulto. O reflexo do orgasmo é um critério de saúde aceitável, mas não necessariamente absoluto. O indivíduo também deve estar plenamente *grounded*. Devemos reconhecer que os sentimentos de uma criança e os de um adulto, embora semelhantes, não são idênticos. A raiva de uma criança não é igual à de um adulto, assim como sua tristeza também é diferente. O amor adulto difere do de uma criança, não em sua característica essencial, posto que essa é uma função do coração, mas em sua amplitude e extensão, que são determinadas pelo corpo total. Isso não significa que os bebês e as crianças pequenas não sejam *grounded* – eles são, por meio de sua conexão com a mãe como representante da terra, mas não estão diretamente conectados com o chão até que se tornem plenamente capazes de se apoiar sobre os próprios pés.

Essa análise ajuda a compreender a atração exercida por cultos que exigem de seus membros a rendição de seu ego ao líder. Entregar-se a um líder equivale a uma regressão à infância e implica uma renúncia de poder e responsabilidade. Protegido pelo líder e isento da necessidade de escolher entre certo e errado, o membro do culto tem uma sensação de liberdade. Em consequência, ele vivencia um senso de alegria que fortalece seu compromisso com o culto. A questão é: essa sensação é ilusão ou realidade? As ilusões podem produzir sensações reais que inevitavelmente não perduram. No caso de um culto, a ilusão é a de que o líder é um pai amoroso e todo-poderoso que vai cuidar dos membros como se fossem seus filhos. A realidade é o contrário, pois esses líderes são narcisistas que necessitam de seguidores para sustentar sua autoimagem grandiosa. Eles também precisam ter poder sobre os outros para compensar sua impotência. Não há dúvida de que os líderes de cultos atraem apenas aqueles que estão inconscientemente em busca de um pai/líder poderoso.

Alguns elementos da relação entre o líder de um culto e seus seguidores estiveram presentes na minha relação com Reich, embora eu nunca tenha me tornado um seguidor. Quando desmoronei e chorei diante da possibilidade de minha terapia com ele terminar, tomei consciência de quanto eu queria sua proteção e o considerava um pai bom e poderoso. O fracasso iminente da terapia representava a perda daquela esperança. Meu choro decorria em parte da perda dessa esperança, mas era também uma expressão da minha tristeza por não ter tido o tipo de pai que poderia ter me proporcionado o apoio de que eu necessitava para sentir-me livre e alegre. Minha defesa contra a dor e a tristeza dessa carência foi adotar a postura de não precisar de ajuda e de que eu seria capaz de fazer tudo sozinho. Era assim que eu agia no mundo e, ao que tudo indica, parecia verdade. Mas, num nível mais profundo, não funcionava.

Um culto desenvolveu-se em torno de Reich nos anos seguintes ao término de minha terapia com ele. Nunca fiz parte do grupo que o cercou de 1947 a 1956 e que o considerava onisciente e todo-poderoso. Em parte, isso aconteceu porque fui para a Europa em 1947, para estudar medicina na Universidade de Genebra, o que me excluiu de seu círculo. Mais importante foi a influência de minha esposa. Ela desconfiava fortemente de qualquer intimidade baseada em submissão ou em uma aceitação sem critério de outro ser humano como superior, onisciente ou exclusivamente bom. Ela testemunhou um grande número de pessoas próximas a Reich que haviam renunciado à sua independência e capacidade crítica para conquistar alguma intimidade com o grande homem. Eu também via isso. Tendo dito isso, quero acrescentar que, a meu ver, tanto antes como agora, Reich foi um grande homem em muitos aspectos. Sua compreensão dos problemas emocionais dos seres humanos, sua percepção da unidade subjacente em toda a natureza e a clareza de seu pensamento colocaram-no acima de todos os outros em seu campo de atuação. Mas ele não era onisciente e teve muitos problemas pessoais que comprometeram seu trabalho e sua vida.[11]

A situação terapêutica promove uma ligação com o profissional, que pode legitimamente ser considerado um substituto da figura paterna ou materna. O indivíduo vai ao terapeuta porque precisa de ajuda na forma de aceitação, compreensão e apoio. Se o profissional assume um interesse pessoal pelo paciente, este pode facilmente tornar-se apegado a ele, dependente dele e apaixonado por ele. Essa ligação, por mais positiva que seja em muitos aspectos, enfraquece a percepção consciente de sua necessidade de independência e faz que ele fique "pendurado" em seu terapeuta e desprovido de *grounding*. Também é fato que o paciente transferirá para o profissional todos os sentimentos que teve por seus pais, tanto os positivos quanto os negativos. Os positivos incentivam a submissão e permitem-lhe regredir a uma posição mais infantil ou pueril, que facilita a expressão de sentimentos que foram negados e reprimidos na infância, isto é, sentimentos de amor. Sua expressão pode levar a um senso de liberdade e a sensações de alegria, mas, a menos que os sentimentos negativos como desconfiança e raiva também sejam expressos, eles não perduram. Vão sendo corroídos pela negatividade latente e pelo desespero que ainda não foi resolvido. Esses sentimentos negativos, quando não são plenamente elaborados na terapia, corroem a entrega inicial e deixam o paciente amargo e frustrado. O mesmo acontece nas relações amorosas, nas quais a alegria da entrega inicial ao ser amado é destruída pelas hostilidades não resolvidas oriundas da infância. Como veremos nos próximos capítulos, esses sentimentos negativos incluem um profundo desespero e uma raiva assassina que devem ser vivenciados e elaborados na situação terapêutica para que o paciente se torne uma pessoa livre. O medo do paciente de tais sentimentos constitui a base de sua resistência à entrega ao seu corpo, ao *self* e à vida.

Todo psicanalista sabe da necessidade de trazer esses sentimentos negativos à tona para que possam ser elaborados. Reich fez disso uma prática quando fui seu paciente, perguntando-me a cada sessão se eu tinha algum sentimento ou pensamento negativo a seu respeito. Lembro-me de que eu negava, o que era verdade no que dizia respeito à minha percepção consciente. Ao me tornar um "seguidor", abri mão de minha postura crítica, possibilitando minha entrega a ele e, por intermédio dele, ao meu corpo. Foi só depois de ter me separado do movimento reichiano — pois este não foi capaz de me dar uma compreensão aprofundada de meu caráter — que me tornei crítico em relação a Reich. Essa falha podia ser atribuída ao fato de seu trabalho terapêutico com o corpo não ser tão profundo e meticuloso quanto deveria. Devemos ter em mente que a minha terapia com Reich ocorreu há 50 anos, numa época em que uma compreensão da dinâmica energética do corpo e da personalidade não estava tão desenvolvida quanto hoje na análise bioenergética.

Esse desenvolvimento decorreu de uma mudança na posição do paciente durante a terapia, de deitada ou sentada para em pé. Na psicanálise clássica, o paciente se deita num divã e o foco está nas palavras que profere. Os pensamentos são o principal material do processo analítico, ao passo que a quietude e a passividade da situação analítica eliminam ou diminuem todas as outras formas de autoexpressão. Em meu trabalho com Reich, também fiquei na posição deitada, que, por ser passiva, permitiu-me regredir a estados infantis ou pueris, facilitando assim a recuperação de lembranças antigas.

Todavia, as palavras não eram a principal via de expressão. A atenção de Reich estava focalizada no modo como eu respirava e no que estava acontecendo no nível corporal. Eu era visto e ouvido, o que ampliava sobremaneira o enfoque terapêutico. Deitado, eu dobrava os joelhos a fim de sentir os pés em contato com a cama, mas a posição era de impotência. Por outro lado, quando um paciente fica em pé, ele assume uma posição adulta que permite que o foco se volte para o presente, onde os seus problemas estão. O terapeuta pode ver pela postura do paciente como ele se mantém e se apresenta diante do mundo.

A postura mais comum que tenho visto é uma expressão de passividade. O indivíduo fica em pé com os joelhos travados e o peso nos calcanhares, como se estivesse esperando que lhe digam o que fazer. Está tão desequilibrado nessa posição que um leve empurrão o derruba para trás. Percebe-se com essa postura que ele foi educado para ser bom e obediente quando criança. Ao flexionar ligeiramente os joelhos e deslocar o peso do corpo para a frente, para a parte arredondada da sola do pé, sua postura é transformada para que ele pareça mais agressivo, ou seja, preparado para avançar ou agir. A posição em pé permite que o terapeuta avalie o *grounding* do paciente fisicamente, em relação ao chão, e psicologicamente, em relação ao seu corpo.

Na terapia bioenergética, o paciente nem sempre fica em pé. No início da sessão, este e o terapeuta se sentam um de frente para o outro, para que o primeiro possa falar sobre o que está acontecendo em sua vida. A partir daí, o paciente pode usar a posição deitada ou em pé para trabalhar seus sentimentos. A tristeza, por exemplo, é quase sempre expressada com mais facilidade quando a pessoa está deitada, ao passo que a expressão de raiva é mais difícil nessa posição. Dar socos na cama para sentir e expressar raiva é uma técnica usada por muitos profissionais que em geral não têm um pleno entendimento da linguagem corporal. Refiro-me à prática desse exercício na posição ajoelhada. Essa posição denota uma atitude submissa, que contradiz a intenção do ato de socar. Pode-se sentir raiva na posição sentada, mas nesse caso sua expressão limita-se a palavras e gestos. Ao socar a cama na posição em pé, observamos até que ponto essa ação está calcada na realidade do sentimento de raiva. O paciente cujos socos não são focalizados e enraivecidos não tem sensibilidade nas pernas e pés para mantê-lo conectado com seu corpo e o chão. A expressão da raiva pouco faz para descarregar a tensão que o mantém frustrado e sem contato com a realidade.

No início de minha atividade clínica, atendi um psicólogo que estivera profundamente deprimido. Ele teve uma recuperação tão excelente que sua esposa me disse: “Você foi o único terapeuta que conseguiu colocar meu marido sobre os próprios pés de novo”. Isso não significa que colocar uma pessoa em pé vá literalmente curá-la da depressão, mas é um movimento nessa direção. Acredito que manter uma pessoa apenas falando, sentada numa cadeira ou deitada num divã, prejudica o processo terapêutico.

Para fazer parte da nossa vida, o sentimento de alegria não pode depender de algum tipo de vivência especial. Tenho certeza de que todos nós já desfrutamos de alguns momentos de alegria em decorrência do surgimento de uma emoção intensa, que resultou em uma sensação de liberação ou de liberdade. É como o sol surgindo por entre as nuvens por um breve momento e depois ficando encoberto de novo. Sabemos que o sol não pode brilhar o tempo todo, mas gostaríamos que fosse assim a maior parte do tempo. Muitas pessoas vivem na sombra de seu passado, causada por imagens assustadoras que não são vistas claramente. Essas imagens assombram a mente inconsciente, produzindo sonhos perturbadores à noite e ansiedades indefinidas durante o dia. A psicanálise foi desenvolvida como uma técnica para trazer essas memórias reprimidas à consciência, de modo que os sentimentos associados a elas pudessem ser expressos e descarregados. Acredito que isso seja essencial para qualquer terapia. Antes que o sol surja para nos alegrar e aquecer, é precedido pela luz do alvorecer. Na análise, isso é chamado de *insight* — atingido quando a luz da consciência dissipa a escuridão na alma.

Por ser uma terapia analítica, a análise bioenergética reconhece a importância do preceito "conhece-te a ti mesmo". Nesse trabalho, o *self* não é visto como mera reflexão na mente, mas também como o *self* corporal. Posto que este é mais evidente e objetivo do que a reflexão na mente, que é subjetiva, chegar a conhecer o *self* é uma questão de entrar em contato com o corpo. Muitos indivíduos não estão em contato com seu corpo, ou no máximo sentem apenas partes limitadas dele. Não estão ancorados na realidade corporal. As partes com as quais não estão em contato contêm os sentimentos assustadores, reflexo das imagens assustadoras na mente. Por exemplo, a maioria das pessoas não sente as costas, embora elas sejam fundamentais na sustentação do indivíduo e como apoio quando está sob pressão. Essa função está relacionada a "ter peito", ou seja, não ser um covarde ou um "frouxo". A coluna vertebral pode servir a essa função só quando a pessoa sente que tem uma estrutura viva, enérgica. Se for muito fraca ou flexível, ela não terá a capacidade de "sustentar" sua posição e será vista como fraca pelos outros. Se sua coluna for muito rígida, poderá ver-se imobilizada numa postura de resistência que bloqueia sua capacidade de reagir à vida e ao amor. Há alguns anos, conheci um homem que sofria de uma doença conhecida como espondilite anquilosante — patologia reumática em que a coluna torna-se rígida, quase como osso solidificado. Ele não conseguia virar a cabeça mais do que poucos graus para os dois lados. Era doloroso de ver, mas não sei se ele sentia dor. Se sentia, nunca se queixou. Sua história incluía um pai muito poderoso e dominador de quem ele sentia um medo literalmente paralisante. Mas como sua coluna entrou na luta dele? Se ele tivesse se curvado perante a agressividade do pai, teria sido um "frouxo" (sem coluna vertebral). Quando criança, não podia opor resistência declarada ao pai. Só conseguiu resistir internamente, enrijecendo a coluna. Essa ação inconsciente preservou sua integridade interna à custa de sua mobilidade e alegria. Era triste, mas ele não estava triste; tornara-se rígido e não conseguia sentir o próprio corpo.

Quando o paciente se deita sobre o banco bioenergético, respirando, consegue sentir o estado de tensão ou fraqueza das costas. A tensão crônica é o equivalente físico do medo. Uma vez que o medo imobiliza o indivíduo, a imobilização por tensão crônica equivale ao medo. Perceber a rigidez ou a tensão pode ajudá-lo a conscientizar-se dele, o que libera as memórias reprimidas da infância. Deitados sobre o banco, muitos pacientes expressaram o medo de que suas costas quebrassem e depois lembraram-se de que, quando crianças, tinham medo de que seu pai as quebrasse se o desafiassem. Essa percepção consciente lhes permitia sentir raiva, que também estava bloqueada pela tensão nos músculos dorsais. Expressar a raiva dando socos na cama, por exemplo, aliviava a tensão, devolvendo-lhes flexibilidade e força.

Seja qual for o grau de dissociação de seu corpo, o indivíduo não tem contato com o sentimento relacionado à sua mobilidade. Um maxilar e uma garganta contraídos suprimirão sentimentos de tristeza, porque a pessoa não consegue chorar. Se o corpo todo estiver rígido, ela não terá sentimentos de ternura. Em um nível mais profundo, muitos carecem de sentimentos de amor porque o coração está preso numa couraça torácica rígida que bloqueia tanto a percepção consciente do órgão como a expressão de sentimentos sinceros.

A terapia visa à autodescoberta, que implica o resgate da alma e a libertação do espírito. Três passos conduzem a essa meta. O primeiro é a autopercepção consciente, ou seja, sentir cada parte do corpo e as sensações que podem surgir nelas. Surpreendo-me com a quantidade de pessoas que não têm consciência da expressão em seu rosto e olhos, embora se olhem todos os dias no espelho. Evidentemente, a razão pela qual não veem a própria expressão é que não querem vê-la. Acreditam que não podem encará-la, e nem aos outros. Então, usam uma máscara, um sorriso fixo que proclama ao mundo que está tudo bem quando não está. Quando deixam a máscara cair, em geral se vê uma expressão de tristeza, dor, depressão ou medo. Enquanto estiverem usando essa máscara, não conseguirão sentir o próprio rosto, pois ele estará congelado num sorriso fixo. Tristeza, dor ou medo não são as melhores sensações do mundo, mas, se essas emoções reprimidas não forem sentidas, não serão aliviadas. A pessoa fica aprisionada atrás de uma fachada que impede o sol de alcançar o seu coração. Quando ela dá um passo para fora dessa cela sombria, o sol parecerá muito intenso, mas quando se acostumar com a luminosidade essa pessoa não vai querer viver naquele lugar escuro novamente.

O segundo passo para a autodescoberta é a autoexpressão. Se os sentimentos não são expressos, tornam-se reprimidos e perdemos contato com o *self*. Quando crianças são proibidas de expressar certos sentimentos, como a raiva, ou são punidas por expressá-los, eles ficam escondidos e se tornam parte do submundo sombrio da personalidade. Muitas pessoas têm verdadeiro pavor de seus sentimentos, considerados perigosos, assustadores ou loucos. Muitos têm uma ira assassina inconsciente que acham que devem manter enterrada, pois temem seu potencial destrutivo. Em pouquíssimos indivíduos essa ira é consciente. É como uma bomba que ainda não explodiu, e que eles não ousam tocar. Porém, assim como é possível deixar uma bomba explodir em um local seguro e, desse modo, torná-la inócua, também é possível liberar sentimentos assassinos com segurança no ambiente terapêutico. Ajudo os pacientes a fazer isso o tempo todo. Uma vez descarregada, a raiva latente pode ser elaborada de modo racional.

O terceiro passo para a libertação é o autodomínio. O indivíduo sabe o que sente; está em contato consigo mesmo, além de se expressar de modo correto para promover seus interesses. Está no controle de si. Os controles inconscientes oriundos do medo de ser ele mesmo se foram, assim como a culpa e a vergonha por ser como é e sentir o que sente. As tensões musculares em seu corpo que bloqueiam sua autoexpressão e limitam sua autopercepção consciente também se foram. Em seu lugar, estão a autoaceitação e a liberdade de ser.

Ao longo deste livro, explicarei como chegar a esse estágio por meio do processo terapêutico. Isso implica uma investigação analítica do passado do indivíduo, para que se compreenda por que e como seu *self* foi perdido ou prejudicado. Visto que as vivências da infância que criaram seus problemas e dificuldades estão registradas e estruturadas em seu corpo, saber interpretá-lo pode nos fornecer informações básicas acerca do passado. Esse conhecimento, somado ao que é obtido da interpretação dos sonhos, da análise do comportamento e das conversas com o terapeuta, deve ser conectado pelo paciente com o que sente e com a percepção corporal. Somente dessa maneira mente e corpo tornam-se integrados para que a pessoa seja íntegra.

A terapia é uma viagem de autodescoberta. Não é rápida, nem fácil, nem desprovida de medos. Pode de fato levar a vida toda em alguns casos, mas sua recompensa é o sentimento de que a existência não foi em vão. É possível encontrar seu significado na vivência profunda da alegria.

3. Chorar: a emoção que alivia

As tensões musculares crônicas que sufocam e aprisionam o espírito desenvolvem-se na infância em função da necessidade de controlar a expressão de emoções como medo, tristeza, raiva e tesão. Evidentemente, esses controles nem sempre são eficazes, pois o sentimento é a vida do corpo e, muitas vezes, essa vida faz valer seus direitos apesar das tentativas de controle. O controle do indivíduo neurótico pode romper numa explosão histérica de choro e gritos, numa ira selvagem ou em manifestações sexuais. Tais ações não estão sintonizadas com o ego nem fazem nada para resolver o conflito entre a necessidade de expressar os próprios sentimentos e o medo disso. Enquanto esse conflito não for resolvido, a pessoa não estará livre para ser ela mesma.

Originalmente, o medo de se expressar estava relacionado com o medo das consequências de tal expressão; porém, embora seja verdade que o medo ainda persista no adulto, agora é irracional. Por exemplo, expressar raiva numa sessão terapêutica pelo tratamento recebido quando criança certamente não resultará em punição ou em outra consequência grave. O medo, nesse caso, é dos próprios sentimentos. Eles são vistos como ameaçadores e perigosos. Muitos de nós abrigam uma raiva assassina dentro de si porque nosso espírito foi aniquilado na infância. Assim, temos um medo inconsciente de matar alguém se perdermos o controle.

Em meus 48 anos de trabalho com pacientes, incentivando-os a sentir e expressar sua raiva, nenhum deles se descontrolou a ponto de investir contra mim ou quebrar qualquer coisa em meu consultório. Socavam a cama ou usavam uma raquete de tênis para bater nela com toda força, mas tinham consciência do que estavam fazendo e estavam no controle de seus atos. O fato é que poucos conseguiram ficar com tanta raiva a ponto de seus olhos se incendiarem de fúria. Em um próximo capítulo, descreverei como trabalho com meus pacientes para ajudá-los a sentir raiva: não basta saber que a pessoa está com raiva; ela tem de *senti-la*. O mesmo vale para medo, tristeza, amor ou tesão.

Não se consegue sentir uma emoção a menos que se possa expressá-la num gesto, num olhar, no tom da voz ou por meio de um movimento corporal. Isso ocorre porque o sentimento é a percepção do movimento ou impulso. Faço uma distinção entre uma expressão emocional e um explosão histérica. Na última, o ego (que é o órgão da percepção) não está conectado com a ação; assim, a ação não é percebida como emoção. É comum ver alguém ficar irritado e negar que esteja com raiva. Quando gritei no consultório de Reich, não estava consciente de meu medo. Atendo com frequência pacientes cujo corpo mostra todos os sinais de medo — olhos arregalados, ombros elevados, respiração limitada —, mas que negam estar sentindo qualquer medo. O corpo desses indivíduos manifesta medo, mas a expressão, que é um processo ativo e consciente, está ausente. Essa desconexão é comum sobretudo no caso da tristeza.

Acredito que as pessoas tenham mais medo da tristeza do que de qualquer outra emoção. Isso pode parecer estranho, pois não ocorre a alguém que a tristeza seja um sentimento ameaçador, mas esse medo está ligado à profundidade da tristeza. Na maioria dos pacientes, beira o desespero e, conscientes ou não, eles temem afundar nas profundezas do desespero sem a menor esperança de sair caso se entreguem a ela. Contudo, se não se permitirem sentir seu desespero, passarão a vida lutando para manter-se em pé sem nenhum senso de segurança e certamente sem nenhum sentimento bom. Ao entrar em desespero, o paciente descobre que esse sentimento tem origem em uma situação da infância que não é relevante para a vida do adulto. As situações da vida adulta podem desencadear sentimentos de desespero porque estão conectadas com situações similares do início da infância que deram margem a sentimentos de desespero. Um adulto consegue substituir um amor perdido, mas uma criança é incapaz de, por esforço próprio, substituir o pai ou a mãe. É evidente que, se um indivíduo emprega toda a sua energia para segurar as pontas ou apresentar uma fachada positiva de negação, ele nunca encontrará a segurança, a paz e a alegria que a vida oferece. O fato é que alguns pacientes não conseguem chorar, e a maioria não o faz profundamente, o que os impede de sentir seu sofrimento e impede que um dia encontrem a alegria. Para ajudá-los, é preciso compreender o padrão de tensão que bloqueia sua expressão, além de conhecer as técnicas corporais que podem auxiliá-los a superar esses bloqueios.

Fazemos terapia porque, de uma maneira ou de outra, estamos feridos. Podemos estar ansiosos, deprimidos, confusos, frustrados ou simplesmente infelizes com a vida. Esperamos que a terapia mude essa condição, melhore nossa maneira de agir no mundo e nos ajude a encontrar bons sentimentos — talvez até mesmo alguma alegria. Estamos feridos porque fomos feridos. Embora alguns pacientes tenham consciência de que sua infância foi infeliz, de que se sentiam amedrontados e sozinhos, a maioria acredita que sua infelicidade é fruto de alguma fraqueza ou falha em sua personalidade. Procuram a terapia para ajudá-los a superar suas fraquezas — na verdade, para torná-los pessoas mais fortes. Esse padrão mudou consideravelmente nos últimos anos, pois as pessoas aprenderam que seus problemas emocionais decorrem de traumas da infância. Muitas agora querem conhecer seu passado para compreender por que sentem e se comportam de tal maneira, mas almejam utilizar esse conhecimento para mudar, para que a vida seja mais gratificante. Infelizmente, isso é feito em grau muito reduzido, porque os efeitos do passado estão estruturados no corpo e além do alcance da vontade ou da mente consciente. A mudança profunda e significativa só ocorre por meio da entrega ao corpo, de um revivescimento emocional do passado. O primeiro passo nesse processo é chorar.

Chorar é aceitar a realidade do presente e do passado. Quando choramos, sentimos ou percebemos nossa tristeza e nos damos conta de nossa mágoa e de sua extensão. Se um paciente me diz: “Não tenho motivo para chorar”, só posso responder: “Então por que você está aqui?” Todo paciente tem algum motivo para chorar, assim como a maioria das pessoas. Certamente, a falta de alegria é um deles. Alguns pacientes diziam: “Já chorei muito, mas não faz bem”. Isso não é verdade. Chorar não vai mudar o mundo lá fora, nem trazer amor ou reconhecimento, mas vai mudar o mundo interior, aliviar a tensão e a dor. Observemos o bebê que começa a chorar.

O bebê chora quando está angustiado. Seu choro é um chamado para que a mãe elimine a causa desse sentimento. A angústia faz que seu corpo se contraia e fique enrijecido, o que é uma reação natural à dor e ao desconforto. O corpo do bebê reage com mais intensidade porque é mais vivo, sensível e macio. Também lhe falta a capacidade egoica de tolerar a dor.

Incapaz de suportar a tensão, começa a tremer. O maxilar se franze para cima. A seguir, ele soluça copiosamente. Os soluços são convulsões que atravessam o corpo na tentativa de aliviar a tensão causada pela angústia. O bebê continuará chorando enquanto ela persistir ou até que esteja exausto. Quando estiver esgotado e não conseguir mais chorar, adormecerá para preservar sua vida. Chorar surte um efeito semelhante nas crianças exaustas que não conseguem se acalmar. Esse estado de tensão deixa-as inquietas e irritadas. As mães costumam ficar nervosas e até mesmo bater nelas, o que as fará chorar ainda mais. O choro tem dois efeitos: alivia a tensão, relaxando o corpo da criança; e permite que sua respiração se torne mais profunda e plena. Em geral, ela adormece depois. Não recomendo bater na criança, por ser um ato hostil. Em vez disso, use um tom de voz mais incisivo para tirá-la de seu estado histérico. Ressalto que o choro serve para aliviar um estado de tensão.

Diz o senso comum que chorar nos ajuda a nos sentirmos melhor. Um "bom choro" é aquele profundo e contínuo que alivia boa parte da tensão resultante de algum desconforto emocional. Ele toma a forma de soluço, acompanhado por ondas rítmicas que fluem através do corpo. Esse é o único tipo de choro que aliviará a dor, os sentimentos de mágoa e a tensão muscular de uma crise ou um trauma emocional. O choro com lágrimas também é um mecanismo de alívio de tensão para os olhos e, até certo ponto, para o corpo. Os olhos congelam de medo, contraem-se de dor e obscurecem de sofrimento. O fluir das lágrimas é um processo de derretimento e suavização, como o descongelamento da neve na primavera. Olhos que não choram ficam rígidos, frágeis e secos, o que pode prejudicar sua função visual. Verter lágrimas é uma ação genuinamente humana. Nenhum outro animal chora com lágrimas de fato. Nos seres humanos, esse choro reflete sua capacidade de ver a tristeza, dor ou angústia em outra pessoa ou criatura. Por isso a maioria das pessoas chora quando assiste a um filme triste, mas raramente ele nos faz soluçar. Acredito, portanto, que o choro é a base da capacidade de sentir compaixão, ao passo que, quando soluçamos, expressamos nosso próprio sofrimento e dor profundos.

Soluçar não é a única forma de expressão vocal oriunda dos sentimentos de tristeza, sofrimento ou angústia. Se a dor é intensa e aparentemente interminável, o choro pode tomar a forma de gemido. O gemido é um som mais contínuo e agudo. Expressa uma mágoa muito profunda, sentida no coração. Essa mágoa decorreria da morte de alguém amado, por isso o gemido é uma reação típica de mulheres que perderam um grande amor. A voz dos homens não atinge naturalmente o som agudo do gemido que a das mulheres alcança. Outro som que pertence à categoria do choro é o murmúrio. Em comparação ao gemido, é um som grave. A pessoa murmura devido a uma dor incessante e de longa duração. Há um elemento de resignação no murmúrio que está ausente no gemido ou no soluço. Esses sons estão associados a dor, angústia, mágoa e perda. São sons de tristeza e sofrimento, não de alegria. A alegria tem uma gama própria de expressão vocal. O riso, por exemplo, é muito parecido com o soluço, exceto que tem um tom positivo, um término empolgante. Há gritos de prazer, assim como há gritos de agonia. Assim, pode-se entoar as mais alegres — e mais tristes — melodias.

É importante reconhecer a voz como uma forma de expressar sentimentos. Também podemos demonstrá-los com ações, mas essa expressão vem do sistema muscular do corpo. Um sorriso, um abraço, um tapa e uma carícia, todos expressam sentimentos. Quando não percebemos o sentimento de uma ação é porque esta é mecânica e estamos dissociados dela. O mesmo acontece com a voz. Muitos falam em um tom seco e mecânico que não expressa nenhum sentimento. Aqui, também, estamos lidando com indivíduos dissociados de seu corpo e que o submeteram ao controle do ego. Muita gente, por exemplo, não consegue chorar com soluços porque essa expressão foi reprimida por tensões crônicas na garganta. Outras não conseguem sentir ou expressar raiva. São indivíduos inválidos emocionalmente, pois não conseguem vivenciar alegria ou qualquer emoção forte. Em minha opinião, uma terapia que não ajuda a recuperar a função natural da autoexpressão é falha. Neste capítulo, vamos analisar os problemas de pacientes com sua expressão vocal.

A voz é o resultado de vibrações produzidas na laringe quando passa pelas cordas vocais. As variações no som são criadas de acordo com o diâmetro da abertura da garganta e da laringe, criando a ressonância, e com a quantidade de ar. A voz humana tem uma gama muito ampla de expressões, que corresponde à variedade de emoções que sentimos. A voz pode não só expressar todas as emoções já mencionadas como variar a intensidade do som para que corresponda à intensidade do sentimento. Trata-se de uma das principais vias para a expressão dos sentimentos e, portanto, da autoexpressão. Qualquer limitação na voz constitui uma limitação da autoexpressão e representa uma diminuição do senso de *self*. A expressão "essa pessoa não tem voz ativa" ilustra esse fato. Visto que todos os pacientes sofrem de certa baixa na autoestima ou não conseguem falar abertamente, é importante trabalhar a voz na terapia a fim de cuidar do *self*.

Muitas crianças passam por vivências dolorosas e assustadoras que as fazem perder a voz. Renée descrevia a si mesma como uma sobrevivente de incesto. Fora violentada pelo pai, com penetração, antes dos 6 anos. A dor da vivência foi tão grande que ela "saiu de seu corpo" — ou seja, não tinha nenhuma percepção consciente dele. Olhava para os pés e não acreditava que estivessem ligados ao seu corpo. Em grau menor, isso também acontecia com seus braços. Apesar dessa dissociação grave, ela era uma sobrevivente. Casou-se duas vezes, criou três filhos e provia o próprio sustento. Porém, todos os homens com quem se casava violentavam-na física e sexualmente. Com o apoio de grupos para vítimas de incesto, adquiriu coragem para fazer terapia e iniciar a árdua tarefa de resgatar seu *self*.

Durante uma sessão, observou como era difícil falar abertamente: "Quando preciso revidar e dizer 'Como ousa? Quem você pensa que é?', sinto-me sufocada. Tenho medo de morrer sufocada por falar francamente. Há mais ou menos três anos, lembrei-me de uma cena de infância. Eu estava perto de uma porta, segurando a maçaneta e preparando-me para sair do quarto. Tinha cerca de 9 anos. Estava encarando meu pai e lembro-me de dizer-lhe: 'Se você não parar, vou contar para a mamãe'. Ele me agarrou pelo pescoço e me sacudiu. Achei que fosse morrer. Mas, depois disso, ele nunca mais me tocou".

Durante a terapia, fiz que Renée chutasse e gritasse: "Deixe-me em paz". Ela só conseguiu fazer isso com meu incentivo e apoio, e por um minuto ou mais entregou-se a um surto histérico. Porém, quando terminou, ela se retraiu, encolhendo-se no canto da cama como uma criança assustada e chorando de medo. Depois, lentamente saiu desse estado, mais conectada com seu corpo e *self*. Também fez os exercícios de *grounding* mencionados no capítulo anterior. Sua fala era controlada, juvenil e leve. Era uma voz que vinha de sua cabeça, com pouquíssima ressonância corporal e, portanto, pouco sentimento. Para ela, era extremamente difícil usar a própria voz como uma forma de autoafirmação. Quando gritava "deixe-me em paz", era uma voz corporal que vinha de seu sentimento, mas não estava conectada com seu ego ou sua mente. Essa é a natureza de uma reação histérica. Denotava uma cisão na personalidade. Quando Renée falava de sua cabeça, não havia sensações corporais. Quando gritava histericamente, não havia nenhuma identificação com o ego.

Há um elemento naturalmente histérico no grito, pois se trata de uma expressão descontrolada. É possível berrar com controle, mas não gritar. Gritar é "explodir de raiva", significa que o ego foi arrebatado por uma explosão emocional. É uma reação catártica, pois serve para aliviar a tensão. Nesse sentido, funciona como uma válvula de segurança num motor a vapor, que libera a pressão quando esta aumenta demais. Costumamos gritar quando a dor ou o estresse de determinada situação torna-se intolerável. Se não conseguimos gritar nessas condições, podemos perder a cabeça e enlouquecer. Chorar de soluçar também reduz a tensão e alivia a fadiga, mas em geral choramos quando a mágoa ou o trauma se encerram. Por outro lado, o grito é uma tentativa de evitar o trauma ou ao menos limitar o ataque. Trata-se de uma expressão agressiva, ao passo que chorar é uma tentativa do corpo de aliviar a dor que decorre de uma mágoa. Gritar e chorar são reações involuntárias, embora em boa parte dos casos possamos iniciar ou interromper a reação. Às vezes ela sai do controle e o indivíduo grita ou chora histericamente até a fúria se esgotar. Em nossa cultura, o comportamento descontrolado é um tabu porque ele nos aterroriza. É também considerado um sinal de fraqueza de caráter, de infantilidade. E, em certo sentido, quando gritamos ou choramos, de fato regredimos a um comportamento mais infantil. Todavia, essa regressão pode ser necessária para proteger o organismo do efeito destrutivo da repressão de sentimentos.

Renunciar ao controle em um momento e local apropriados é sinal de maturidade e autodomínio, mas podemos levantar a seguinte questão: se alguém decide abrir mão do controle conscientemente e entregar-se ao corpo e a seus sentimentos, perdeu de fato o controle? Que controle pode ter um indivíduo aterrorizado com a perspectiva de gritar e tão bloqueado para chorar que não consegue expressar esses sentimentos? A capacidade de renunciar ao controle do ego implica também mantê-lo ou restabelecê-lo quando aconselhável ou necessário. Quando o paciente se entrega, num exercício de bioenergética, chutando e gritando — aparentemente fora de controle —, em geral tem plena consciência do que está acontecendo e consegue parar quando quer. É como andar a cavalo: se o cavaleiro tem medo de "entregar-se" ao animal e tenta controlar cada movimento dele, logo descobrirá que na realidade não tem nenhum controle da situação. Aquele que tem muito medo de abrir mão do controle não está no controle de absolutamente nada. É controlado por seu medo. Assim que aprender a "entregar-se" a sentimentos fortes por meio da voz e do movimento, perderá o medo de entregar-se ao *self*.

Sabemos que os bebês gritam tão alto que podem ser ouvidos a uma grande distância. Além disso, eles choram livremente. A voz do bebê é extremamente poderosa. Quando meu filho era bebê, sofria de cólicas. Na ocasião, ele gritava tão alto que podia ser ouvido a dois quarteirões de distância. Só meu papagaio consegue gritar mais alto que isso. Quando o papagaio grita, é como se todo o seu corpo se tornasse uma laringe. As vibrações de sua voz são tão fortes que nenhuma tensão se compara a ela — sabe-se que algumas vozes são capazes de quebrar vidro. Um de meus problemas era a incapacidade de usar minha voz livremente. Eu conseguia chorar com facilidade, mas soluçar era muito difícil. Mais de 25 anos depois de minha terapia com Reich, tive um *insight* que esclareceu por que minha voz não era solta. Durante um *workshop* de análise bioenergética, duas participantes que também eram terapeutas ofereceram-se para trabalhar comigo. Eu estava hesitante, mas aceitei. Uma delas trabalhou em minhas pernas e pés enquanto eu estava deitado no chão, massageando-os para aliviar um pouco a tensão (sempre houve uma considerável tensão em minhas pernas; minhas panturrilhas doem quando são pressionadas). A outra trabalhou em meu pescoço. De repente, senti uma dor muito aguda na parte da frente do pescoço, como se uma faca me tivesse sido tirada da garganta. Na mesma hora soube que vivenciara o aspecto físico do que minha mãe tinha feito comigo psicologicamente. Ela havia cortado a minha garganta. Em um nível bastante profundo, eu tinha medo de falar abertamente com ela quando criança, o que dificultou o diálogo com os outros quando adulto. Um trabalho considerável sobre o problema no decorrer dos anos melhorou muito essa situação.

Outra paciente, a quem chamarei de Margaret, contou-me um sonho recorrente no qual um travesseiro está sobre seu rosto e ela tem a sensação de ser sufocada e morrer. Margaret sobrevivia, mas sempre por um triz. Em tese, levava uma vida normal, mas estava sempre em um estado de medo e ansiedade profundos que tornava sua vida quase insustentável. Aos 40 anos, Margaret ainda tinha pavor da mãe. Descrevia-a como uma mulher fria, insensível e controladora. A maneira que Margaret encontrava para sobreviver era retrair-se emocionalmente.

A paciente tinha uma dificuldade considerável de entregar-se à tristeza que sentia. Se começava a chorar, ficava enjoada e tinha de parar. Isso continuou por um bom tempo, até que os enjoos cessaram e ela conseguiu chorar. Porém, os soluços não fluíam. Soavam mais como um gemido entrecortado — tentativas sem sucesso de abrir a garganta e deixar a dor sair. Sua voz era fina, monótona e precipitada. Falava rápido e sem emoção. O que ela dizia fazia sentido, mas não tinha sentimento.

Para ajudá-la, pressionei um pouco as laterais de sua garganta para aliviar a tensão enquanto ela tentava gritar. Sua garganta era tão contraída que gritar era quase impossível, mas nosso trabalho no ano anterior a havia deixado um pouco mais solta. Para minha surpresa, em vez de engasgar, ela abriu a garganta e emitiu um som pleno. Quando terminou, disse: "Nunca ouvi essa voz antes". Era a voz da criança enterrada em seu corpo todos aqueles anos.

As crianças nascem inocentes, sem inibições nem culpa. Para muitas delas, há alegria nesse estado inicial de graça. Quando faço contato visual com crianças de 1 a 2 anos, vejo seus olhos brilharem e uma expressão de prazer em seu rosto. Invariavelmente, se escondem por timidez ou constrangimento, mas em poucos minutos olham para mim de novo e resgatam a felicidade e o prazer daquele contato. Escondem-se de novo, mas não por muito tempo. Esse jogo poderia durar um bom tempo, mas tenho de parar porque os cuidados e as responsabilidades da vida adulta se impõem.

Também vi olhos adultos brilharem durante esse contato visual, mas é tão rápido e fugaz que se pode sentir seu constrangimento e culpa. Porém, há muitos cujos olhos não brilham porque a chama interna, que chamamos de paixão, foi apagada. Vemos isso na escuridão dos olhos, na tristeza da expressão facial, na severidade do maxilar e na tensão do corpo. Perderam a capacidade de sentir alegria no início da infância, quando sua inocência foi esmagada e sua liberdade, destruída. É o caso de Martha. Quando me procurou, tinha 51 anos, era mãe de três filhos crescidos e acabara de se divorciar. Ela me consultou porque "sua vida não tinha sentido". Dizia não haver alegria em sua vida e muito menos prazer. Sentia-se ansiosa o tempo todo e acreditava ser essa sua condição normal.

Em nosso primeiro encontro, chamou-me a atenção a escuridão em seus olhos. Eles não brilharam em nenhum momento da consulta, nem mesmo por um momento. Era uma mulher pequena, mas de corpo bem--feito. Era animada e, apesar da rigidez em sua boca e maxilar, não agia como depressiva. Depois de muitos anos de casamento, durante os quais fora fiel ao marido, ele a deixou por outra mulher. Martha suportou o divórcio e continuou sua vida vazia até entender que precisava de ajuda.

Ela sabia que estava assustada. Nunca fora capaz de se posicionar diante do marido. O divórcio deixou-a muito insegura, pois ela nunca havia se sustentado antes. Agora que se aproximava da menopausa, estava desesperada, mas não admitia — nem chorava. Martha era uma sobrevivente como tantas em nosso tempo, que seguem em frente, mas sem nenhuma alegria.

Tenho ouvido muitas pessoas dizerem com orgulho: "Sou um sobrevivente". Valorizo esse sentimento caso tenham sobrevivido a situações que ameaçam a vida, como os campos de concentração nazistas. Entretanto, essa afirmação também tem significado para o presente e o futuro. Na realidade, o indivíduo está dizendo: "Eu aguento. Consigo sobreviver a condições que fariam outros sucumbirem. Sou capaz de suportar 'ataques' hostis ou destrutivos". Se ele está armado para sobreviver, não prevê nem pode reagir à alegria. Quem espera que um cavaleiro de armadura dance valsa? Uma postura que nos prepara para a catástrofe não nos predispõe a desfrutar da vida. Isso não significa que essas pessoas não queiram o prazer. Mas querer prazer e estar aberto a ele são duas coisas diferentes. Se a sobrevivência é o foco da vida, elas não estão abertas para o prazer. Se estão dentro de uma couraça, prevendo um possível ataque, não estão abertas para o amor. Abrir-se para a vida torna-as vulneráveis, fazendo que seu medo as feche de novo.

Martha era a caçula de três filhas. A atmosfera em sua casa era de muita violência. Seus pais brigavam o tempo todo, sobretudo por causa de dinheiro. Ela se lembrou de um incidente quando tinha 5 anos: seus pais estavam gritando um com o outro na sala quando de repente seu pai chutou a mesinha de centro e estava a ponto de destruir a cristaleira, mas suas irmãs o detiveram. Ao relatar esse incidente, não mencionou que estivesse aterrorizada. Acredito que não sentiu seu medo porque estava em estado de choque. Ela ressaltou que "foi muito assustador".

Nesse ambiente, Martha retraiu-se e fechou-se. Disse que costumava se esconder e brincar sozinha embaixo da mesa da sala de jantar, onde ficava encoberta pela toalha. Achava que ali era a sua casa. Mas não era um santuário. Nunca se sentia livre do medo. "Vivia num estado constante de alerta pelo que poderia acontecer", ressaltou. "Não havia alegria ou leveza em minha casa. O ambiente era pesado, como um fardo. Era uma tristeza pesada".

Em seu estado constante de angústia, Martha não tinha compreensão, compaixão nem apoio do pai ou da mãe. Aos 6 anos, sua experiência na escola foi terrível. Sua mãe a levou e, quando se virou para ir embora, Martha começou a chorar, implorando-lhe para que não a deixasse. Porém, sua mãe a ignorou e foi embora. Martha relatou que passou o dia em um canto, chorando sem parar.

Fiquei impressionado com a infância de Martha. A sobrevivência exigia que ela se recompusesse e saísse para o mundo, pois não podia passar a vida inteira escondida. Casou-se com um homem que não amava assim que terminou o ensino médio. Tinha aprendido uma maneira de enfrentar a vida: se fizesse o que esperavam dela, não se machucaria. Seria sempre uma menininha boazinha. Seu marido acabou se revelando muito parecido com seu pai, um homem enfurecido e violento. Mas ela sabia que conseguiria sobreviver.

Procurar terapia significava que Martha não queria apenas sobreviver: ela tinha de mudar sua postura diante da vida, o que exigiria mais do que uma simples decisão. Se sua postura lhe havia permitido sobreviver, desistir dela seria o mesmo que arriscar a própria sobrevivência. Embora não houvesse nenhuma ameaça real à sua sobrevivência no momento, abandonar sua postura defensiva e abrir-se para a vida despertavam sentimentos de vulnerabilidade e perigo que conhecera na infância. Apesar de seus 51 anos e de sua sofisticação, no fundo ela ainda era aquela menininha assustada. Continuava sofrendo de ansiedade, sentia-se angustiada e era insegura.

Se o caminho para a alegria passa pela entrega ao *self* — ou seja, aos próprios sentimentos —, o primeiro passo no processo terapêutico é sentir e expressar a tristeza. Ter passado 51 anos apenas sobrevivendo é uma história triste. Para expressar essa tristeza, é preciso chorar, mas, embora Martha enxergasse a tristeza em seu rosto, chorar era muito difícil para ela. Deitada sobre o banco bioenergético, Martha pôde sentir a angústia em seu corpo. Quando pedi que usasse a voz num som constante, chorou um pouco e disse: "Ó, Deus, ó, Deus!"

"Ó, Deus" é o pedido de ajuda mais profundo e espontâneo que pode existir. Todos nós dizemos isso às vezes, quando chegamos a um ponto em que sentimos que a pressão ou a dor está intolerável. Não é o apelo de um sobrevivente que acha que não pode desmoronar em nenhuma circunstância. Pronunciamos essas palavras quando sentimos que não aguentamos mais, que a carga é pesada demais. O surpreendente nessas palavras é que, se forem proferidas sem nenhum sentimento, podem facilmente levar ao choro. A palavra *God* em inglês, com as consoantes G e D de cada lado da vogal, lembra o som de um soluço.[12] Quando as pessoas soluçam profundamente, em geral dizem quase espontaneamente: "Ó, Deus, ó, Deus!"

Quando Martha pronunciou essas palavras, sugeri que ela contasse a Deus como se sentia. Seja qual for a concepção que se tenha de Deus, — deidade religiosa ou poder sobrenatural —, pode-se abrir o coração para Ele, sem vergonha nem medo. É mais fácil dizer "estou sofrendo" para Deus do que dizê-lo para alguém que talvez não queira ouvir. A reação de Martha à minha sugestão de conversar com Deus foi a seguinte: "Você é mesquinho. Você não é bom. Você não me ama"; e depois: "Você não sabe o que eu sinto — sinto, sinto, sinto, não sei". Não saber o que se está sentindo denota uma confusão terrível, uma falta de autopercepção consciente, um senso de *self* inadequado. A pessoa sente-se mal nessa condição. Perguntei a ela: "Você não se sente péssima?"

"Sim", ela respondeu, "não me sinto bem. Não sou feliz. Sinto-me triste. Sinto-me muito, muito triste". Mas não chorou. Em vez disso, ressaltou: "Não consigo respirar".

Depois, acrescentou: "Também estou com raiva". Sua voz soava como a de uma criança. Quando chamei sua atenção para isso, ela disse: "Para mim é muito difícil expressar qualquer coisa. Fico desse jeito com as pessoas também. Não consigo falar. Fico pensando: 'As crianças deviam ser vistas, não ouvidas'".

Se o choro foi sufocado, fica difícil respirar; obstrui-se o fluxo de ar pela contração da garganta. A garganta de Martha estava gravemente contraída, o que também justificava sua voz infantil. Essa contração é a base de sua incapacidade de respirar profundamente.

Sua dificuldade de respirar foi ressaltada no decorrer de outro exercício, o segundo passo para a expressão de sentimentos: consiste em dar chutes, o que constitui uma expressão de protesto. Todos temos vontade de chutar em algum momento. Todos fomos feridos de tal maneira que sentimos que não merecemos. Temos o direito de protestar e perguntar "por quê?" ou chutar.

Deitada, pedi que Martha chutasse a cama repetidamente e com força, com as pernas estendidas, dizendo ao mesmo tempo "por quê?" Com meu incentivo, ela chutou rapidamente e deixou que sua voz se elevasse até o grito. Por alguns minutos, deixou-se descontrolar. Quando o descontrole passou, ela riu e disse: "Sinto-me bem". Depois a ansiedade voltou e ela ressaltou: "Eu achava que, se me entregasse e perdesse o controle, perderia a minha vida". Era a primeira vez que ela mencionava o medo de morrer. Não levei a análise adiante durante essa sessão, mas para mim estava claro que ela sempre tivera esse medo. Se gritasse histericamente, seria morta. Seria estrangulada. A contração em sua garganta estava diretamente relacionada com o medo de ser estrangulada. Era como se alguém estivesse com a mão em sua garganta, num gesto ameaçador.

Protestar e falar francamente são a base de uma voz ativa. Os presidiários e escravos não têm voz ativa nem são livres. Entretanto, as crianças também podem ser inseridas nessa categoria se forem amedrontadas a ponto de não conseguirem emitir um som em voz alta. Se não forem de fato escravas, essas crianças usam a submissão e o silêncio como ferramenta de sobrevivência. Essa técnica costuma persistir até a vida adulta e não pode ser abandonada enquanto a pessoa não aprender na prática que gritar e berrar não trará punições. Por outro lado, há indivíduos cujo comportamento histérico é praticamente um modo de vida. Acredito que ambos os padrões se desenvolvam em famílias em que a violência real e a potencial sejam características do comportamento dos pais. Se a criança não ficar aterrorizada, pode se identificar com os pais e adotar o seu padrão de comportamento. Por outro lado, se ela se sente ameaçada e amedrontada, vai se retrair, calando-se e tornando-se submissa.

Todos os bebês mamíferos reagem gritando ou chorando a qualquer forma de angústia, a fim de que a mãe elimine a causa de seu sofrimento. Porém, o choro do bebê humano é mais do que um simples pedido de ajuda. Mesmo quando a mãe atende ao seu chamado, o choro ainda pode persistir por algum tempo. Além disso, não é uma única nota ou apelo, mas um som contínuo e entrecortado, ligado ao ritmo da respiração. É o som do soluço que os adultos também fazem quando estão angustiados. Soluçar também pode ser considerado um pedido de ajuda, mas tem um significado mais profundo, pois expressa tristeza ou sofrimento. A tristeza também está associada às lágrimas — embora, em muitos casos, quando se soluça profundamente não há lágrimas. Em outros casos, há lágrimas, mas não soluços.

Visto que som e sentimento estão intimamente ligados, aprendemos a controlar a voz para que ela não revele nossos sentimentos. Podemos falar num tom monocórdio, desprovido de emoções, ou elevar o tom da voz para ocultar o fato de que estamos deprimidos. Essa modulação da voz é amplamente exercitada por meio do controle da respiração. Se respiramos de maneira livre e plena, nossa voz naturalmente refletirá nossos sentimentos. Respirando apenas de maneira superficial, ficamos na superfície deles, onde podemos conscientemente controlar as características de nossa expressividade vocal.

Uma forma de conseguir que um paciente entre em contato com seus sentimentos mais íntimos é aprofundar sua respiração. A técnica que emprego é muito simples: o paciente se deita sobre o banco bioenergético, respirando normalmente. Depois, peço-lhe que emita um som e o sustente tanto quanto possível. Alguns emitem um som alto, mas breve. Isso poderia indicar que gostariam de abrir sua voz, mas não conseguem. Outros emitem um som suave, o que sugere que não se sentem autorizados a expressar-se com vigor. Em ambos os casos, a pessoa ainda está no controle. Sugiro então que façam o possível para continuar o som. Isso implica forçar a expiração. Quando fazem isso, seu controle começa a se desarticular. Perto do fim da respiração, ouve-se o som de um choro, um lamento ou uma nota de agonia. Quando se força o som, as vibrações prolongam-se mais profundamente no corpo. Quando atingem a pelve, percebe-se que o paciente está à beira das lágrimas. Repetir o exercício algumas vezes, incentivando-o a ouvir o tom do som, em geral provoca o choro.

Na maioria dos casos, porém, tenho percebido que é necessário dirigir o paciente para que force a voz em sons repetidos, como grunhidos — "ugh, ugh, ugh". Esse som enviará vibrações por todo o corpo, assim como fazem os soluços. A maioria dos pacientes não o sente como o som de um soluço, o que não deixa de ser verdade, pois estão produzindo tal som mecanicamente.

Todavia, se os mantenho emitindo o som, sobretudo em ritmo mais acelerado, ele acaba se tornando involuntário e o paciente o sentirá como um choro verdadeiro. É como encher uma bomba de ar. A ação deliberada provoca um sentimento que transforma o movimento em um ato expressivo. A palavra *God* (Deus), quando entoada, tem uma qualidade semelhante e, se for repetida rapidamente, também pode culminar em choro.

Chorar é uma aceitação de nossa natureza humana, ou seja, do fato de termos sido expulsos de nosso paraíso terrestre e vivermos com a consciência da dor, do sofrimento e da luta. Parece, porém, que não temos nenhum direito de nos queixar, pois, tendo comido o fruto da árvore do conhecimento, tornamo-nos deuses, distinguindo o certo do errado, o bem do mal. Esse conhecimento é a cruz que carregamos, a autoconsciência que nos rouba a espontaneidade e a inocência. Mas carregamos a cruz com orgulho, porque isso nos faz sentir especiais, as *únicas* criaturas de Deus, mesmo que tenhamos sido *nós* os transgressores da primeira injunção divina. O homem também obteve outro conhecimento, o qual lhe conferiu o poder de destruir a Terra, seu verdadeiro Jardim do Éden.

A autoconsciência é tanto nossa maldição como nossa glória. É uma maldição porque nos rouba a alegria, a alegria da abençoada ignorância; e uma glória porque nos permite conhecer a alegria como êxtase. Um animal vivencia a dor e o prazer, o sofrimento e a alegria, mas não tem conhecimento desses estados. Conhecer a alegria é conhecer o sofrimento, mesmo quando este não está imediatamente presente em nossa vida. É o conhecimento de que perderemos aqueles que amamos e inclusive a nossa própria vida. Se rejeitamos esse conhecimento, rejeitamos nossa verdadeira humanidade e a possibilidade de conhecermos a alegria. Mas não se trata de um conhecimento na forma de palavras, e sim na de sentimento. Saber e sentir que a vida humana tem um aspecto trágico, que o sofrimento é inevitável permite-nos vivenciar uma alegria que é transcendente. Fomos feridos e seremos feridos de novo, mas também seremos amados e respeitados — respeitados por sermos humanos.

Viver uma vida plena demanda a capacidade de chorar livre e profundamente. Ao fazê-lo, não há confusão, desespero nem angústia. Nossos soluços e lágrimas lavam-nos por dentro, renovando nosso espírito, para que possamos nos alegrar novamente. William James escreveu:

> A parede de pedras dentro dele ruiu, a dureza de seu coração foi dissipada. Especialmente se chorarmos! [...] Pois então é como se nossas lágrimas irrompessem por um dique entranhado — deixando-nos lavados e brandos de coração e abertos para qualquer diretriz mais nobre.[13]

Mas chorar não faz milagres. Não somos tão transformados por um bom acesso de choro. A questão é ser capaz de chorar livre e facilmente. Desmoronei duas vezes no decorrer da terapia com Reich, e em ambas ocorreu um aparente milagre. Porém, esse choro, por mais profundo que tenha sido, veio em consequência de uma pressão externa. Quando surgiram outros problemas, meu maxilar se contraiu enquanto eu tentava lutar contra eles. Estive perto de fracassar. Eu sabia que não conseguia chorar facilmente. Certa vez, durante o meu trabalho com Pierrakos, meu assistente nos primórdios da análise bioenergética, pedi-lhe que pressionasse meu maxilar. Enquanto eu estava deitado na cama, ele colocou os punhos nas laterais do meu maxilar e pressionou. Doeu, mas não chorei. Depois, como ele continuou a pressionar, eu disse espontaneamente: "Meu Deus, por favor, me deixe chorar", e rompi em soluços profundos. Quando me levantei, Pierrakos disse que minha cabeça estava cercada de uma luminescência brilhante.

Mas até mesmo essa vivência, por mais magnífica que tenha sido, precisava ser repetida. O objetivo da terapia não era me fazer chorar (ou seja, provocar o choro, o que algumas vezes tem de ser feito), mas me ajudar a recuperar a capacidade de chorar. Isso aconteceu muitos anos depois, quando comecei a trabalhar com os pacientes para ajudá-los nessa tarefa. Se eu sustentasse um som por um tempo enquanto estava deitado no banco, ele rompia em sons de soluço com os quais eu conseguia me identificar e aos quais podia me entregar. Para manter essa entrega contra a pressão de um caráter determinado a não se render, eu precisava chorar regularmente. Houve épocas em que eu chorava um pouco todos os dias. Se alguém me perguntasse: "Por que você está triste?", eu respondia: "Por mim, por você e pelo resto do mundo". Quando as pessoas olham fundo nos meus olhos, relatam que veem uma tristeza neles — embora eles ainda brilhem quando faço um contato amistoso com os olhos de outrem.

Quando os pacientes me dizem que choraram o bastante, ressalto que o choro é como a chuva que fecunda a terra. Algum dia diremos: "Chega de chuva, não precisamos de mais"? Talvez não precisemos de um dilúvio, mas de uma chuva leve regularmente para manter nosso planeta verde e nossa alma lavada.

Tanto a tristeza como a alegria provêm de sensações na barriga. No capítulo anterior, observamos que o reflexo do orgasmo ocorre quando a onda respiratória flui livremente até a pelve. Nessa entrega ao corpo há um senso de liberdade e excitação que produz o sentimento de alegria. O medo de entregar-se à excitação sexual bloqueia a onda, de modo que ela não alcança a pelve, gerando um sentimento de tristeza. Com o choro, a tensão se alivia, a liberdade e a plenitude se restabelecem e surge uma sensação agradável no corpo. O envolvimento da barriga tanto na tristeza como na alegria se reflete em expressões como "chorei/ri até a barriga doer". Em consequência de ambas, logo depois a pessoa se sente bem. Fica claro que o indivíduo que consegue respirar profundamente e chorar ou rir com essa mesma profundidade sente-se bem consigo mesmo e não precisa de terapia.

Se chorar e rir têm padrões energéticos e convulsivos similares, não podemos curar a nós mesmos por meio do choro, assim como pelo riso, como fez Norman Cousins? Ambas as ações têm um efeito catártico por aliviar o estado de tensão. Porém, o riso é ineficaz e inexpressivo para libertar um indivíduo de sua tristeza ou desespero reprimido. Ele pode retirá-lo temporariamente da tristeza, mas o levará de volta a ela quando acabar. É muito mais fácil para uma pessoa rir do que chorar. Ela aprende cedo na vida que o riso nos aproxima dos outros, enquanto o choro nos afasta deles. "Ria e o mundo rirá com você; chore e você chorará sozinho." As pessoas têm dificuldade de reagir ao choro de outrem porque isso toca a sua própria dor e tristeza, que estão sendo negadas. Mas os amigos dos tempos de bonança não são confiáveis. Um amigo de verdade é aquele capaz de compartilhar de sua dor porque já aceitou a própria dor e o próprio sofrimento.

Para muitos, o riso é um disfarce. Talvez até sustente o ânimo durante uma crise, mas nesses casos não é aquele riso profundo de doer a barriga. No decorrer do trabalho com a voz, por vezes o paciente rompe num riso espontâneo, e não em choro. A situação, porém, não é conveniente para o riso. A pessoa está em terapia porque não consegue encarar os problemas. Nesse caso, o riso deve ser considerado uma resistência à entrega, uma negação da realidade de seus sentimentos. Ao ressaltar esse fato para o paciente, sua reação é: "Mas eu não me sinto triste". Em vez de confrontar sua resistência, uno-me a ele, rio com ele e incentivo-o a rir cada vez mais. Na maioria dos casos, quando o riso se aprofunda, o paciente explode em soluços e sente a tristeza que jaz na superfície de sua consciência. Depois desse choro, sente-se aliviado e livre.

As mulheres têm mais facilidade de chorar — soluçar — do que os homens. Acredito que isso seja cultural, pois homens e meninos são subjugados quando choram. Entretanto, a facilidade feminina de chorar também está relacionada à sua estrutura corporal, que costuma ser mais flexível que a dos homens; atribuo a maior longevidade das mulheres à sua flexibilidade. Via de regra, o corpo dos homens é mais rígido, não desmorona com facilidade. Porém, quando essa rigidez é inconsciente, uma postura habitual ou uma atitude caracterológica, equivale a uma ausência de receptividade à vida e representa, portanto, uma perda de espontaneidade e vitalidade. Homens mortos não choram. Acredito que um homem que consiga chorar viva por mais tempo. Chorar protege o coração.[14] É a única maneira de aliviar a dor de um coração partido, da perda de um amor. A vida é um processo fluido congelado na morte e parcialmente congelado em estados de tensão. Chorar constitui um degelo. Os soluços convulsivos do choro são como a dispersão da neve no degelo da primavera. As lágrimas são o fluxo decorrente.

A maioria de nós, no entanto, foi profundamente ferida. Carregamos dor demais em nosso corpo para permitir uma entrega ao *self*. Nossa tristeza beira o desespero, que devemos negar em benefício da sobrevivência. Nosso medo pode ser paralisante, de modo que só funcionamos reprimindo-o e negando-o. Eliminamos o sentimento tensionando o corpo e restringindo a respiração, mas ao fazê-lo eliminamos também a possibilidade da alegria. Para ajudar meus pacientes, ressalto que o desespero não é do presente, mas do passado. O medo não decorre de uma ameaça atual, mas de uma antiga. É verdade que os sentimentos de desespero e medo estão no presente, mas apenas porque embalsamamos o passado em nosso corpo. O passado continua vivo na tensão. Aliviá-la nos permite dar um passo para nos livrarmos do passado.

Porém, a tensão só pode ser aliviada quando se expressa o sentimento contido nela. Técnicas de relaxamento ajudam apenas temporariamente. Assim que surge uma situação que desperta o sentimento bloqueado, a musculatura logo se contrai para controlá-lo. Contudo, descarregar o sentimento, embora seja catártico, não produz um alívio duradouro. É fundamental compreender a dinâmica da autoexpressão, a fim de ajudar nossos pacientes a se tornarem livres. O ego é parte da autoexpressão, tanto quanto o corpo. Mente e corpo devem estar integrados em qualquer expressão de sentimento para que represente uma afirmação do *self*. Nesse sentido, chorar ou até mesmo gritar não é terapêutico a menos que a pessoa saiba por que está chorando e seja capaz de expressar isso com palavras. Vi pacientes entregarem-se ao choro quando respiravam sobre o banco e depois dizerem: "Não sei por que estou chorando".

Se o som transporta o sentimento, as palavras expressam a imagem ou ideia que dá sentido a ele. A análise bioenergética é uma técnica terapêutica de mente e corpo que trabalha com sentimentos e ideias, com sons e palavras. A maioria dos pacientes, quando se entrega ao choro profundo, geralmente repete "ó, Deus", que descrevi como um pedido involuntário de ajuda. Se o som do choro é um pedido de ajuda, as palavras o comunicam em nível adulto. Quando o indivíduo expressa um sentimento tanto em palavras quanto por meio de sons e atos, seu ego está identificado com o sentimento. É comum que o paciente grite espontaneamente no decorrer de uma descarga catártica e depois diga: "Eu me escutei gritando, mas não estava conectado com isso". Atribuir palavras ao sentimento ajuda a estabelecer a conexão.

Como na sessão com Martha descrita neste capítulo, sempre que as pessoas dizem "ó, Deus" no decorrer de seu choro, sugiro que contem a Deus o que sentem. Por vezes, elas dizem "Não sinto nada" ou "Não sei o que sinto". Nesse caso, posso lhes dizer: "Você se sente triste?" "Sim", elas respondem. "Então diga a Deus que você está triste." "Estou triste." Em geral, suas palavras são apáticas e eu lhes pergunto: "Quão triste?" Elas sempre respondem: "Muito triste", que é a verdade do seu *self*. Se consigo levá-las a utilizar as palavras com algum sentimento, seu choro se aprofunda. Certos pacientes abrem-se facilmente e dizem "estou magoado", "estou sofrendo" ou outras declarações que expressam a imagem e a ideia associadas à sua tristeza e choro. Quanto mais conseguem expressar em palavras o motivo do choro, mais integrados estão. Mente e corpo, então, trabalham juntos para estabelecer um senso mais forte de *self*.

Às vezes recebo um retorno muito negativo à minha sugestão de dizer a Deus o que sente. Certa vez uma paciente disse, com muita raiva: "Vá se foder, Deus. Você nunca esteve ao meu lado. Você nunca se importou comigo. Odeio você". Essa paciente vinha de um lar religioso e frequentara uma escola religiosa. Quando tentei questionar seus sentimentos, ela disse que era como se sentia e quem ela era. Seu pai era pervertido em relação às mulheres e à sexualidade. Ele se interessara sexualmente por ela, tocando-a e olhando para ela de modo sedutor. Ao mesmo tempo que achava que todas as mulheres eram prostitutas e contava piadas obscenas à mesa do jantar, fazia comentários negativos e humilhantes a respeito da conduta sexual de todo mundo. Esperava que sua filha fosse um anjo, mas a considerava uma vagabunda. Os comentários a respeito de Deus permitiram que minha paciente percebesse com mais clareza a hipocrisia de sua família e sentisse como isso a havia tornado amarga e desgostosa com os homens.

Deus representava seu pai, o que sugere que, antes de ter tomado consciência das sensações genitais — por volta dos 3 a 4 anos de idade —, ela o adorava, como a maioria das meninas pequenas. Suas vivências subsequentes com ele foram percebidas como uma traição ao seu amor. Sua raiva contra ele estava além das palavras, pois ela sentia que seu espírito tinha sido assassinado. Todos esses sentimentos foram projetados em mim como Deus, como o terapeuta, como um pai substituto e como um homem. Deixarei para um capítulo posterior as questões de resistência e transferência, que são críticas em toda terapia e só podem ser tratadas com palavras, mas, para que essas palavras tenham algum valor, o paciente deve estar em contato com seus sentimentos. O paciente que não sente sua tristeza nem consegue chorar não pode ser atingido por palavras.

Uma razão para que o foco da análise bioenergética seja o corpo é que raramente as palavras isoladas são fortes o bastante para despertar sentimentos reprimidos. A repressão do sentimento é o trabalho do ego, que observa, censura e controla nossos atos e nosso comportamento. As palavras são a sua voz, assim como o som é a voz do corpo. É possível dissimular com palavras, mas é muito difícil fazer o mesmo com o som. É possível reconhecer notas de falsidade quando um som não exprime de fato um sentimento. Uma das premissas da análise bioenergética é a de que o corpo não mente. Infelizmente, a maioria das pessoas é cega para a expressão do corpo, tendo sido ensinada desde muito cedo a acreditar mais nas palavras que se ouvem do que naquilo que se sente. Porém, algumas crianças pequenas ainda conservam uma inocência que lhes permite acreditar no que veem. Reconhecemos que a moral da história "A roupa nova do imperador" é que só o inocente consegue ver a verdade. As crianças ainda não aprenderam a sofisticada arte de jogar com as palavras para ocultar os próprios sentimentos. Nunca me esquecerei do homem que me consultou em meus primeiros anos como terapeuta, dizendo: "Sei que fui apaixonado por minha mãe". Era como se ele tivesse dito: "Doutor, veja se consegue me dizer alguma coisa nova". Não aceitei o desafio e a terapia nunca decolou. Eu deveria ter dito: "Você mal sabe até que ponto está doente".

A mesma cegueira é demonstrada por pessoas que, quando ressalto sua necessidade de chorar, respondem: "Não tenho dificuldade de chorar. Já chorei muito". A última parte da resposta pode até ser verdadeira, mas a primeira não é. Sua dificuldade consiste na incapacidade de chorar profundamente a ponto de atingir o fundo de sua tristeza. Seu choro é como água sobre o dique, que nunca esvazia seu lago de lágrimas. O fato de precisarem de ajuda para lidar com a vida denota a existência de angústia e uma falta de alegria, o que aponta a necessidade de chorar. Muitos de nós aprendem durante a infância que chorar só é aceitável quando estão destruídos, e não quando estão magoados ou sofrendo. Quando apanham e choram, escutam: "Pare já com isso ou vou lhe dar um bom motivo para chorar". Em alguns casos, as crianças recebem um castigo duplo pelo choro. Elas são forçadas a reprimi-lo: meninos não choram, só meninas. Já os adultos são desencorajados de chorar: devemos ser corajosos, chorar é um sinal de fraqueza e assim por diante. Descobri que a capacidade de chorar é um sinal de força. Por chorarem com mais facilidade do que os homens, as mulheres são claramente o sexo mais forte.

Cada soluço é uma pulsação de vida que atravessa o corpo — pode-se até enxergá-la. Quando atinge a pelve, provoca um movimento avançado — a pessoa consegue de fato sentir a pulsação atingindo o assoalho pélvico quando desce através do tubo interno do corpo. É uma descida profunda. Um choro profundo como esse é tão raro quanto uma respiração profunda. No entanto, há outra dimensão do choro: a amplitude da onda. Isso é expresso no "tamanho" do som. Um som pleno significa boca, garganta, peito e abdome totalmente abertos. O grau de abertura determina a abertura da pessoa para a vida.

Quando descrevemos um paciente como "fechado em si mesmo", estamos literalmente nos referindo às aberturas do seu corpo. Os lábios podem estar apertados; o maxilar, preso; a garganta, contraída; o peito, contido rigidamente; a barriga, flácida e as nádegas, encolhidas. Nesses indivíduos os olhos também são retraídos.

A terapia é um processo de abertura para a vida — uma operação tanto física como psicológica. Reflete-se em olhos brilhantes, sorriso acolhedor, jeito bondoso e coração aberto. Mas abrir o coração sem abrir as passagens através das quais o sentimento de amor flui para o mundo é um gesto vazio. É como abrir o cofre do banco e manter sua porta da frente trancada. Sempre começo a terapia ajudando a pessoa a abrir a voz (para falar francamente) e os olhos (para ver) antes de abrir o coração. Porém, esse processo de abertura não é rápido nem fácil. É como aprender a andar. O paciente testa o chão a cada passo que dá. Tem de aprender a confiar em si mesmo e depois a voltar a confiar na vida. E, assim como a criança que cai inúmeras vezes enquanto aprende a andar, o paciente também cairá, perceberá seu medo e sentirá sua impotência, mas ao levantar-se e continuar tentando ganhará mais fé, confiança, sabedoria e alegria.

Chorar profundamente pode resultar numa ruptura em que vivenciamos a liberdade e sentimos a alegria disso. Essas rupturas são como o sol brilhando por trás das nuvens — indicam que a tempestade não acabou ainda, mas está próxima do fim. Cada ruptura nos torna mais fortes e mais abertos à vida, mais capazes de nos entregarmos ao corpo.

No próximo capítulo, discutirei as resistências ao choro. Elas são grandes e estão profundamente estruturadas na personalidade. E não podem ser abandonadas sem a compreensão de que se desenvolveram como um meio de sobrevivência.

4. A resistência ao choro

EU NÃO VOU DESMORONAR

No capítulo anterior, ressaltei que a maioria das pessoas precisa chorar para descarregar a dor e a tristeza de sua vida. Chorar, ou soluçar, alivia a tensão que mantém esses sentimentos dolorosos trancados no corpo. É a reação natural por ter sido física ou psicologicamente ferido. Todo trauma é um choque para o organismo, congelando-o ou contraindo-o, fazendo que pare de respirar e se feche como um molusco em sua concha. Chorar constitui o processo de descongelamento, descontração e abertura para a vida. Após as convulsões, a respiração é relaxada e profunda. Recupera o pleno uso da voz do indivíduo e refresca sua alma como uma boa chuva refresca e revigora a terra. Aqueles que não conseguem chorar ficam congelados, têm o corpo contraído e a respiração gravemente restringida. Ninguém recupera seu pleno potencial para existir se não consegue chorar. Para fazê-lo, o choro tem de vir do fundo da barriga. Isso não é fácil para a maioria das pessoas cuja respiração e choro estão restringidos por uma tensão diafragmática moderada ou grave.

Neste capítulo, gostaria de discutir as resistências psicológicas ao choro, que traçam um paralelo com os bloqueios físicos. Em nossa cultura, chorar é considerado pela maioria um sinal de fraqueza. Até mesmo em situações em que chorar é uma reação natural, como no caso da morte de um ente querido, o enlutado quase sempre é aconselhado a ser forte e não se entregar à tristeza. Entregar-se aos próprios sentimentos pode resultar em forte desaprovação. Ceder aos próprios sentimentos representa de fato uma perda de controle do ego, mas, se a rendição do controle do ego não for adequada nesse caso, quando seria? Chorar é considerado não só um sinal de fraqueza, mas também de imaturidade — infantil ou pueril. As crianças em geral são ridicularizadas por chorar: meninos grandes não choram. É fato que o choro está associado à impotência. Em uma situação de perigo, pode ser preciso não ceder à sensação de impotência e chorar, mas na terapia o paciente não está ameaçado, exceto no nível do ego.

Muitos homens têm a ideia equivocada de que não chorar é um ato viril. John tinha uma crença similar. Veio me consultar porque estava muito deprimido. Disse que, quando não tinha de sair para trabalhar, ficava deitado na cama o dia todo, incapaz de se mexer. John era um rapaz bonito de 30 e poucos anos que queria ser ator. Nas aulas de teatro, ouviu falar da análise bioenergética e de como a abordagem trabalha com o corpo para ajudar as pessoas a ter mais contato consigo mesmas e aumentar sua capacidade de expressar sentimentos. Ele já fazia terapia com um psicólogo em quem confiava e queria manter as sessões com ele enquanto eu o atendesse. Não fiz nenhuma objeção, pois só poderia atendê-lo por uma hora a cada quinze dias.

John parecia "másculo". Tinha uma aparência forte, um corpo musculoso que atribuía ao levantamento de peso quando era mais jovem. O traço mais marcante de sua aparência era um modo de andar arrogante, que ele acentuava usando botas de caubói. Tinha consciência de que sua aparência refletia um forte elemento narcisista em sua personalidade, mas considerava isso um trunfo. Sua respiração era muito curta, como pude ver quando ele se deitou sobre o banco e eu o incentivei a trabalhar intensamente com os exercícios que descrevi para aprofundar sua respiração, desencadear vibrações em seu corpo e expressar algum sentimento. Ele fez os exercícios, mas sem muito sentimento. Sorria para mim como se estivesse dizendo: "Não acho que isso vá funcionar". Apesar disso, sempre se sentia melhor depois das sessões, e minha esperança era a de que ele viesse a perceber o seu valor. Naquela época, John morava com a mãe, embora tivesse morado sozinho por alguns anos. Ele tinha um irmão mais novo que era casado e aparentemente bem-sucedido. Seu pai havia morrido quando ele era pequeno, colocando-o na posição de homem da casa.

A depressão de John decorria do fato de que, embora tivesse sido destinado a ser o homem da família, era aos poucos arruinado por uma mãe dominadora, com quem estava emocionalmente envolvido. Ele reconhecia que havia sentimentos sexuais entre eles. Eu sabia que sua depressão acabaria se eu conseguisse fazê-lo chorar, mas nunca atingimos esse ponto. Porém, ele chegou a relatar um incidente de sua infância que irradiou luz sobre sua resistência ao choro. John disse que, quando tinha 6 anos, sua mãe o trancou no banheiro e bateu nele o dia todo. Ela só parou quando ele estava destruído e chorando intensamente. Durante o curto período em que trabalhamos juntos, ele nunca desmoronou e chorou. Então, um dia, disse-me: "Você não vai me convencer. Eu não vou chorar". Sua depressão não se dissipou e, contra o conselho de seu outro terapeuta, ele se internou num hospital. Não voltei a vê-lo depois disso.

Tenho certeza de que, fisicamente, era muito difícil para John chorar, mas além disso ele não queria fazê-lo — parte do sistema de defesa de seu ego. Quando ele disse "Você não pode me atingir", também estava querendo dizer que eu não o arruinaria. Sua mãe havia feito isso uma vez, mas, embora ela o tivesse feito chorar, sua essência mais íntima tinha endurecido até que ele conseguisse resistir a ela. Deve-se levar em conta que essa resistência salvou sua integridade. Se ela a tivesse destruído, ele teria se tornado esquizofrênico. Como sua resistência lhe havia permitido sobreviver, ele não estava disposto a abrir mão dela. A mãe também o congelou numa postura que não lhe deixava nenhuma energia ou liberdade para qualquer prazer ou ação criativa. Não espanta que fosse deprimido. Minha experiência com John levou-me a perceber como algumas pessoas resistem ao choro.

Em geral, começo o trabalho corporal solicitando que o paciente se deite sobre o banco bioenergético e respire. Isso me permite observar a respiração e notar a qualidade da onda respiratória. A posição causa certo desconforto, o que na realidade força o paciente a respirar mais profundamente. Em nenhum caso a respiração do paciente é tão plena ou livre como deveria ser. A fim de aprofundar a respiração, peço a ele que emita um som alto e sustente-o tanto quanto possível. Em quase todos os casos, o som é muito curto e monocórdio. Prendendo a respiração, evitamos a entrega ao corpo e a seus sentimentos. Essa "contenção" é inconsciente. O paciente recém-chegado costuma acreditar que, se fizesse um esforço, poderia deixar sair totalmente o ar e sustentar o som por mais tempo. Ele é incentivado a continuar tentando prolongar o som. Manter o som permite que a onda respiratória alcance a barriga, onde estão os sentimentos. Se o som for mantido por tempo suficiente, é comum ouvir uma nota de tristeza em sua voz. Às vezes a voz falha e surgem alguns sons de soluço. Em outras, o paciente desata num soluçar profundo. Este nunca é profundo o bastante no estágio inicial da terapia, a ponto de aliviar a dor e o sofrimento, mas nos permite discutir a postura do paciente perante a expressão da tristeza.

É espantosa a quantidade de pessoas que vêm à terapia com problemas debilitantes e, no entanto, negam qualquer sentimento de tristeza. Isso é verdade sobretudo no caso de pacientes deprimidos que, tendo reprimido suas emoções, estão emocionalmente entorpecidos. Se eles pudessem chorar, sua depressão se dissiparia, pois voltariam a se sentir vivos. A tristeza, no entanto, não é a única emoção reprimida: a raiva também está contida. As pessoas podem ficar irritadas, ter um acesso de raiva e até mesmo tornar-se violentas, mas dificilmente sentirão e expressarão uma emoção pura como tristeza ou raiva.

Expressões de irritação ou até mesmo de ira não visam efetuar nenhuma mudança significativa no contexto. São descargas menores para aliviar a tensão da frustração e se parecem bastante com um "desabafo". Assim que a tensão é aliviada, a pessoa se sente melhor, mas a situação não terá mudado. A raiva, por outro lado, não se acalma enquanto a situação dolorosa não for esclarecida. O mesmo vale para a tristeza. Se a pessoa se sente profundamente triste, instituirá algumas mudanças em sua vida. Saber que está triste ou com raiva ajuda, mas não é o bastante. Para sentir a tristeza ou raiva, deve-se ser capaz de expressá-la. Os bebês e as crianças pequenas conseguem fazer isso facilmente quando são feridas. Como e quando essa reação natural é bloqueada nos indivíduos?

Joan, de cerca de 30 anos, era casada. Seus vários anos de terapia pouco haviam aliviado seus sentimentos de frustração e depressão. Olhando para o seu corpo, compreendi esses sentimentos. Sua cabeça era pequena e sustentada rigidamente acima do corpo. Seu rosto mostrava-se fechado, com uma expressão amarga. Seu corpo era flexível, harmonioso, mas com formas imaturas que lembravam as de um menino. A cisão entre sua cabeça e o corpo indicava que este não estava identificado com o ego. O aspecto masculinizado de seu corpo denotava um desejo de negar sua feminilidade. Incapaz de aceitar sua verdadeira natureza ou de escapar totalmente dela, era uma mulher atormentada e frustrada. Não surpreende que fosse deprimida. Em sessões anteriores, havíamos trabalhado sua incapacidade de expressar qualquer sentimento profundo. Por meio dos exercícios de *grounding* e de respiração sobre o banco, ela obteve vibrações nas pernas que lhe proporcionaram alguma sensação no corpo, mas nenhuma emoção irrompeu. Parte de sua frustração e amargura foi expressa por meio de chutes, durante os quais ela gritava: "Deixe-me em paz".

Na sessão seguinte, Joan descreveu uma experiência que vivenciara uma semana antes em um grupo de estudos de bioenergética. Ela observou que os outros integrantes estavam chorando. Alguns disseram que tinham sensações sexuais. Joan acrescentou: "Meu corpo estava vibrando, minha pelve estava se movendo, mas eu não sentia nada. Não confio nas pessoas. Não de cara. Não me entrego a nada. Acho que não confio em mim mesma". Essa foi uma afirmação muito clara da natureza de seu problema. Ela não se entregava ao próprio corpo. De alguma maneira, entregar-se a ele ameaçava sua sobrevivência. Assim, ela dissociava sua consciência dele, o que criara a cisão entre os dois. A terapia precisava ajudá-la a compreender o que havia acontecido e por quê.

Deitada sobre o banco e respirando, Joan sentiu a tensão nas costas, que representava sua rigidez, sua característica de inflexibilidade, mas não se curvou nem chorou. Sentiu a dor e disse: "Dói, mas não vou chorar. Só maricas choram. Eu consigo aguentar". A isso, seguiu-se: "Você não vai me derrubar. Inferno! Você não vai me derrubar. Não vou ceder. Você vai quebrar a cadeira antes de me derrubar. Dói". Um pouco depois, ela disse: "Você está tentando me fazer ceder ou desistir, mas vou para o inferno antes disso". Joan percebeu que a questão não era entre mim e ela; sabia que o conflito refletia a relação dela com a mãe. Sendo assim, disse: "Havia uma luta de poder entre nós. Eu precisava ter alguma parte de mim mesma. Ela possuía a maior parte de mim. Eu fazia o que ela queria. Dei-lhe tudo, exceto meus sentimentos. Se eu os entregasse, me tornaria sua coisa, seu brinquedinho. Quando não lhe dei o que ela queria, isso a deixou louca".

Mike contou uma história parecida em muitos aspectos com a de John, exceto pela depressão. Conquistara certo destaque em sua profissão, mas sentia que sua vida não tinha sentido ou prazer. Seu corpo estava gravemente cindido: a metade superior não combinava com a metade inferior. Tinha ombros largos, retos, e um peito grande. Sua cintura era estreita e extremamente contraída, e a metade inferior de seu corpo era pequena e subdesenvolvida. Apontando para seus ombros largos, observei: "Você está bem preparado para arcar com sérias responsabilidades". Ele sorriu e disse: "A vida toda carreguei as pessoas nas costas". O que eu não disse a Mike foi que a impressão que tive dele foi a de um homem destruído. Quando ele falava, sua voz era fraca e desprovida de sentimentos.

Ele relatou ser o mais velho de três filhos, com uma mãe que descreveu como louca, uma mulher com medo da vida. Disse: "Ela me batia de todas as maneiras possíveis a fim de me subjugar. Eu não podia chorar. Tinha de aguentar". O paciente descreveu seu pai como inacessível — ou estava trabalhando ou bebendo. Enquanto John havia desenvolvido uma resistência muito forte à sua mãe, Mike havia se submetido a ela. Tornou-se seu homenzinho, servindo-a como seu pai não fazia. Essa submissão resultou na perda de boa parte de sua masculinidade e de seu *self*. A resistência de John permitiu-lhe preservar certa virilidade, que ele tentava projetar em seu modo arrogante de andar, suas botas de caubói e sua intenção de ser ator. Mike, por outro lado, tinha desistido de resistir. Era sua maneira de sobreviver. Outra diferença importante era que, enquanto John não se permitia chorar, Mike não conseguia; ele não tinha voz para isso.

A respiração e vocalização sobre o banco bioenergético ajudaram a voz de Mike a tornar-se um pouco mais forte, mas não a ponto de chorar. Em contraste com John ou Joan, Mike tinha uma resistência inconsciente ao choro. Seu ego estava identificado com sua capacidade de "aguentar" e seu papel de arcar com as responsabilidades pelos outros. Chorar seria admitir seu fracasso e aceitar, em nível emocional, o vazio e a tristeza de sua vida. No entanto, o fato de ele ter vindo até mim em busca de ajuda significava certa disposição para encarar essa questão.

É essencial para todos os pacientes que protestem contra o modo como foram tratados quando crianças. Sem um forte protesto, não podemos nos libertar do horror do passado. Pedi a Mike que se deitasse na cama e chutasse vigorosamente, pronunciando as palavras: "Não consigo mais aguentar isso". Com meu incentivo, ele se entregou, chutando com força e gritando: "Não consigo mais aguentar isso". Depois, acrescentou: "Ó, Deus! É tão triste, tanta dor". E passou a chorar um pouco.

É difícil entender como um comportamento materno surte efeito tão devastador numa criança. O que fazia a mãe de John bater nele com tanta crueldade? Que estranha força a impelia contra seus sentimentos mais profundos a ponto de subjugar seu filho, destruir seu espírito? Por que a mãe de Joan precisava dominar seu corpo e sua alma? Hoje, o abuso psicológico, físico e sexual de crianças é comum e de conhecimento geral. Todos os meus pacientes sofreram maus-tratos de um ou de ambos os pais. O que acho particularmente angustiante é a crueldade infligida às crianças por pais que foram eles mesmos vítimas da crueldade. Alguns estiveram em campos de concentração nazistas. Esse comportamento parece refletir uma lei da natureza humana: faça aos outros o que tiverem feito a você. Os pais criam seus filhos como foram criados. Muitos pacientes me contaram que seus pais haviam sido tratados de modo tão cruel quanto eles mesmos. Estou certo de que a mãe de John foi espancada pelo pai e também estou certo de que sentia que seus ataques contra o filho eram justificados. Seria preciso um genitor iluminado para deter o progresso dessa ação destrutiva sobre os filhos. Discutiremos o que é preciso para atingir tal iluminação no próximo capítulo.

Em geral, o sobrevivente é dotado de uma vontade forte que lhe possibilitou sobreviver. Em muitos casos, também lhe permitiu ser razoavelmente bem-sucedido. Atendi inúmeros pacientes que galgaram posições importantes no mundo profissional e dos negócios utilizando estratégias baseadas na vontade de sobreviver. Algumas dessas estratégias são a negação dos sentimentos e a confiança num intelecto frio e calculista. Talvez essa pareça uma grande vantagem num mundo em que os sentimentos são uma desvantagem; onde os valores dominantes são poder, dinheiro ou prestígio; onde a competição pelo sucesso é intensa. Num ambiente como esse, o indivíduo subordina seus sentimentos ao desejo de vencer. Porém, embora alguns de fato sejam bem-sucedidos em termos de dinheiro, poder e *status*, sua vida é emocionalmente vazia: sem nenhum relacionamento íntimo gratificante, nenhum prazer real com o trabalho e nenhuma alegria — esta perceptível na ausência de brilho em seus olhos e na falta de vigor energético em seus movimentos. Muitos sofrem de certa depressão, e a maioria reclama de fadiga e cansaço crônicos. A dinâmica básica nesses indivíduos é uma dissociação do corpo. Uma paciente certa vez me disse: "Eu gostava do meu trabalho. Era consultora administrativa de uma grande empresa. Sentia-me poderosa e acumulava muitas responsabilidades, o que fazia eu me sentir importante, mas trabalhei demais e fiquei deprimida".

Outra contou uma história semelhante: "Depois da faculdade, saí em busca de uma carreira. Com muito esforço, galguei o mundo corporativo degrau por degrau. Depois de conquistar um cargo executivo, lucrei trabalhando com profissionais do mundo inteiro. Tudo estava indo muito bem, até que, aos 36 anos, o primeiro e único relacionamento íntimo que eu permitira me abandonou. Pela primeira vez na vida sofri de depressão".

Esse era só o começo do colapso de sua "segunda natureza" narcisista. Saiu do emprego para começar uma nova carreira na área assistencial, o que foi uma mudança positiva, mas seis meses depois sofreu um grave acidente de carro. Recuperou-se, mas ficou num estado grave de ansiedade, que se manifestava como um distúrbio intestinal conhecido por enterocolite, cujos sintomas são cólicas e diarreia. Esse quadro decorre de um estado de tensão crônica no intestino delgado, que a meu ver está relacionado com o medo. Ela descrevia da seguinte maneira o efeito desse distúrbio sobre a sua personalidade: "Sempre controlei minha mente; agora sou forçada a reconhecer minha impotência em controlar meu corpo. Foi uma vivência aterrorizante e assustadora. Durante esse período, eu me deitava literalmente em posição fetal, pois estava muito assustada com o que acontecia em meu corpo. Pela primeira vez na vida, eu não podia negar nem dissimular a minha vulnerabilidade".

Para todos os sobreviventes, a entrega ao corpo enfrenta uma forte resistência, porque evoca os sentimentos mais dolorosos e assustadores. Se a vulnerabilidade é a questão, como alguém ousaria chorar profundamente se o sentimento associado a esse choro seria o de impotência? Após a morte da mãe, aos 5 anos, Ann foi criada por diversas mães substitutas que a maltrataram tanto emocional como fisicamente. Durante esse período de dor e perda, medo e impotência, seu pai era crítico em relação a ela. Culpava-a por não ser bela como sua mãe, esperta como sua mãe, doce como sua mãe, e assim por diante. Sua postura básica diante da vida era: "Só os fortes sobrevivem". Ann aprendeu que não se deve expressar dor emocional e fez o que qualquer outro sobrevivente aprende a fazer — dissociar-se do corpo e recolher-se.

Quando o indivíduo se desliga do corpo, ele não se sente vulnerável. Ao identificar o *self* com o ego, também ganha a ilusão de poder. Como a vontade é o instrumento do ego, ele de fato acredita que "querer é poder". Isso é verdade caso o corpo tenha a energia para apoiar as diretrizes do ego. Mas nem toda a força de vontade do mundo ajuda alguém sem energia a implementar sua vontade. Indivíduos saudáveis não atuam motivados por força de vontade, exceto em emergências. Ações normais são motivadas pelos sentimentos. Não há necessidade de força de vontade quando existe um desejo forte. O desejo, em si, é uma carga energética que ativa um impulso que leva a ações livres e quase sempre gratificantes. Trata-se de uma força flutuante que flui do âmago do corpo para a superfície, onde estimula a musculatura para a ação. A vontade, por outro lado, é uma força motriz que vai do ego à cabeça para agir contrariamente aos impulsos naturais do corpo. Desse modo, quando a pessoa está com medo, o impulso natural é fugir da situação ameaçadora. No entanto, essa talvez não seja sempre a melhor atitude. Não se pode sempre correr para escapar de um perigo. Enfrentar a ameaça pode ser o rumo mais sensato, mas isso é difícil de fazer quando se está assustado e há um impulso de correr. Nessas situações, mobilizar a vontade para combater o medo é uma ação positiva.

A situação descrita é comumente enfrentada por crianças cujos pais são abusivos. Algumas crianças pequenas tentam fugir desses lares, mas suas tentativas são infrutíferas. Elas precisam submeter-se aos genitores e, ao mesmo tempo, encontrar uma maneira de manter sua integridade. Sua submissão não deve ser total; sua vontade não deve ser anulada. Contraem e enrijecem o corpo para não desmoronar, ação que é mediada pelo ego por meio da vontade. A criança imobiliza seu rosto numa expressão de determinação de não se entregar, perder o controle ou ser dominada pelo medo. A tensão crônica do maxilar decorre diretamente dessa necessidade de estar no controle. Assim que a vontade é mobilizada pela rigidez crônica e pela tensão no corpo, torna-se uma força que anseia por poder, o que leva a um modo de agir em que a busca de poder é o tema subjacente. Nessa situação, chorar é considerado um colapso da vontade e a entrega é impossível. Vive-se como se o corpo estivesse num constante estado de emergência. Evidentemente, nenhuma alegria é possível.

A RENDIÇÃO DA VONTADE: DESESPERO

As pessoas recorrem à terapia porque precisam mudar alguns aspectos de seu comportamento e personalidade. Em nível consciente, elas querem mudar, mas ao mesmo tempo são resistentes à mudança. Em grande parte, essa resistência decorre do desejo de estar no controle do processo terapêutico. Submeter-se a ele implica abrir mão desse controle, o que o paciente considera submissão ao terapeuta. Isso dá margem a sentimentos de vulnerabilidade e à ideia de que será mal interpretado e maltratado, como foi quando era uma criança impotente na situação familiar. Em virtude desse histórico, o paciente acredita que o terapeuta exerce poder sobre ele, e a ele deve se opor para manter a integridade. Em geral, a terapia degenera em uma luta de poder, que na realidade não é nada mais do que a luta do paciente para não se render.

A ideia de se render é assustadora para a maioria de nós. "Entregar-se" ou "ceder" ao corpo e ao *self* soa mais aceitável, mas as pessoas não sabem o que isso implica; na prática, acaba sendo igualmente assustador. Os padrões neuróticos de comportamento desenvolveram-se como um meio de sobrevivência, e mesmo que agora se revelem contraproducentes na vida adulta o indivíduo se apega a eles como se fossem sua própria vida. Esses padrões acabaram se tornando tão enraizados que ele os vivencia como parte de sua natureza. É verdade, é sua segunda natureza — a primeira foi aquela da criança aberta e inocente, mas esta se perdeu e parece irrecuperável. Quando atinge a idade adulta, a pessoa viveu tanto tempo com sua segunda natureza que se sente à vontade com ela, como um velho par de sapatos. Mesmo assim, quando procura terapia, admite tacitamente que essa segunda natureza fracassou em aspectos importantes. Mas isso não significa que o paciente esteja pronto para entregá-la. A mudança que está buscando é fazer que seu caráter ou segunda natureza trabalhe de modo bem-sucedido. Está aberto para aprender melhores maneiras de aguentar e agir, mas não preparado para abrir mão de sua estratégia de sobrevivência.

Essa atitude do paciente é conhecida como resistência. Às vezes, surge nos primeiros estágios da terapia, quando ele expressa uma desconfiança em relação ao terapeuta ou questiona sua competência. Pessoalmente, recebo bem uma declaração explícita de desconfiança dos pacientes. Tendo sido ferido quando criança por aqueles em quem confiava, ele seria ingênuo de depositar sua confiança em um estranho. A competência terapêutica não é garantida por diplomas nem por popularidade. Nenhum terapeuta pode mudar um paciente mais do que o paciente pode mudar a si mesmo. A mudança terapêutica é um processo de crescimento e integração que resulta do que ele aprende e vivencia por meio do processo terapêutico. O melhor juiz disso é ele mesmo. Infelizmente, a maioria não confia nos próprios sentimentos e percepções, o que é parte de seu problema de caráter. No desespero, muitos estão dispostos a entregar o controle para o terapeuta na ilusão de que ele possa transformá-los. A entrega de que estou falando é ao *self*, e não a outra pessoa. A ideia é seguir as sugestões do terapeuta, e não se submeter a ele.

O processo terapêutico começa com a consulta. Sentamo-nos frente a frente e o paciente fala de si, de seus problemas e de seu passado. Enquanto ele fala, tenho a oportunidade de estudá-lo, ou seja, observar como se apresenta, o tom de sua voz, a expressão em seu rosto, o seu olhar e assim por diante. Faço perguntas a respeito de sua situação atual e de sua infância, buscando informações que expliquem suas dificuldades. Pergunto-lhe como vivencia seu corpo, de quais tensões musculares está consciente, que dores ou doenças já teve. Depois explico a ligação corpo-mente, enfatizando a identidade funcional entre o físico e o psicológico. Muitos que vêm me procurar estão de algum modo familiarizados com essa abordagem, pois leram meus livros, vivenciaram isso ou ouviram comentários de outros terapeutas. Quando o paciente vem preparado e vestido adequadamente, examino seu corpo e seu padrão de tensão. Em geral faço isso diante de um espelho, para que eu possa apontar e explicar o que estou vendo. É importante que o paciente compreenda que o corpo tem de mudar para que ele mude. Especificamente, as tensões apontadas durante o exame têm de ser compreendidas e aliviadas para que a pessoa se torne livre. A fim de aliviar essas tensões, o indivíduo tem de sentir seu efeito restritivo para compreender como elas controlam seu comportamento atual e saber como e por que se desenvolveram. Por fim, os impulsos bloqueados pelas tensões precisam ser expressos. Até esse ponto, não se fala em entrega. O foco está na percepção consciente e na compreensão. O indivíduo está desenvolvendo sua identificação com o próprio corpo.

É importante compreender a profundidade da angústia e da dificuldade do paciente. Mary era uma jovem mulher que conheci quando estava participando de um *workshop* para profissionais. Havia uma séria contração na área de sua cintura, que separava funcionalmente seu corpo em duas metades distintas. Isso significava que a onda de excitação associada com a respiração não chegava até a parte de baixo de seu corpo. Essa cisão surtia dois efeitos significativos em sua personalidade: primeiro, seus sentimentos amorosos, localizados no peito, não se conectavam com suas sensações sexuais, localizadas na pelve. Esse distúrbio afetava seriamente seus relacionamentos com os homens. Segundo, seu corpo mostrava uma profunda sensação de insegurança, fruto da ausência de sentimento na metade inferior, o que prejudicava sua capacidade de agir com determinação. Apontei isso para Mary e informei-a de que podia mudar se trabalhasse bioenergeticamente seus problemas, ou seja, tanto física como psicologicamente. Mary acabou iniciando a terapia comigo porque, como ela disse, fui o único terapeuta que compreendeu a profundidade de seu problema. Outros com quem ela já havia feito um trabalho psicológico consideravam-na íntegra, competente e bem-sucedida. Ela era de fato uma terapeuta deveras competente, bem-sucedida em sua clínica, e vivia uma relação aparentemente boa com o marido. Na verdade, a relação só dava certo porque ela era submissa. Mary era capaz de enganar os outros, mas essa vida de aparências a confundia. Muitos indivíduos parecem normais na superfície, mas ao olharmos para seu corpo com cuidado vemos a verdade do ser. O corpo não mente, mas é preciso ser capaz de ler sua expressão se queremos conhecer sua verdade.

Atendi Mary durante vários anos. Seu caso está descrito com mais detalhes num capítulo posterior. Como ficou mais forte e desenvolveu um maior senso de *self*, ela se separou do marido e vivenciou a alegria pela primeira vez na vida adulta.

Nem todo paciente que me consulta quer ouvir a verdade a respeito de si mesmo. Alguns indivíduos narcisistas não estão abertos ao conhecimento da verdade, o que torna praticamente impossível trabalhar com eles. Não espero que meus pacientes aceitem o que vejo, mas que estejam abertos para ouvir. Eles conhecerão a verdade quando vivenciarem a si mesmos em nível corporal. No início, porém, é importante desenvolver uma relação de trabalho com o paciente. Para tanto, é preciso fazê-lo se sentir compreendido, mostrar que ele é visto como alguém que está lutando para encontrar alguma satisfação. Ao longo de toda a sua vida, disseram-lhe que ele precisava fazer um esforço maior — mudar um ou outro padrão de comportamento para se sentir bem. Se seus medos eram reconhecidos, ouvia que podia superá-los. Foi levado a crer que suas dificuldades estavam apenas em sua mente. Agora ele consegue ver que elas estão também em seu corpo e que trabalhar com este e a mente de modo integrado pode ser mais eficaz do que uma terapia exclusivamente verbal.

Os exercícios respiratórios e expressivos que lhe apresento costumam ter efeito muito positivo, dando-lhe mais energia e elevando seu ânimo. Embora essas primeiras experiências não produzam mudanças significativas na personalidade, são importantes para ajudar a estabelecer uma relação positiva entre nós e a construir uma base sólida de compreensão que apoiará o árduo trabalho que tem de ser feito para libertar o paciente de seu problema.

As defesas do ego não são apenas psicológicas. Se fossem, seria mais fácil abrir mão delas. A maioria dos pacientes reconhece que suas defesas são um empecilho, que a situação que deu margem a elas não existe mais. Porém, o problema é que as defesas estão estruturadas no corpo, onde sua função é reprimir o sentimento. São paredes que contêm e controlam impulsos assustadores. Ninguém é roubado em sua alegria de viver sem sentir uma ira assassina. Como lidar com tal impulso numa sociedade civilizada? Não se derrubam as paredes de uma prisão que abriga criminosos perigosos antes que se tenha encontrado um modo de diminuir sua hostilidade. Esse é um tema que analisarei no próximo capítulo. Mas também construímos paredes atrás das quais nos escondemos, para nos proteger de sermos feridos, represar nosso mar de sofrimento. Infelizmente, essas paredes também nos aprisionam.

Os pacientes não se permitem chorar porque têm medo da profundidade de sua tristeza, que, na maioria dos casos, beira ou atinge o desespero. Como disse um deles, "Se eu começar a chorar, pode ser que nunca mais pare". Não hesito em dizer que a maioria das pessoas nutre o desespero de jamais encontrar um amor verdadeiro, de jamais ser feliz. Quando uma paciente disse à mãe que era infeliz e que queria um pouco de felicidade, sua mãe respondeu: "A vida não tem nada que ver com felicidade. Tem que ver com fazer o que se deve". Mas sem o mínimo de alegria, a vida é vazia, assustadora e dolorosa. É a dor de uma fome de conexão que é tão insuportável quanto a dor da fome de comida. É compreensível que os pacientes relutem em descer a esse inferno. Mas negá-lo, ou amortecer o anseio e a dor, é aceitar a morte em vida.

Esse amortecimento pode promover a sobrevivência, mas o sofrimento não desparece. Virá à tona de tempos em tempos como uma dor meramente física na forma de tensão crônica em determinada parte do corpo, tornando a pessoa infeliz. Embora ainda seja uma dor emocional, e possível diminuí-la com o choro e a entrega. A diferença entre uma dor meramente física e dor emocional é que a primeira está localizada e afeta uma área limitada do corpo, ao passo que a dor emocional — também no corpo — é generalizada. A dor de cabeça está localizada na cabeça, a dor de dentes limita-se aos dentes e a dor no pescoço afeta somente o pescoço. Já a dor da solidão é sentida no corpo inteiro. A dor emocional provém da contração do corpo em reação à perda ou interrupção de uma ligação amorosa. Essas vivências podem ser pungentes, sobretudo quando acontecem com uma criança e estão associadas a uma sensação de rejeição e traição.[15] Visto que a dor é sentida pela criança como uma ameaça à vida, a sobrevivência exige que a vivência, junto com a sua dor e o medo, seja reprimida. Para tanto, é preciso adormecer o corpo enrijecendo-o ou dissociando-se da dor. Ambos os procedimentos eliminam o sentimento, levando a uma sensação de solidão e vazio. Essas condições tornam-se dolorosas quando um impulso para se abrir e expandir irrompe e é bloqueado pelo medo de rejeição. Como esses impulsos não podem ser reprimidos por completo enquanto estivermos vivos — eles são a essência do processo da vida —, o indivíduo luta contra sua natureza, ou seja, contra seu corpo e suas sensações. Na realidade, a luta é entre o ego, com sua defesa contra a rejeição e a traição, e o corpo, com seu coração aprisionado. A tensão que esse conflito instala no corpo é vivenciada como dor. Entregar-se à própria natureza e permitir ao impulso uma expressão livre e plena reduz imediatamente a dor e resulta na agradável sensação de plenitude e liberdade.

Como a dor emocional representa um conflito entre um impulso e o medo de expressá-lo, ela pode ser eliminada reprimindo o impulso por completo ou removendo o medo que está bloqueando sua plena expressão. Depois de alguns meses de terapia, uma paciente chamada Júlia queixou-se comigo de sua falta de bons sentimentos. Estávamos falando de seu relacionamento sexual com o marido, que lhe parecia uma pessoa carente. As investidas dele deixavam-na fria, mas ela apreciava outros aspectos do casamento. Eu sempre a encorajei a ser verdadeira consigo mesma e com seus sentimentos e apoiei-a para que não se submetesse sexualmente quando não tivesse desejo. Esse apoio permitiu-lhe um progresso significativo, mas ela ainda estava em conflito. "Tenho medo de lhe dizer o que sinto", ela comentou. "Tenho medo de dizer que não amo meu marido porque você vai me dizer que o deixe. Se eu disser 'não sinto que esteja atingindo o objetivo na terapia', você me dirá para parar." Esse era o mesmo conflito que tivera com sua mãe, que lhe dizia, como relatei antes, que a vida não tem que ver com felicidade (alegria).

Para a mãe de Júlia, viver era estar disponível para os outros. Júlia explicou que era considerada por sua mãe "a especial". "Ela dizia que eu era a sua filha de verdade, a filha gentil. Ela precisava de mim e eu tinha de estar à sua disposição. Foi assim que perdi a mim mesma." Júlia entendia que, quando suprimiu seus sentimentos, isso deixou um espaço vazio em sua personalidade, que a mãe ocupou. Essa rendição *do self* — e não *ao self* — fez que se sentisse constantemente sozinha, vazia, incompleta e triste. Ela acrescentou: "No entanto, reluto muito em entrar nesse lugar, embora saiba que é verdade. Dói tanto que pulo imediatamente de volta para minha cabeça". Júlia retraiu-se do ventre, onde sentiria a tristeza da perda de seu *self*, mas esse próprio ato de retrair-se constituiu uma rendição do *self*. Eu poderia acrescentar que essa retração ascendente também suprimiu boa parte de sua sexualidade, o que contribuía muito para o conflito sexual com o marido.

Todos os sentimentos surgem de processos corporais e deveriam ser compreendidos dessa forma. Muitos desses sentimentos decorrem de experiências do passado e refletem-nas. A tristeza de Júlia refletia um doloroso sentimento de perda de seu *self* corporal. Quando ela disse "Dói demais", referia-se ao conflito entre a necessidade de chorar e a contenção desse impulso. A dor desse conflito pode ser torturante. Ela observou: "Sinto-me como se estivesse numa cela sendo torturada. Não consigo suportar, mas sinto que tenho de suportar. Se eu não conseguir, meus pais vão me abandonar". Esse medo foi transferido para mim. Se ela não progredisse, eu a abandonaria. Muito embora Júlia soubesse que seu medo era irracional, era um sentimento real que só poderia ser descarregado por meio da expressão de sua raiva, e não por um ato da vontade. Ela se sentiu muito melhor depois dessa conversa, porque expressou seu medo e percebeu que ele decorria de um conflito da infância. Estava relacionado com o presente apenas pela contenção de sua expressão.

Quase todos os pacientes têm algum medo de abandono decorrente de vivências da infância. Na maioria dos casos, esse medo, que vira pânico, não é percebido de forma consciente porque está bloqueado pela rigidez da parede torácica. Ao manter a respiração minimamente normal, é possível superar o sentimento de pânico, mas essa respiração curta também suprime todos os outros sentimentos, deixando-nos vazios e incompletos. Por outro lado, sentir pânico é assustador e doloroso, mas se pode superá-lo respirando profundamente. Esse sentimento está diretamente ligado à sensação de não ser capaz de recuperar o fôlego. A razão pela qual se tem dificuldade de respirar é que os músculos da parede torácica tornam-se contraídos pelo medo — medo do abandono. A pessoa fica presa em um círculo vicioso: medo de rejeição ou abandono → dificuldade para respirar → respiração curta → pânico quando respira profundamente, o que gera medo. O indivíduo é forçado a viver na superfície, ou seja, sem emoções. Nesse nível, consegue superar esse sentimento latente de pânico, mas essa maneira de viver, embora pareça segura, é relativamente morta. Esse mecanismo mantém vivo o medo de abandono. Se a pessoa respirar através do medo, chorará profundamente e sentirá o medo de abandono como um resquício do passado. O choro profundo também alivia a dor da perda de amor, como já assinalei. Assim, entregando-se ao corpo e chorando profundamente, atravessa-se o medo e a dor para ingressar nas águas calmas da paz, onde se conhecerá a alegria de ser livre.

O caso de Júlia permite-nos compreender a dor da solidão, que é o lado físico do medo de estar só. Esse medo cria uma necessidade de outras pessoas e atividades para distrair o indivíduo de sentir-se só. Visto que essas distrações são apenas temporárias, ele muitas vezes se defronta com o medo de estar sozinho. O medo não é racional, mas é real. É claro que nem todo mundo teme a solidão. As pessoas podem ficar sozinhas se conseguem estar consigo mesmas. Porém, se não se tem um senso de *self* forte e seguro, há um vazio. O sentimento de solidão decorre de uma sensação de vazio interior que, no caso de Júlia, é consequência da supressão do sentimento.

Ninguém está só se está emocionalmente vivo. Mesmo quando se vê sozinho, sente-se parte da vida, da natureza e do universo. Muitos preferem ficar sozinhos, o que parece fazer parte das relações atuais. Outros assumem a responsabilidade de estar sós porque não encontraram alguém com quem gostariam de compartilhar a vida. Essas pessoas não são solitárias; não estão sofrendo nem se sentem vazias. Sem a capacidade de ficar sozinhos, tornamo-nos carentes, sempre em busca de alguém para preencher o vazio interior. Não há alegria numa existência como essa, porque ela é vivida no nível da sobrevivência — “não posso viver sem você”.

A irracionalidade por trás do medo de ficar sozinho fica óbvia no equivocado comentário: “Se eu aceitar ficar sozinho, então sempre estarei sozinho”. O medo ignora o fato de que o ser humano é um animal social que quer viver com outros e intimamente com alguém. Somos atraídos pelos outros porque o contato aumenta nossa vitalidade. Entretanto, esse efeito positivo inexiste quando estamos depressivos ou carentes, tornando-nos um estorvo para o outro. Indivíduos neuróticos, por exemplo, precisam ser acolhidos, mas acordos baseados na necessidade mais cedo ou mais tarde criam ressentimentos que logo se transformam em hostilidade profunda. Tanto a pessoa que necessita quanto a que é necessária perdem a liberdade e a capacidade de sentir alegria na relação.

A única relação saudável em que necessitar e ser necessário são inerentes à situação é aquela entre pais e filhos. O genitor que preenche a necessidade do filho preenche também as próprias. A criança que não teve suas necessidades satisfeitas torna-se carente na idade adulta; sente precisar de alguém "à sua disposição". O sentimento é genuíno, embora não pertença ao presente nem possa ser satisfeito no presente. Se alguém tenta corresponder a essa necessidade, infantiliza o indivíduo sem ajudá-lo. Sua necessidade atual é de ser um adulto pleno, pois somente assim ele se sentirá satisfeito. Os bloqueios, tanto psicológicos como físicos, que impedem o funcionamento adulto devem ser removidos. De que forma? Quando se revive o passado com a compreensão do presente. Respirando e chorando profundamente, é possível sentir a dor da perda de apoio e amor na infância. Então, aceita-se a perda como algo do passado e fica-se livre para satisfazer o ser no presente. Uma criança não poderia fazer isso porque o amor e o apoio dos pais eram essenciais à sua vida. A sobrevivência exigiu que a perda fosse negada. A criança teve de acreditar que poderia recuperar o amor por meio de algum esforço de sua parte. Submeter-se-ia às exigências dos pais, mesmo a ponto de sacrificar a si mesma, como fez Júlia. Porém, se esse sacrifício assegura a sobrevivência, ele também garante a insatisfação, o vazio e a solidão. O desespero é enterrado no ventre e nunca é aliviado.

Qualquer tentativa de superar a perda e a dor do passado pela vontade é infrutífera. O fracasso perpetua o desespero. Aceitar o desespero mas dar-se conta de que ele não representa o presente permite que a pessoa o atravesse. O princípio é exemplificado pela história do agricultor cujo cavalo foi roubado e passou a montar guarda na porta da cocheira com uma espingarda para proteger-se de um novo roubo. Como todos os neuróticos, o agricultor, negando a realidade do passado, está condenado a revivê-lo. A entrega ao corpo constitui uma aceitação da realidade do presente. Embora esse princípio seja claro, sua aplicação não é fácil. Entregar-se requer mais do que uma decisão consciente, porque a resistência é inconsciente, estando estruturada no corpo. O maxilar contraído, determinado, pode ser momentaneamente suavizado, mas volta à sua posição fixa e resoluta assim que a consciência se retrai. É um hábito antigo que se tornou parte da personalidade, a ponto de a pessoa se sentir estranha sem ele. Entretanto, se ela está comprometida com a rendição da postura contraída e determinada do maxilar, descobrirá que a posição nova, relaxada, é agradável, e que a posição antiga, contraída, agora é desconfortável. Todavia, essa mudança radical exige tempo e trabalho consideráveis, pois abrir mão de um modo de ser determinado afetará seu comportamento como um todo. Equivale a uma verdadeira transformação no estilo de vida — do fazer para o ser, da rigidez para a suavidade. Além disso, abrir mão da tensão crônica pode despertar uma dor considerável, porque, quando tentamos alongar músculos contraídos, dói. A dor é mantida na musculatura contraída, mas não é sentida. Os músculos contraídos precisam ser alongados antes de se renderem.

Em muitas pessoas, a tensão no maxilar está associada a uma retração deste, e não à projeção do queixo numa postura agressiva. Ambas as posições bloqueiam a entrega, de modo que a livre movimentação do maxilar é restringida. Desse modo, enquanto a projeção do queixo expressa a postura "Não me entregarei", o maxilar retraído diz "Não posso me entregar". Libertar o maxilar de sua posição travada requer um trabalho considerável e provoca dor. Contudo, a dor do alongamento de músculos contraídos desaparece quando a tensão é aliviada, ao passo que a dor do distúrbio da articulação temporomandibular, que é causado por tensão crônica do maxilar, aumenta com o tempo. Aqueles que sofrem desse mal não conseguem abrir totalmente a boca, o que prejudica tanto sua respiração como sua voz.

A tensão crônica nos músculos do maxilar não é um fenômeno isolado. O maxilar contraído é sempre acompanhado por músculos contraídos da garganta que restringem a capacidade de exprimir sentimentos. Uma garganta contraída dificulta o choro ou o grito. Utilizo exercícios especiais de respiração com meus pacientes para ajudá-los a aliviar essa tensão, mas é um trabalho lento. Mesmo quando o indivíduo desmonta e chora profundamente, o alívio não perdura. Os músculos são elásticos e logo retornam a seu estado habitual. É preciso chorar sempre, cada vez um pouco mais profunda e livremente, até que chorar seja tão fácil quanto andar. É preciso praticar o grito muitas vezes, até que pareça tão natural quanto falar. Um bom lugar para praticar o grito é dentro de um carro numa estrada, com as janelas fechadas. Pode-se gritar a plenos pulmões que ninguém ouve.

A rendição do ego também requer que os músculos da nuca estejam flexíveis, sobretudo os que ligam a cabeça ao pescoço. A tensão nesses músculos é muito comum em nossa cultura porque o medo de "perder a cabeça" é enorme. Mas se não abrirmos mão do controle do ego, como poderemos nos entregar ao corpo e à vida? Como poderemos nos apaixonar? As pessoas demasiado racionais têm dificuldade de se apaixonar ou dormir. Essa tensão nos músculos da base do crânio, onde a cabeça se une ao pescoço, é responsável pela cefaleia de tensão, além de muitos problemas de visão — pois essa tensão circunda a cabeça atrás dos olhos. Ela também se espalha pelos músculos da nuca, dificultando a livre rotação da cabeça. Esse enrijecimento representa uma postura obstinada e inflexível. Indivíduos com essa postura são descritos como teimosos. Se esse enrijecimento persistir ao longo dos anos, também criará artrite nas vértebras do pescoço, em geral muito dolorosa.

Essas tensões não podem ser aliviadas apenas com massagem ou manipulação. Elas representam posturas caracterológicas que se desenvolveram no início da vida para lidar com situações angustiantes, controlando e suprimindo o sentimento. Essas posturas devem ser compreendidas tanto historicamente como em sua função atual. Além disso, os sentimentos nelas contidos têm de ser expressos. O principal sentimento controlado por essas tensões é a tristeza, como expressada na afirmação "ele desmoronou e chorou". Por meio da análise da resistência ao choro e conseguindo fazer que o paciente "desmorone", boa parte da tensão é aliviada; outra parte pode ser descarregada pelos gritos. Num grito, uma tremenda carga energética flui pela cabeça, pronta para ser descarregada. Assim, a pessoa fica furiosa, "perde a cabeça". O grito é uma válvula de segurança que permite a descarga segura de uma grande força contida.

O modo como cada um sustenta a cabeça é significativo em termos de postura caracterológica. Eis dois casos que ilustram essa ideia. Larry era um empresário que sentia não ter vivido todo o seu potencial. Havia feito muita terapia analítica, mas sem êxito. Homem forte, atento, sentou-se de frente para mim enquanto conversamos, com a cabeça projetada para a frente. Conforme íamos discutindo seu problema, tornei-me consciente de que ele era bem defensivo. Concordava facilmente com as minhas observações, mas em seguida explicava com muita lógica o seu comportamento e nada mudava. Fisicamente, tinha um tórax tenso que restringia bastante sua respiração e bloqueava seu choro. Em certa ocasião, trabalhando com o banco bioenergético, o que era para ser choro se transformou em risada, que perdurou por mais de quinze minutos. A risada era uma defesa contra o choro. Acredito que a primeira ruptura de suas defesas ocorreu quando compreendi a posição de sua cabeça. Observando-a sustentada bem para a frente, dei-me conta de que Larry estava "além de si mesmo". Isso significava que ele antecipava cada situação antes que acontecesse e pensava, calculava, planejava como lidar com ela. Essa postura lhe dava uma vantagem competitiva nos negócios, mas roubava-lhe a espontaneidade e liberdade que poderiam tornar sua vida alegre e gratificante. Ele logo captou minha ideia, e isso abriu caminho para algum progresso na terapia.

O segundo caso envolveu um paciente de quase 60 anos, que me consultou por causa de sua hipertensão. Robert era um homem grande, bem-sucedido na carreira e contente com seu casamento. Apesar disso, alguma coisa estava errada em sua personalidade, pois havia desenvolvido uma hipertensão grave. Olhando para o corpo de Robert, percebi que ele se mantinha erguido. Seu peito estava inflado, os ombros, levantados, e sua cabeça mantinha-se erguida e inclinada de lado e para trás, como se estivesse olhando as pessoas por cima, e não de frente. A metade superior de seu corpo era maior do que a metade inferior. A interpretação simples dessa postura era a de que Robert se mantinha acima das pessoas comuns como se fosse um ser superior. Quando lhe mostrei como sustentava a cabeça, ele comentou que seu avô fazia do mesmo modo. O paciente crescera no norte da Itália, onde sua família se considerava importante porque tinha parentesco com um conde. Conscientemente, Robert não se achava superior, mas esse sentimento podia ser lido em sua expressão corporal. Quando lhe apontei esse fato, ele admitiu o sentimento.

Além da hipertensão, Robert também sofria de dor na região inferior das costas devido a uma faixa de tensão em torno da cintura que bloqueava o fluxo descendente de excitação, mantendo, assim, sua pressão arterial alta. Ele também se mantinha acima da metade inferior de seu corpo, a qual representava sua natureza animal e que é a base comum de toda a humanidade. Podemos nos considerar superiores apenas pelas funções da cabeça, não pelas da pelve.

Para diminuir sua pressão arterial, Robert tinha de "baixar a guarda", ou seja, entregar-se. Precisava chorar porque não estava satisfeito nem alegre, apesar de seu aparente sucesso. Ostentava um sorriso eterno no rosto, dissimulando uma tristeza latente. Não era fácil para Robert chorar, pois isso o obrigaria a desistir da fachada de homem superior. Ele estava disposto a fazer isso no nível consciente, mas não era tão fácil mudar sua postura corporal. Fazê-lo respirar profundamente e emitir um som alto e contínuo enquanto estava deitado sobre o banco levou-o quase a soluçar. Ele tomou consciência de quanto seu tórax estava contraído e de como lhe era difícil respirar plenamente. Depois, quando se curvou, na posição de *grounding*, suas pernas começaram a vibrar, o que o levou a perceber como tinha pouca sensibilidade nelas. Trabalhando de novo sobre o banco com respiração e som, alguns soluços contínuos irromperam. Na posição de *grounding*, mais uma vez, as vibrações nas pernas tornaram-se mais fortes. Também fiz que Robert desse alguns chutes, o que aumentou sua capacidade de se soltar. Quando ficou em pé ao final da sessão, disse que se sentia muito mais relaxado e próximo do chão; sua pressão arterial estava praticamente normal.

Robert admitiu a necessidade de realizar alguns exercícios bioenergéticos em casa. Mandou fazer um banco para aprofundar sua respiração e permitir que parte de sua tristeza viesse à tona. Também praticava os chutes regularmente. Ambos ajudaram-no a sentir-se mais vivo. Isso também diminuiu sua pressão arterial, embora ela não ficasse baixa. Robert estava usando os exercícios para superar seu problema, e não para lidar com ele. Como ele morava em outro país, eu só o atendia de vez em quando.

Como sua pressão não diminuiu apesar desses exercícios, ele voltou a me procurar. Dessa vez, salientei que ele estava se mantendo erguido para negar que era um homem fragmentado. A ruptura mostrava-se evidente na região inferior de suas costas, onde uma faixa de tensão muito forte em torno da pelve suprimia qualquer sentimento de paixão quando ele tinha relações sexuais.

Robert sabia da tensão, mas era incapaz de admitir que isso causava uma ruptura em sua personalidade, uma cisão em sua natureza sexual plena. Esse problema não pode ser sanado pelo choro, embora o paciente chore quando sente o estrago que isso causa. Sentindo a dor e a incapacidade, só lhe resta reagir com uma raiva intensa, quase assassina.

Robert havia reprimido sua raiva, assim como havia reprimido sua sexualidade. Essa repressão tinha de ser dissipada para que ele recuperasse plenamente o seu *self*. A raiva é a emoção que cura.

A maioria dos indivíduos tem graves tensões musculares na região superior das costas e nos ombros. Essa tensão está relacionada com a repressão da raiva e não pode ser aliviada enquanto não se permitir que esses impulsos sejam expressos. O problema da raiva reprimida será analisado no próximo capítulo. Há uma resistência ao choro que provém de uma fonte mais profunda do que aquelas discutidas na seção anterior — isto é, o desespero. Ouvi muitos pacientes dizerem que resistem à entrega à sua tristeza e ao choro porque têm medo de que eles não tenham fim. Esse pensamento é irracional — não se pode chorar para sempre —, mas o sentimento latente é real. Respondo que por certo que terão fim, mas esse alento não basta e o medo permanece. O sofrimento dos pacientes é sentido como um poço sem fundo do qual nunca poderão sair se caírem nele. Outra metáfora que eles usam para expressar seu desespero é o sentimento de que vão se afogar nas próprias mágoas. A ideia de se "afogar nas próprias lágrimas" é mais do que uma metáfora. Muitos pacientes queixam-se, às vezes, de sentir um líquido na garganta quando choram, o que lhes dá a sensação de afogamento. Como eu mesmo não vivenciei essa sensação, só posso imaginar que as lágrimas estejam refluindo pela garganta através dos seios paranasais. Porém, o sentimento também poderia ser a renovação de uma sensação de afogamento à qual a pessoa sobreviveu em um período anterior da vida. As crianças de fato engolem água quando estão aprendendo a nadar, e às vezes engasgam, por vezes desenvolvendo medo de se afogar. Outra explicação possível é a de que o indivíduo tenha engolido um pouco de líquido amniótico quando estava no útero, o que pode levar à sensação de afogamento. O embrião faz movimentos respiratórios no útero quando vivencia uma perda temporária de oxigênio devido a um espasmo da artéria uterina. Essas sensações e ansiedades atuam para contrair a garganta, fazendo que tanto a respiração quanto o choro sejam restringidos.

Além desses fatores físicos, a resistência ao choro profundo tem um forte núcleo psicológico no medo do desespero. Aquele que procura a terapia luta contra um sentimento de desespero — o desespero de nunca encontrar o verdadeiro amor, sentir-se livre ou compreender a plenitude do próprio *self*. O desespero é um sentimento terrível. Ele corrói a vontade do indivíduo, enfraquece seu desejo de viver e o leva à depressão. Em consequência, ele fará tudo para não sentir seu desespero e manter-se acima do abismo. Esse esforço consome uma energia considerável e não faz absolutamente nada para eliminar o desespero. Mais cedo ou mais tarde, à medida que a energia da pessoa diminui, ela entrará em desespero, terá depressão, ficará doente ou até mesmo morrerá. Se ela quiser ficar emocional e fisicamente bem, precisa enfrentar seu desespero, o que significa senti-lo plenamente e compreender que ele decorre de vivências da infância e não têm ligação direta com a sua vida adulta. Enquanto ela tiver medo de respirar profundamente, não haverá nenhuma possibilidade real de satisfação. A pessoa terá uma sensação de vazio na boca do estômago, não importando as condições externas de sua vida. Casamento, filhos e sucesso não preencherão esse vazio, que energeticamente está relacionado ao medo de sentir a própria tristeza profunda ou desespero.

Desespero é o oposto de alegria, que para o adulto está intimamente ligada à plenitude da excitação e da descarga sexuais. Para a maioria das pessoas, ambas estão amplamente limitadas ao aparelho genital e não envolvem o corpo todo. O sexo não é vivenciado conscientemente como uma expressão de amor, pois o aparelho genital não está ligado ao coração e aos seus sentimentos. A separação desses dois centros resulta da incapacidade da onda respiratória de atravessar o vazio e o amortecimento relativo do baixo ventre e da pelve, devido à repressão dos sentimentos nessa parte do corpo. O resultado é que o sexo se torna uma fogueira localizada, e não uma paixão que consome o ser e resulta na vivência da plenitude que pode atingir o êxtase. O medo do desespero bloqueia a entrega total ao corpo no choro, que é o único meio de aliviar o indivíduo de seu desespero.

Em geral, o desespero é transferido para a situação terapêutica. Após um lapso inicial de esperança, que resulta da primeira irrupção de sentimento, a velocidade do progresso terapêutico diminui e pode até mesmo parar. Alguns pacientes expressam o medo de que a terapia nunca funcione, enquanto outros continuam trabalhando com afinco. Isso significa que estão lutando para realizar algum sonho ou ambição. Ambos os objetivos têm como meta encontrar um amor especial que lhes fora prometido na infância, mas que nunca obtiveram. Tratava-se de um amor erótico baseado numa relação ou intimidade especial entre o genitor e a criança, que a fazia se sentir especial. Tinha fortes componentes sexuais que a excitavam muito, mas, ao mesmo tempo, roubavam sua inocência e liberdade. Era o fruto proibido do amor sexual adulto, percebido, mas não possuído. Apesar disso, a criança ficou marcada pela arrebatadora excitação dessa atração e inconscientemente dedicará a vida à tentativa de realizar um sonho impossível.

O sonho impossível é ser "a pessoa especial". Essa atitude narcisista impulsionará o indivíduo a provar sua superioridade de uma maneira ou de outra — na realidade, da maneira como o genitor sedutor deseja. Porém, esse amor especial não constitui uma ligação profunda entre dois indivíduos, pois se baseia em aparências, e não em sentimento. Se o amor implica uma relação especial entre duas pessoas, é porque o amor é um sentimento especial. É o amor que torna um relacionamento especial, não o fato de os indivíduos serem especiais que torna a relação amorosa. Essas relações não conseguem ser satisfatórias e duradouras, e esses indivíduos recorrerão à terapia sentindo certo desespero, mas esperando que ela os torne capazes de realizar seu sonho de serem considerados e amados.

Esse desejo é transferido para o terapeuta, que inconscientemente é considerado o genitor que prometeu satisfação. O paciente está preparado para fazer tudo que ele pedir na ilusão de que a conquista de seu amor resulte em autorrealização. A situação terapêutica pode se tornar extremamente carregada dessas expectativas e, tal como as situações originais dos primeiros anos de vida e da infância, terminará em fracasso e no sentimento de desespero do paciente em relação à terapia. O processo terapêutico não constitui uma busca de amor, mas de autodescoberta — ou, melhor dizendo, de autoestima. Seja qual for o grau de realização que o paciente está buscando, ele ficará decepcionado. Inevitavelmente, ele volta a se desesperar. Isso acontece constantemente na terapia, pois só uma pessoa desesperada pensaria que o amor e a salvação encontram-se fora do *self*. Se o paciente consegue admitir que o seu desespero decorre de um vazio interior, está aberto o caminho para elaborá-lo, a fim de alcançar a plenitude. Nos próximos capítulos, analisaremos esse "caminho", a fim de entender o que mais é necessário para conquistar o próprio *self*.

5. Raiva: a emoção que cura

No capítulo anterior, discuti a tristeza, com referência especial à sua expressão no choro. Vimos que todos precisam chorar para descarregar a dor e a tristeza causadas pelos "ferimentos" emocionais e físicos da infância. As crianças são ensinadas a não chorar e, em muitos casos, punidas ou repreendidas por isso. A inibição do choro resulta em grave tensão crônica nos músculos do tubo interno do corpo, relacionados com as funções respiratórias e alimentares. Essas tensões contraem o tubo respiratório, limitando a respiração, reduzindo a energia e diminuindo a autoexpressão vocal. Entretanto, esse não é o único efeito desses traumas da infância. Graves tensões também se desenvolvem nos músculos do tubo externo, que têm como uma de suas funções principais movimentar o organismo. Em todos os pacientes, o corpo reflete sua dolorosa história na perda de graciosidade, em cisões que separam os principais segmentos do corpo — a cabeça do tronco ou a pelve do tórax. Essas rupturas destroem a integridade da personalidade, que não pode ser recuperada simplesmente pelo choro. A emoção restauradora ou protetora é a raiva. Todos os que recorrem à terapia têm uma considerável raiva reprimida, em muitos casos equivalendo a uma fúria destrutiva, que não puderam expressar na infância, quando foram feridos. Esses sentimentos têm de ser expressos num local seguro para que o corpo recupere sua vitalidade e integridade. No entanto, assim como no caso do choro, todos têm dificuldade de expressar a raiva de forma eficiente e apropriada. Sem essa capacidade, o indivíduo é vítima ou algoz.

A raiva é uma emoção importante na vida de todas as criaturas, pois serve para manter e proteger a integridade física e psicológica do organismo. Sem a raiva, ficamos impotentes contra os ataques da vida. Os bebês das espécies mais desenvolvidas carecem da coordenação motora necessária para a expressão da raiva e precisam da proteção dos pais. Prova disso é o bebê humano, que precisa de mais tempo que a maioria dos outros filhotes mamíferos para obter essa capacidade. Porém, dizer que um bebê não consegue ficar com raiva não é exatamente verdade. Prenda-o e você perceberá sua luta para se libertar, o que representa uma reação de raiva, embora inconsciente. Retire seu mamilo de um bebê que mama no peito e você sentirá suas gengivas apertando para segurá-lo se ele não estiver pronto para soltá-lo. Morder é claramente uma expressão de raiva, como sabe a maioria dos pais. À medida que a criança vai crescendo e sua coordenação motora aumenta, sua capacidade de expressar raiva torna-se mais desenvolvida. Ela reagirá com raiva a qualquer violação de sua integridade ou espaço, incluindo seus pertences pessoais. Se a raiva não conseguir proteger sua integridade, a criança vai chorar, sentindo-se impotente contra o trauma. A raiva é parte da função mais ampla de agressão. Agressão é o oposto de regressão, que significa "mover-se para trás". Em psicologia, é o oposto de passividade, que denota uma atitude de ficar imóvel ou à espera de algo. Podemos nos mover na direção de outra pessoa por amor ou raiva. Ambas as ações são agressivas e ambas são positivas para o indivíduo. Em geral, não ficamos com raiva daqueles que não significam nada para nós ou que não nos feriram. Quando ficamos com raiva de pessoas que nos são importantes, o fazemos para recobrar uma relação positiva com elas. Acredito que todos nós, após uma briga com alguém que amamos, restauramos os bons sentimentos que tínhamos por essa pessoa.

Em um seminário na casa de Reich, em 1945, ele declarou que a personalidade neurótica só se desenvolve quando a capacidade da criança de expressar raiva por um insulto à sua personalidade é bloqueada. Ele ressaltou que, quando o ato de ir em busca do prazer é frustrado, ocorre uma retração do impulso, originando uma perda de integridade no corpo. Essa integridade pode ser restaurada apenas por meio da mobilização da energia agressiva e de sua expressão como raiva. Isso restabeleceria os limites naturais do organismo e sua capacidade de ir em busca de novo (veja a Figura 4).

Para o ser humano, estar com raiva representa um surto de excitação ascendente, que sobe pelas costas e desce pelos braços, que agora estão energizados para brigar. A excitação também flui até o topo da cabeça e nos dentes caninos superiores, que ficam energizados para morder. Somos carnívoros, e morder é um impulso agressivo natural para nós. De fato, senti esse fluxo de excitação em meus caninos num exercício com a raiva. À medida que essa excitação flui através dos músculos das costas, eles se ar-

FIGURA 4

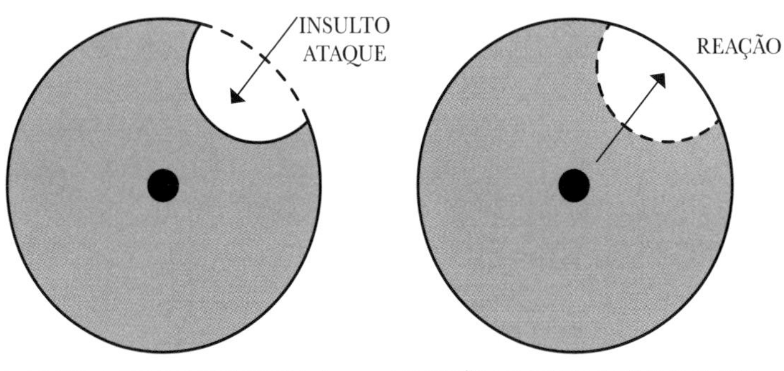

O INSULTO OU ATAQUE VIOLA A INTEGRIDADE DO ORGANISMO

A REAÇÃO NA FORMA DE RAIVA VISA RESTAURAR A INTEGRIDADE DO ORGANISMO

queiam, preparando-se para o ataque. Ao mesmo tempo, pode-se perceber o pelo se eriçar ao longo da cabeça e das costas. Raramente vemos isso em humanos, mas é uma cena comum em cães. A Figura 5A mostra o fluxo de excitação na raiva. Na Figura 5B, o fluxo de excitação está invertido, resultando em olhos arregalados, sobrancelhas arqueadas, cabeça recuada e ombros erguidos. Esse é o movimento energético no medo. Se um indivíduo é incapaz de ficar com raiva, tranca-se numa posição de medo. As duas emoções são antitéticas: quando se sente raiva, não se sente medo, e vice-versa.

Como exemplo, quando alguém é muito medroso, presume-se que tenha em sua personalidade um potencial equivalente de raiva — reprimida. Expressar a raiva alivia o medo, assim como chorar alivia a tristeza. Na maioria dos casos, o medo é igualmente negado e reprimido, fazendo que a pessoa fique imobilizada ou “morta”. Nessa situação, é importante encontrar uma maneira de ajudá-la a entrar em contato com a raiva reprimida.

Pedir ao paciente que fale sobre seus problemas de vez em quando facilita-lhe entrar em contato com um sentimento de raiva, que pode ser expresso por meio de um exercício de soco. Uma maneira mais direta é pelo choro. Se o paciente começa a chorar usando os exercícios descritos no capítulo anterior, sentirá mágoa e dor. Em geral, a tristeza transforma-se num sentimento de raiva, que depois pode ser expressa dando socos na cama. Assim como não se alivia toda a tristeza chorando uma vez, nenhum paciente alivia toda a sua raiva reprimida dando socos na cama uma só vez. No decorrer da terapia, conforme o choro se aprofunda, a raiva se torna

FIGURA 5A
DIREÇÃO DE FLUXO DA EXCITAÇÃO
NO SENTIMENTO DE RAIVA

FIGURA 5B
DIREÇÃO DE FLUXO DA EXCITAÇÃO
NO SENTIMENTO DE MEDO

mais forte, mais focalizada e mais bem compreendida. Também é possível mobilizar o sentimento de raiva fazendo o exercício de soco mecanicamente no início. É como armar uma bomba: a ação em si induz a um sentimento de raiva, posto que o sentimento está no próprio movimento. No exercício de soco, a pessoa usa os punhos, se for homem, ou uma raquete de tênis, se for mulher. A raquete de tênis dá à mulher uma sensação de poder maior. Os homens têm mais força nos braços e podem quebrar a raquete ao bater na cama com ela. O paciente é instruído a acompanhar a ação com palavras que também expressem seu sentimento. Ele poderia dizer, por exemplo, "Estou com tanta raiva!", "Eu poderia acabar com você" ou "Eu poderia matar você". Combinar palavras com a ação física focaliza o sentimento. Assim como todos os pacientes têm um motivo para chorar ou chutar, decorrente do tratamento que receberam quando crianças, eles também têm motivo para ficar com raiva. Contudo, sua raiva também pode decorrer de uma situação atual, com a qual não são capazes de lidar adequadamente devido ao seu medo de retaliação. Visto que o exercício libera os músculos tensos que bloqueavam a expressão da raiva, ele facilita e estimula a capacidade de expressar raiva em todas as situações da vida. Em minha experiência, ele nunca conduz a "atuações" (*acting out*), ou seja, a expressar a raiva de forma irracional. Em todos os anos que tenho usado esse exercício com meus pacientes, ninguém jamais se machucou nem quebrou nada em meu consultório. Se percebo que alguém está perdendo o controle, eu o interrompo e mostro-lhe como se manter no comando de seus atos e ainda assim expressar sua raiva.

Quando digo que a raiva não é uma emoção destrutiva, estou fazendo uma distinção entre raiva, ira e fúria. A ira é uma ação destrutiva. Tem a intenção de machucar alguém. Também é cega, pois o ataque costuma se dar contra uma pessoa ou criança inocente, impotente. A ira também é explosiva, o que significa que não pode ser controlada depois de irromper. Pode-se conter a raiva, mas não a ira. Como ressaltei em meu livro *Narcisismo*, a ira se desenvolve quando sentimos que nosso poder foi contrariado ou frustrado.[16] Uma criança que resiste insistentemente à ordem de um genitor pode transformar essa resistência em ira. Quando ela não faz o que os pais mandam, confronta-os com seu próprio sentimento de impotência, decorrente do fato de ter sido obrigada a submeter-se quando mais nova — quando era incapaz de expressar sua raiva por medo. Essa raiva reprimida agora torna-se ira e é atuada (*acted-out*) sobre outra pessoa de quem ela não sente medo. Muitos de meus pacientes foram obrigados a submeter-se ao poder de seus pais quando eram pequenos e em geral eram castigados com surras — uma forma de punição particularmente humilhante, porque solapa o senso de dignidade e privacidade da criança. Outros relataram que foram obrigados a buscar o instrumento de seu castigo — uma cinta, um cabo de vassoura etc. —, o que aumenta o medo e humilha ainda mais a criança. Se ela sofre abusos graves, a raiva que normalmente sentiria fica enterrada sob uma montanha de medo e torna-se uma ira destrutiva quando liberada. Apesar disso, ela tem de ser liberada para que a pessoa consiga sentir e expressar uma raiva genuína.

Quando peço aos meus pacientes que batam na cama com os punhos ou uma raquete, o que costuma surgir é ira, e não raiva. A princípio, eles ficam relutantes em atribuir qualquer sentimento aos seus socos, o que os faz se sentir impotentes. Porém, assim que começam a se entregar, batem como se quisessem destruir ou matar. Essa reação histérica não está integrada ao ego, nem é eficiente. Quando lhes pergunto do que estão com raiva, ou contra quem ela é dirigida, muitos dizem que não sabem. Esses socos, portanto, têm pouco valor para promover o processo terapêutico de autodescoberta, mas são necessários para descarregar um pouco da fúria contida. Essas ações são catárticas e constituem uma válvula de segurança, na medida em que proporcionam uma "descarga". Conforme a terapia progride, tanto analítica como fisicamente, o paciente entrará em contato com as razões de sua ira, seus socos se tornarão mais focalizados e ele sentirá sua raiva. Dizer as palavras certas enquanto está dando socos torna a ação *egossintônica*. Essa expressão denota que o sentimento e a ação estão em acordo e promovem o senso de *self*. Com muita frequência, uma forte reação emocional é considerada pelo indivíduo uma perda do *self* e de autocontrole. Todo paciente a que atendo foi ferido e humilhado a ponto de as palavras "eu poderia matar você" fazerem sentido. Ao mesmo tempo, ele está totalmente consciente de que é um sentimento que ele não atuará. A expressão denota simplesmente a intensidade da raiva.

Uma raiva mais intensa do que a ira é a fúria. "Estou furioso" expressa um sentimento de raiva extremo, simbolizado pelo furacão ou tornado, que destrói tudo em seu caminho. Uma de minhas pacientes sonhou que sentia um vento surgindo dentro dela e tirando-a do chão. Também sentia as bochechas inflando com o vento, como nas figuras em que se vê o vento soprando com força. Enquanto flutuava acima do chão, agitava as mãos, ameaçando algumas pessoas que estavam na sala com ela. Interpretei o sonho como um vento nascente que nunca havia sido liberado e se tornado um furacão. Essa paciente, a quem chamarei de Susan, estava aterrorizada com a sua ira assassina. Ela havia batido na cama muitas vezes com raiva, mas nunca se sentia satisfeita. Certa vez, enquanto batia na cama e dizia "quero matar você", dirigindo-se a seu pai, ficou temporariamente congelada numa postura catatônica, incapaz de se mexer. Alguns anos antes, outra paciente havia relatado que certa vez vivenciara uma reação catatônica quando se aproximara do irmão com uma faca na intenção de matá-lo. Disse que alguma coisa a interrompeu e que se retirou para outro aposento, onde ficou em pé, imóvel, por quase meia hora. Percebi que a reação catatônica era a última defesa contra a atuação (*acting-out*) de seu impulso assassino. Susan me disse que muitas vezes ficava cheia de ódio e geralmente sentia uma raiva amarga, mas não conseguia expressá-la. Seu corpo tinha um aspecto congelado que ela vivenciava como insensibilidade.

Esse aspecto congelado é o lado físico do ódio. Só odiamos profundamente aqueles que um dia amamos profundamente, mas que sentimos que nos traíram. Contudo, o ódio pode ser projetado naqueles (por transferência) com quem a pessoa não tenha tido nenhum relacionamento íntimo ou pessoal. A relação de Susan com o pai era uma mistura de amor e ódio. No decorrer da terapia, ela se conscientizou de que ele havia se envolvido sexualmente com ela desde que era menina. Embora ela não tenha memória de nenhum ato de abuso sexual, sabia que ele olhava para ela como objeto de desejo desde pequena. Mesmo depois de adulta, ele tentava pressionar seu corpo contra o dela quando ela visitava a família. Susan reconheceu que ele era sedutor, obcecado por sexualidade e, ao mesmo tempo, depreciava toda mulher que manifestasse qualquer sentimento sexual. Em consequência do comportamento dele e de sua educação católica, Susan tinha vergonha do próprio corpo e ficava constrangida com qualquer expressão sexual. Não conseguia permitir que nenhum sentimento sexual se desenvolvesse, nem que fosse mostrado a ninguém. Era deprimida e incapaz de mobilizar-se para qualquer atividade prazerosa. Nos fins de semana, passava a maior parte do tempo na cama. Foi somente depois de vários anos de terapia que ela expressou o pensamento de que não poderia mais continuar como estava e que poderia se matar. Isso mostra como o ódio assassino pode se voltar contra si mesmo.

O estado congelado só pode ser transformado pelo calor — especificamente, o calor da raiva. A ira, em oposição à raiva, é fria. O indivíduo pode sentir o calor de sua raiva subir à cabeça à medida que a excitação se move para cima. Ele ficará de "cabeça quente" devido ao aumento do fluxo sanguíneo na região, o que também pode fazê-lo literalmente "enxergar vermelho". A raiva é uma força de vida positiva com fortes propriedades curativas. Certa vez, quando vivenciei essa raiva, ela melhorou uma dor ciática que me incomodava havia meses. Já vi isso acontecer também com um de meus pacientes. De modo semelhante, o sonho de Susan surtiu um efeito positivo sobre ela. Embora não houvesse nenhum abuso sexual declarado, ela foi torturada pelo contínuo abuso psicológico de sua feminilidade, ao qual sobreviveu tornando-se insensível e fria. Qualquer sentimento forte poderia ter esmagado seu ego vulnerável. Quando contou o sonho do vento que surgia dentro dela, observou que pensava se tratar de uma ruptura. Pela primeira vez, deixou-se arrebatar pela raiva e, enquanto ele a tirava do chão, não se sentiu aterrorizada. Na sessão seguinte a este sonho, falou de como admirava minha paciência e apoio durante os anos em que a terapia fizera tão pouco progresso. Além disso, também conseguiu me falar de todo o afeto que tinha por mim. Ela havia sido muito fria e insensível para permitir que tais sentimentos se desenvolvessem, e muito assustada e vulnerável para expressá-los.

Saliente-se que a terapia objetiva recuperar a capacidade do indivíduo de sentir e expressar raiva — reação natural em situações que ferem ou ameaçam sua integridade ou liberdade. Infelizmente, as condições da vida moderna em geral obrigam os pais a frustrar os impulsos espontâneos da criança, o que lhe provoca raiva. Ela pode atacar o genitor, mas, embora esses socos sejam inofensivos, muitos pais não aceitarão ou tolerarão esse comportamento. A maioria reprime energicamente um filho com raiva, e muitos o castigarão pelo comportamento que julgam inadequado. Tendo poder devido à dependência que a criança tem deles, podem obrigá-la a reprimir sua raiva. Isso é lastimável, pois a criança que tem medo de expressar sua raiva dos pais torna-se um adulto frustrado. A raiva reprimida não desaparece. As crianças atuarão o impulso proibido contra crianças menores, machucando-as de propósito, ou, quando adultas, atuarão contra os próprios filhos.

Muitos pensam que punir uma criança por expressar sua raiva seja uma maneira de ensiná-la a comportar-se socialmente, mas o efeito disso é anular o seu espírito e torná-la submissa à autoridade. A criança de fato precisa aprender a se comportar em sociedade, mas sua personalidade não deve ser prejudicada. No Japão, vi uma criança de 3 anos batendo na mãe, que não fez nenhum esforço para detê-la ou repreendê-la. Na cultura japonesa tradicional, a criança não é controlada antes dos 6 anos, posto que seu comportamento até essa idade é reconhecido como natural e inocente. Depois dessa idade, o processo de socialização é feito por meio da vergonha, não do castigo físico. Na educação das crianças espartanas, que eram treinadas para ser lutadoras destemidas, elas não eram expostas a situações assustadoras ou castigo antes dos 6 anos, a fim de proteger o seu espírito. As crianças cuja capacidade de expressar raiva não é abalada não se tornam adultos furiosos. Embora tenham temperamento forte, costumam ser gentis, a não ser que sofram algum tipo de abuso. Sua raiva em geral é adequada à situação, pois não se abastece de conflitos não resolvidos e injúrias do passado. Pesa sobre as pessoas esquentadas ou que perdem as estribeiras uma grande soma de raiva reprimida que está próxima da superfície e, portanto, é facilmente provocada. A raiva descarregada pela provocação pouco adianta para resolver o conflito subjacente, que é o medo de expressar os próprios sentimentos assassinos contra o genitor ou figura de autoridade que feriu sua integridade na infância. Esse conflito é conservado e guardado na tensão do alto das costas e dos ombros, e só pode ser resolvido quando a raiva for direcionada contra o responsável pelo trauma. Contudo, ela não é atuada contra essa pessoa, pois o dano é antigo. O local adequado para essa descarga é a situação terapêutica.

Muitas crianças são criadas com a ideia de que a raiva é moralmente errada. Devemos ser compreensivos, ver o lado da outra pessoa, dar a outra face, perdoar e assim por diante. Há muito a ser dito a favor dessa filosofia, desde que a pessoa não seja frustrada nem sofra de incapacidade emocional em decorrência disso. Na maioria dos casos, porém, a atitude de considerar a posição do outro equivale à autonegação, o que decorre do medo. É misericordioso ser capaz de perdoar, mas a escolha deve ser genuína. O indivíduo que não consegue ficar com raiva não está agindo por escolha, mas por medo. Em minha experiência, nenhum paciente consegue expressar a raiva livre e plenamente. William foi criado num lar religioso no qual, segundo ele, ninguém jamais ficava com raiva. Ele afirmava nunca ter sentido raiva na vida. Sua mãe o criou para ser uma criança perfeita, doce e angelical. Embora parecesse angelical às vezes, com seus cabelos loiros encaracolados, ele não era doce. Havia uma amargura tácita em sua personalidade. Quase sempre reclamava de ser frustrado na vida profissional e amorosa. Era frustrado porque não conseguira atingir a meta de ser a pessoa ilustre que sua mãe quisera; depois, quando admitiu o fracasso dessa ambição, continuava frustrado porque não estava livre daquela mãe de quem ainda era o menininho angelical.

William nunca havia sentido alegria na vida. Sobrecarregado com um sonho impossível, ele fora privado da inocência e da liberdade que são normais na infância. Nunca lhe ocorrera que tinha direito de ficar com raiva dessa privação. Por causa disso, lutava para encontrar alguma alegria no trabalho e na vida sexual, mas isso era impossível, pois luta e alegria são incompatíveis.

Sem conseguir sentir raiva, William permanecia na condição de vítima, vulnerável e impotente demais para desistir de sua luta, admitir sua humanidade e tirar a mãe de sua posição superior. Ele precisava sentir raiva da mãe, mas isso era um sacrilégio. Muitos pacientes relatam que se sentiriam culpados por expressar raiva contra um genitor, sobretudo a mãe. Esta, por sua vez, instala um senso de culpa nos filhos por qualquer sentimento negativo contra ela. Porém, a culpa é baseada no medo e na repressão da raiva.[17] Se tivesse permissão para expressar livremente seus sentimentos, a criança preservaria sua inocência. William fora uma criança submissa e nunca havia expressado nenhum sentimento negativo contra a mãe. Tornou-se seu anjinho, depois de ser psicologicamente castrado e transformado em impotente pela mãe dominadora, que de certa forma também se considerava uma deusa. William precisou de vários anos de terapia até conseguir sentir alguma raiva da mãe pelo dano que lhe causara, apesar de reconhecer que estava ferido. Embora o corpo de William não se mostrasse congelado como o de Susan, estava preso por tantas tensões que havia poucos movimentos espontâneos e, portanto, pouco sentimento de qualquer tipo. William agia basicamente por meio da vontade. Obter vibrações em suas pernas foi o primeiro passo para libertá-lo da teia de tensões que aprisionava seu espírito. Levou muito tempo até que William conseguisse chorar. Felizmente, ele trabalhava com afinco nos exercícios, nas sessões e em casa, porque eles o faziam se sentir mais vivo. Foi esse compromisso com seu corpo que lhe permitiu sentir um pouco de raiva da mãe.

Um dos exercícios que incentivo meus pacientes a fazer em casa é socar a cama. Eu mesmo o executo para liberar a tensão nos ombros e desenvolver movimentos braçais harmoniosos e livres, que acredito ser essenciais para a expressão da raiva. No início, percebi que sentia força no braço direito, mas o esquerdo parecia fraco e impotente. É difícil lutar com um braço só. Toda manhã, eu costumava praticar de 50 a 75 socos. Com o tempo, meu ombro esquerdo se soltou e os socos com cada braço tornaram-se mais uniformes em força e fluidez. Contudo, socar a cama não é só um exercício terapêutico para liberar os braços da tensão crônica: ele serve também para descarregar a tensão que se acumula com o estresse da vida cotidiana. Nem sempre conseguimos expressar raiva no momento da agressão ou do insulto. Às vezes, nem mesmo sentimos a raiva nesses momentos, porque ficamos em estado de choque. Algum tempo depois, passado o choque, tornamo-nos conscientes de nossa raiva pelo que aconteceu. Em alguns casos, é tarde demais ou impossível expressar a raiva para a pessoa responsável pela ofensa, mas podemos dar vazão a esse sentimento e aliviar a tensão socando a cama em casa, recuperando desse modo a integridade e a sensação de bem-estar que tínhamos perdido.

Com frequência, a raiva incendeia pais contra filhos que insistem em fazer o que querem contra sua injunção. As crianças ocidentais podem levar os pais à loucura quando não são controladas. Isso resulta em parte do excesso de estímulos em casa e nos ambientes externos, e em parte da pressão dos pais para manter a ordem em casa e na vida. Estes também são excessivamente estimulados e dominados por seu ambiente. A tensão que se acumula no genitor é quase sempre descarregada por meio de algum tipo de agressão física contra a criança. Após dar vazão à sua raiva, ele pode ficar arrependido e se sentir culpado, mas o dano já está feito. Reich sugeria que, em tais situações, o genitor fosse para o quarto e descarregasse a raiva socando a cama, e não a criança. Recomendo o mesmo a todos os meus pacientes. Isso alivia o genitor e poupa o filho.

No início da terapia, muitos pacientes relatam não sentir raiva durante o exercício de golpear. Cada um deles tinha uma razão para estar com raiva do que foi feito com eles quando crianças. No entanto, mesmo quando reconhecem esse fato, a raiva não flui porque a tensão que a reprime não foi suficientemente aliviada. Em consequência disso, seus movimentos são segmentados e mecânicos. Uma emoção é vivenciada somente quando o corpo todo está excitado e envolvido numa ação. Isso significa que o alongamento dos braços acima da cabeça deve ser pleno, esticando-os em sua articulação com os ombros. Descrevo isso para os meus pacientes como procurar alcançar o raio. Porém, para que o corpo todo esteja envolvido, o alongamento deve de fato vir do chão. Para que isso aconteça, é preciso flexionar os joelhos, levantar ligeiramente os calcanhares e alongar o corpo para cima e para trás a partir da parte arredondada da sola dos pés. Na prática, o corpo fica como um arco, ancorado na parte arredondada da sola dos pés, abaixo, e nos punhos acima.

Quando se alcança essa posição, o soco é um movimento livre e fluido. O esforço para socar a cama e para lançar uma flecha é o mesmo. Assim como a força de uma flecha depende do grau de curvatura do arco, a potência do soco também depende do grau de alongamento do corpo. Isso está de acordo com uma lei fisiológica que diz que o poder de uma contração muscular é diretamente proporcional ao grau de seu alongamento.

Atingir tal harmonia no ato de socar a cama não é fácil para a maioria das pessoas. A tensão nos músculos dos ombros, entre os ombros e as escápulas e entre estas e a coluna em muitos casos é enorme e denota quanto a expressão da raiva está gravemente bloqueada. Quando esse exercício é usado para fins terapêuticos, é necessário ligar a tensão ao problema psicológico da culpa. Essa ligação, porém, pode ser mais facilmente estabelecida depois que a raiva foi vivenciada. Joan, por exemplo, tornou-se consciente, no decorrer da terapia, de que os homens a usavam sexualmente. Ela conseguiu associar isso à sua relação com o pai, que tinha sido muito sedutor com ela e, ao mesmo tempo, a exibia para seus amigos de bar. Associar essa percepção consciente de seu corpo, primeiro por meio do choro e da respiração, depois pelos exercícios de *grounding* e dos socos, deu-lhe um senso de *self* que poderia suportar um forte sentimento de raiva. Ao socar a cama, ela observou que podia sentir o calor subindo pelas costas. E acrescentou: "É gostoso ter costas e sentir a minha espinha dorsal".

Depois desse exercício, ela conseguiu entender por que havia reprimido sua raiva. "Quando eu ficava com raiva, meu pai ficava irado e minha mãe me recriminava. Aprendi a me culpar se ficava irritada ou me voltava contra alguém. Queria ser 'boa'. Ser boa era a ideia da minha mãe de como se devia ser. Quando pequena, eu era muito religiosa, e ser boa dava sentido à minha vida. Se eu era insolente com minha mãe, sentia-me culpada e confessava meu pecado. Esse era meu modo de sobrevivência, mas me deixou frustrada. Ao socar a cama, tenho uma sensação de poder."

Nos *workshops*, todos conseguem aliviar a raiva rapidamente. Ali, todos os sentimentos são exacerbados pela excitação que permeia o grupo quando os integrantes expressam uma forte emoção. Dessa forma, quando um indivíduo faz o exercício de socar a cama, com raiva, os outros são motivados a segui-lo, ficando irados com os pais pelos traumas sofridos durante a infância. Em quase todos os casos, a ira é assassina, mas rapidamente se esgota e o indivíduo se sente aliviado. É um alívio catártico. A pessoa sente a raiva, mas ela não é descarregada. A raiva não é totalmente descarregada enquanto a tensão nos músculos do alto das costas e dos ombros, que age para reprimir a raiva, não for aliviada. Todavia, aprender a socar a cama é um passo importante nessa direção.

Deve-se entender que a raiva, embora relacionada com o passado, decorre diretamente da existência de tensões musculares crônicas que restringem o organismo, reduzindo sua liberdade de movimento. A raiva é a reação natural à perda de liberdade. Isso significa que qualquer tensão muscular crônica no corpo está associada à raiva. É óbvio que, se a pessoa não sente a tensão, não percebe raiva nenhuma. Interpreta as limitações de movimento e a perda de liberdade como normais, assim como um escravo poderia reconhecer a condição de sua escravidão sem raiva, posto que admitiu sua perda de liberdade. Depois de sentir e compreender a tensão, a pessoa toma consciência de sua raiva e se dá conta de que socar a cama para expressá-la não é um exercício para uma vez só. Deve ser feito regularmente, tanto nas sessões de terapia como em casa, se possível, até que os braços e ombros estejam livres em seus movimentos e a capacidade de expressar esse sentimento seja completamente recuperada.

A raiva pode ser expressa pela voz, em palavras, ou pelos olhos, com um olhar. Entretanto, essas maneiras de expressá-la são tão difíceis para a maioria das pessoas quanto dar socos. Permitir que a raiva venha por meio de um olhar exige que a pessoa a sinta plenamente pelo corpo. Em algumas pessoas, os olhos se incendeiam quando estão com muita raiva. Olhos frios e maldosos são hostis, não raivosos, ao passo que olhos escuros, sombrios, expressam mais ódio do que raiva. Também se pode usar palavras para comunicar que se está com raiva, mas elas não a expressam se não forem ditas em tom raivoso. Esse tom pode ser um som breve e cortante, um grito alto ou um berro. Para expressar raiva de verdade, o som deve ser apropriado à situação. Berrar e gritar, por exemplo, em geral expressam ira e frustração em vez de raiva. Deve-se ter em mente que a raiva não é usada legitimamente para controlar os outros, mas para salvaguardar o próprio bem-estar e integridade. Quando adultos, não precisamos gritar, berrar ou socar alguém para expressar nossa raiva. Podemos fazê-lo tranquilamente, desde que a sintamos de fato. O exercício anterior e outros são destinados a ajudar os pacientes a sentir sua raiva, conquistar a liberdade de expressá-la e então aprender a contê-la e controlá-la. O controle consciente dos sentimentos depende da percepção consciente deles.

Em meu trabalho com Reich, tomei consciência de que minha capacidade de expressar raiva era limitada. Eu tendia a evitar o confronto e a esquivar-me de uma briga, a menos que fosse empurrado contra a parede. Eu percebia que havia um medo considerável em mim, medo do qual só poderia me livrar se aprendesse a lutar. A presença desse medo era responsável por minha incapacidade de manter o sentimento de alegria que vivenciara na terapia com Reich. Quando era estudante de medicina na Universidade de Genebra, socava a cama todas as manhãs. Atribuo a esse exercício a grande redução do medo que obtive diante dos estudos e exames em uma língua estrangeira. O exercício também surtiu um efeito positivo em minha saúde e humor, e tornou a minha estada em Genebra bem prazerosa.

Quando regressei aos Estados Unidos e comecei a desenvolver a análise bioenergética, continuei praticando os socos na cama todas as manhãs. Além do soco descrito anteriormente, desferido com os dois punhos, em que ambos os braços são erguidos acima da cabeça, comecei a praticar com um punho atrás do outro alternadamente, como se usa no boxe e em outras lutas. Nesse exercício, percebi que, enquanto sentia o braço direito forte e capaz de desferir um bom soco, meu braço esquerdo era fraco e desajeitado. Eu sentia a tensão no ombro esquerdo, que precisava ser liberada. Isso foi acontecendo aos poucos. Cheguei a instalar um saco de boxe no porão de casa para que pudesse golpeá-lo com força, mas esse exercício não surtiu muito efeito para mim. Eu não estava tentando machucar ninguém. Não me sentia com raiva. Estava tentando liberar os braços e recuperar minha capacidade de lutar. Com essa capacidade, eu não teria nenhuma dificuldade de expressar a raiva apropriadamente.

Mais tarde, soube que a razão pela qual eu não sentia raiva nessa época era que ela estava bloqueada no alto de minhas costas, região com a qual eu não tinha contato. Tomei consciência dessa área ao assistir a alguns vídeos feitos enquanto eu dava aula e trabalhava com os pacientes. Observei que estava curvado para a frente e que o alto das minhas costas mostrava-se arredondado. Incomodei-me por não ficar em pé com a coluna ereta e a cabeça erguida. De vez em quando descrevia-me como um homem enraivecido, mas justificava minha raiva relacionando-a com a insensata destruição da natureza e do meio ambiente, o que de fato me deixava muito nervoso. Também ficava com raiva ante a cegueira das pessoas perante sua verdadeira situação. Mas minha raiva tinha raízes mais profundas, que eu vinha relutando em encarar. Eu estivera tentando provar para o mundo que estava certo no modo de ver as coisas, que era superior e deveria ser reconhecido como tal. Mas estar certo, sentir-se superior e alcançar o sucesso não levavam à alegria, apenas a uma luta contínua. E eu estava com raiva por ter sido obrigado a assumir essa posição para sobreviver. Essa não era uma raiva saudável e eu não precisava socar ninguém, esmagar, ficar irado. Precisava admitir o meu fracasso, abrir mão de minhas ambições, reconhecer-me e aceitar-me. Então estaria livre e não ficaria com raiva. Nada disso aconteceu da noite para o dia. Antigos padrões de comportamento e hábitos mudam muito lentamente. Porém, a mudança lenta pode ter um aspecto dramático. Certa noite, enquanto estava sendo massageado, expliquei ao massagista que eu tinha uma tensão considerável no alto das costas relacionada com o fato de ter muita raiva. Depois, sem pensar, disse: "Mas não tenho mais de ficar com raiva". Assim que eu disse essas palavras, senti minhas costas literalmente "descerem," como se um peso tivesse caído delas. Foi uma experiência surpreendente, e sinto que desde aquele dia estou mais ereto.

Não sou mais uma pessoa raivosa, percebo que estou muito mais tranquilo, paciente e maleável. Porém, por mais estranho que possa parecer, minha capacidade de sentir raiva, lutar, aumentou consideravelmente. Depois de expressa, a raiva se vai. Uma pessoa raivosa é uma pessoa tensa, o que significa que uma pessoa tensa é raivosa. Se a tensão é crônica, o indivíduo não tem consciência de sua raiva. Ela pode se manifestar, entretanto, na irritabilidade por frustrações menores, ou na ira pelas maiores. Ela não é expressa em situações em que seria necessária. Pode ser direcionada contra o *self*, em comportamento autodestrutivo, ou negada, deixando o indivíduo em uma posição passiva e submissa.

As crianças saudáveis estão prontas para sentir raiva e atacar quando são feridas ou frustradas. Conforme ficamos mais velhos, aprendemos a contê-la, quando for aconselhável, e a não agir impulsivamente. E, como já observamos, ela pode ser expressa por um olhar ou em palavras, sem a necessidade de uma ação física. A capacidade de conter a raiva é a contrapartida da capacidade de expressá-la eficientemente. O controle consciente necessário para essa contenção equivale à coordenação e fluidez da ação que expressa a raiva. Portanto, não podemos desenvolver a capacidade de nos controlarmos se não desenvolvermos também a capacidade de nos expressarmos. O exercício de socar a cama pode ser adaptado para servir a ambos os objetivos.

Contenção e controle se desenvolvem à medida que aprendemos a manter a excitação em um nível alto antes de descarregá-la, o que é uma capacidade adulta. As crianças não têm a força egoica ou desenvolvimento muscular para manter uma carga energética forte. Quando crianças sadias são feridas, sua raiva se inflama e é expressa imediatamente. Os adultos deveriam ter a capacidade de manter a raiva até que surgissem o momento e o local apropriados para expressá-la. Para conter a raiva enquanto faz o exercício de socar, o paciente sustenta a posição do arco retesado por duas ou três vezes. O maxilar é projetado para a frente a fim de mobilizar o sentimento agressivo e os olhos ficam abertos. Nessa posição, inspira-se profundamente pela boca, ao mesmo tempo que os cotovelos e braços são puxados para trás, para o soco. Em vez de desferi-lo, entretanto, a pessoa expira tranquilamente, aliviando um pouco da tensão nos braços e ombros. Com a segunda inspiração, ela alonga um pouco mais e novamente alivia ao expirar. Quando inspira pela terceira vez, alonga os braços ao máximo, prende a respiração, alonga por alguns momentos e depois deixa que o movimento do soco aconteça tranquilamente. Nenhum esforço é necessário para fazê-lo, pois se trata de um fenômeno de descarga. Tentar bater com força gera tensões e reduz a fluidez e a eficiência da ação. É importante manter os cotovelos tão próximos da cabeça quanto possível durante o alongamento para acionar e mobilizar os músculos entre os ombros; se os cotovelos ficam afastados, a ação torna-se limitada aos braços e não alivia a tensão no alto das costas. A maioria dos pacientes precisa de muita prática para coordenar os movimentos e chegar ao balanço livre e solto em que o corpo todo está envolvido. Quando chegam a esse ponto, descobrem que o exercício do soco é prazeroso e gratificante.

Em minha opinião, esse exercício é o meio mais eficiente de reduzir a tensão muscular nos ombros e no alto das costas, da qual tantas pessoas se queixam. Tenho-o usado com sucesso no tratamento de problemas de insensibilidade e formigamento nos membros superiores decorrentes da contração do nervo do braço. Esse nervo passa através de um triângulo na base do pescoço ao entrar no braço. A tensão nos músculos que comprimem esse triângulo — especificamente no escaleno anterior — é responsável pela assim chamada síndrome do escaleno anterior. Ao fazer esse exercício, não é necessário sentir raiva. Assim como os lutadores profissionais praticam os socos como parte de seu treinamento e desfrutam da atividade, também podemos encontrar prazer no uso de nosso corpo para expressar nossas funções naturais.

Porém, quando o exercício é usado terapeuticamente para recuperar a capacidade de sentir e expressar raiva, deveria ser acompanhado por palavras de raiva. As palavras tornam o sentimento objetivo e ajudam a focalizar a ação. Dizer "Estou com muita raiva" quando se está socando a cama integra mente e ação corporal. Também aqui o tom da voz reflete e determina a qualidade da vivência. Socar com força, mas falar brandamente denota uma cisão na personalidade. O uso da voz ecoa no tubo central do corpo e aumenta consideravelmente a carga energética da ação. Os japoneses são profundos conhecedores dessa técnica e emitem um som forte para executar uma ação eficaz. Dessa maneira, são capazes de quebrar um pedaço de madeira sólida com um golpe da mão ao emitir um vigoroso "Rá!" no momento do impacto. O vigor empregado ao dizer "Estou com raiva" determina a intensidade da raiva sentida. Não é a altura do som que surte esse efeito, mas a vibração e a intensidade do tom. "Estou com muita raiva" dito tranquilamente, mas com intensidade, tem uma carga sentimental maior do que um grito.

Outro exercício que uso em situações de grupo é levar os participantes a dirigir sua raiva contra mim. Nele, o grupo se senta em círculo, enquanto eu fico em pé ou me agacho diante de cada um, sucessivamente. Peço que o participante estenda os dois punhos, projete o queixo para a frente, arregale bem os olhos e, enquanto me ameaça, diga: "Eu quero matar você". Esse exercício tem como objetivo trazer uma expressão de raiva aos olhos, o que para a maioria das pessoas é muito difícil. Se alguém reclama que não sente raiva de mim, digo-lhe que não levarei para o lado pessoal. Digo que é como representar — e os atores deveriam ter a capacidade de transmitir sentimentos reais. Com meu estímulo e o apoio do grupo, quase todos os participantes conseguem sentir um pouco de raiva real. Ninguém jamais me atacou, mas mantenho-me fora do alcance de um golpe, e o fato de estarem sentados é uma proteção a mais. Quando faço esse exercício sozinho, sinto imediatamente os cabelos da nuca e da cabeça se eriçarem. Minhas orelhas recuam, minha boca mostra os dentes, prontos para rosnar, e sinto que poderia atacar alguém com grande facilidade. Quando desfaço a expressão, o sentimento some de imediato. Para mim, isso confirma que o sentimento é idêntico à ativação da musculatura apropriada. A incapacidade de algumas pessoas de mobilizar os músculos é responsável pela ausência de sentimentos de raiva. É igualmente verdadeiro que a incapacidade de ativar os músculos que produziriam os sons do choro torna muito difícil para elas sentirem tristeza.

Os olhos desempenham o papel mais importante no sentimento de raiva. Descobri que pessoas cujos olhos são relativamente sem vida — ou seja, apáticos e sem qualquer brilho — têm grande dificuldade de sentir raiva. Tive um paciente que estava nesse estado. Era muito difícil despertar nele qualquer sentimento forte. Ele era muito inteligente e tinha grande controle do que fazia ou dizia. Essa característica tornou-o bem-sucedido no trabalho, mas deixou-o deprimido. Sofria de dores de cabeça e quase sempre se sentia exausto. Isso decorria do enorme esforço exigido para permanecer em tal controle. Em certa ocasião, enquanto ele estava deitado na cama, coloquei dois dedos da mão direita em seu pescoço, na articulação com a cabeça, no ponto que seria oposto aos centros visuais em seu cérebro. Minha mão esquerda estava em sua testa, apoiando sua cabeça. Quando exerci uma pressão mais forte com os dedos contra a base de seu crânio, pedi-lhe que arregalasse os olhos e imaginasse o rosto da mãe. Quando ele fez isso, seus olhos incendiaram-se e uma fúria irrompeu nele. Ele queria matá-la. Quando voltou do exercício, ficou surpreso com a transformação que ocorrera nele. Parecia quinze anos mais jovem e seu rosto tinha uma vivacidade que eu não havia visto antes. Seu cansaço tinha sumido e ele se sentia energizado; contou-me que quando olhou para a imagem da mãe viu um olhar de ódio em seus olhos, que fora o estopim de sua raiva. Fiquei esperançoso de que tivéssemos atingido uma ruptura significativa e de que a transformação durasse, mas não durou. Quando ele veio para a sessão seguinte, estava de volta ao seu *self*, cansado e controlado. Tivera uma visão do que poderia ser se conseguisse mobilizar por completo seus sentimentos, mas a realização daquela visão ainda levaria um longo tempo. Ele ainda não conseguia chorar livremente.

Todo músculo contraído e toda área do corpo enrijecida contêm impulsos de raiva, que é fundamentalmente a agressão necessária para recuperar a integridade e a liberdade do corpo. Os braços e as mãos são nossos principais elementos agressivos, e desde muito cedo aprendemos a usá-los para expressar raiva. Contudo, bater não é o único meio de fazê-lo. Pode-se arranhar, e muitas crianças fazem isso. As mulheres são mais propensas a expressar raiva arranhando, o que talvez explique o fato de as identificarmos com os gatos. Em geral, para ajudar um paciente a mobilizar a energia e os sentimentos em seus olhos, peço que me olhe profundamente ao me inclinar sobre ele enquanto está deitado na cama. Posso mudar a expressão em meus olhos à vontade, de um olhar suave a um muito raivoso, de uma expressão debochada a uma de frieza. A maioria dos pacientes reage bem a essas expressões. Em mais de uma ocasião, quando deixei que meus olhos assumissem uma expressão sedutora e debochada, ou muito hostil, uma paciente do sexo feminino ergueu as mãos diante do rosto, como se fossem garras, e disse: "Vou arrancar seus olhos". Jamais devemos subestimar o poder do olhar amedrontador.

A criança pode expressar raiva de uma terceira maneira: mordendo. Algumas crianças pequenas mordem o tempo todo, o que em geral provoca uma severa e agressiva repreensão dos pais. Bater pode ser tolerado, embora não seja admissível, mas morder jamais. Provoca um medo muito primitivo nas pessoas. A criança que morde é considerada um animal selvagem que deve ser domesticado. Contudo, devemos reconhecer que se trata de um impulso muito natural e que o melhor meio de fazer que a criança se controle é pela educação, e não pelo castigo. Alguns pais chegam a morder a criança para que ela saiba como é doloroso, ou para amedrontá-la para que nunca mais faça isso. O medo de morder fica então aprisionado na personalidade na forma de tensão mandibular crônica. Vimos no Capítulo 3 que essa tensão também está ligada à inibição do choro. Forma mais comum de tensão crônica, é responsável pela dor na articulação temporomandibular, pelo ranger dos dentes e, na minha opinião, pela incapacidade auditiva de distinguir as diferenças de tom. Quando a tensão nos músculos da mandíbula é grave, pode afetar tanto a acuidade visual como a auditiva. Tensão na mandíbula denota contenção. Posicionamos o maxilar numa atitude de determinação para não soltar, não desistir, não entregar. Em alguns pacientes, o maxilar tem uma aparência rígida, como se o indivíduo estivesse resistindo a amar a vida.

Embora alguma diminuição da tensão da mandíbula possa ser obtida por meio de técnicas de relaxamento, incentivar o paciente a morder é a abordagem mais direta do problema. Com esse propósito, peço-lhes que mordam uma toalha. Em alguns casos, isso pode provocar uma dor considerável nos músculos contraídos da mandíbula, mas a dor desaparece assim que a pessoa interrompe a ação. A dor não é um sinal negativo; o paciente está tentando mobilizar músculos muito contraídos, o que é necessariamente doloroso. Porém, ao morder e deslocar a mandíbula inferior para a frente e para trás e de um lado para o outro, os músculos ficam flexíveis e a dor desaparece. O ranger dos dentes à noite cessa e os pacientes descobrem que conseguem abrir a boca mais plena e livremente.

Às vezes, participo de uma espécie de cabo de guerra com o paciente. Cada um de nós morde com força, com os dentes de trás, uma das pontas de uma toalha e, como dois cães, tenta arrancá-la do outro. Não há perigo para os dentes nesse exercício se a mordida for dada com os molares. Geralmente a tensão se propaga da articulação temporomandibular em volta da base da cabeça. Essa tensão, que circunda a cabeça na base do crânio e se propaga na articulação temporomandibular, é a principal resistência à entrega, o principal mecanismo por meio do qual a pessoa se agarra ao controle. Impede-a de soltar a cabeça e, portanto, de abrir mão do controle egoico. Esse controle, quando consciente, é positivo, mas quase sempre é inconsciente e representa uma resistência ao medo. Infelizmente, o medo também é inconsciente, o que torna o problema inacessível a uma abordagem verbal. Um dos medos é o de que, se a pessoa perder a cabeça durante uma briga, ela pode morder seu adversário — ou talvez, matá-lo. Discutirei o tratamento desse medo em um capítulo posterior.

Leva algum tempo no processo terapêutico até o paciente perceber ou entrar em contato com a raiva. Muitos acreditam que ficam com raiva porque se irritam com facilidade ou explodem em ira. Depois de um ano de terapia, David comentou: "Acho que a minha raiva não está à minha disposição. Preciso ser extremamente provocado ou empurrado contra a parede para que ela venha à tona". Esses comentários seguiram-se à sua queixa de tensão entre os ombros e o pescoço. Como ele era um rapaz ativo, ficou surpreso. E disse: "Cortar lenha nunca provocou essa tensão". Quando o indivíduo sofre de tensão muscular crônica em alguma parte do corpo, ele se movimenta de modo específico para não sentir a dor da tensão. Conforme entra em contato com seu corpo por meio dos exercícios bioenergéticos, essas áreas de tensão são trazidas à consciência. David observou: "Esta semana, senti que meu maxilar estava sendo empurrado para trás. Os músculos do maxilar até o pescoço e ombros estão muito contraídos". Depois, acrescentou: "Noite passada, sonhei que minha perna tinha sido amputada. Acho que foi um sonho de castração". Isso fez que pensasse em seu pai, e logo ele disse: "Meu pai nunca expressou raiva. Aconselhava-me a nunca brigar num jogo". A percepção consciente de David do bloqueio da expressão de raiva tinha uma base física. Ele a sentia no corpo.

"Sinto que minha cabeça e meu pescoço estão atarraxados em meu tronco. Quero arrancá-los de lá. Preciso ficar furioso." David estava deitado na cama quando fez essas observações. Fiz que projetasse o maxilar e emitisse um som alto, o que abriu sua garganta. Depois, ele começou a chorar profundamente. Quando terminou, disse: "Meus olhos parecem mais leves. Meu corpo está mais flexível".

Na sessão seguinte, o foco deslocou-se para a mãe de David. Enquanto estava deitado sobre o banco, chorando com sons baixos, disse: "Sinto a tensão na região lombar. Está muito contraída, muito comprimida. Sinto como se minha mãe estivesse me abotoando muito apertado". Essa sensação pode ter alguma ligação com a vivência de usar fraldas, mas não fiz a interpretação para não interromper o fluxo de seus pensamentos. Ele falava de seu anseio de estar fisicamente próximo dela, depois comentou que ela não permitia que ninguém tivesse um contato real com ela. Descreveu-a como "socialmente gregária, mas desligada". E acrescentou: "Sou importante para ela por causa de minhas conquistas. Preciso estar disponível para ela".

Durante um exercício destinado a ajudá-lo a entrar em contato com a parte inferior de seu corpo, David observou: "A parte inferior do meu corpo está congelada. A parte superior de meu corpo é como um bulbo fechado de tulipa querendo se abrir, mas não está pronto. Sinto como se minha mãe fosse atacar meus genitais para me transformar numa menina. Ela queria uma menina. Ela não deixou que eu me tornasse homem. Castrou-me psicologicamente. Era sedutora comigo, mas não me deixava chegar perto dela. Eu me sentia fisicamente torturado".

Detalhei alguns aspectos desse caso para mostrar a ligação entre raiva e sexualidade. Os sentimentos de raiva não podem ser abertos se a agressividade sexual do indivíduo está bloqueada. Somos sexualmente passivos na mesma medida em que somos igualmente passivos na expressão da raiva. Nesses casos, a agressividade está reduzida em todas as áreas da vida. Com muita frequência, quando o indivíduo é capaz de expressar raiva contra o sexo oposto (estou me referindo à raiva verdadeira, e não a ira, desprezo ou humilhação vulgar), descobre que seus sentimentos sexuais são mais fortes e agressivos. Como a raiva — expressa em socos, mordidas e arranhões — é uma função da metade superior do corpo, requer grande autoconfiança e segurança para ser expressa de maneira eficaz. Dificilmente se pode esperar que alguém que sente "não ter pernas em que se apoiar" fique à vontade com sentimentos fortes, raivosos. A tensão na região lombar, que circunda o corpo e elimina os sentimentos sexuais na pelve, também elimina o fluxo de energia para as pernas e os pés.

Na realidade, o trabalho bioenergético com as pernas começa bem no início da terapia. A introdução do paciente aos exercícios respiratórios sobre o banco é logo seguida do que chamamos de exercício de *grounding,* no qual ele se curva para a frente para tocar o chão com as pontas dos dedos. Esse exercício foi descrito no Capítulo 2. Voltamos a falar dele aqui devido à sua importância em manter o paciente ligado à sua realidade, isto é, ao chão sobre o qual se apoia, à situação em que ele e seu corpo estão. A raiva é um sentimento muito impetuoso; pode dominar algumas pessoas cujo ego não consegue integrar a forte carga. Pacientes esquizofrênicos podem ter um surto se o sentimento de raiva os inundar. Os que sofrem de transtorno de personalidade *borderline* podem ficar muito ansiosos. Para evitar essas situações, é preciso prestar constantemente atenção ao seu *grounding*. Sempre que sinto que a carga emocional torna-se intensa a ponto de o indivíduo ter dificuldade de manter seu contato com a realidade, interrompo o exercício e o ajudo a restabelecer esse contato. Isso reduz a carga no corpo do mesmo modo que o fio-terra em um circuito elétrico previne um curto-circuito. Porém, gostaria de enfatizar que em quase toda sessão em que se trabalha diretamente com o corpo o exercício de *grounding* é parte do procedimento. Ele leva a pessoa a entrar em contato com suas pernas por aumentar o sentimento nelas, o que depois proporciona maior segurança e apoio para todos os exercícios de autoexpressão.

Também podemos usar as pernas para expressar sentimentos de raiva, como ao chutar, mas essa não é uma expressão muito usada por adultos. As crianças pequenas chutam os pais ou amigos quando estão com raiva, mas os adultos quase nunca o fazem. O chute é amplamente empregado nas artes marciais do Oriente, mais como uma ação defensiva do que agressiva. Quando erguemos uma perna do chão, fica impossível mudar de posição. Quando um adulto chuta outra pessoa, é mais como uma expressão de desprezo do que de raiva. Com o chute, está tratando o outro como um objeto indesejável que está no caminho e precisa ser removido.

No entanto, chutar tem uma função mais importante: é uma maneira de protestar. Discuti essa ação expressiva no Capítulo 3. Visto que também é uma expressão de raiva, e tão básica para o trabalho bioenergético, detalharei seu uso aqui. A expressão "espernear" a respeito de determinada situação significa protestar contra ela. Todos nós temos muito a protestar no que diz respeito ao que fizeram conosco, e é importante expressar esse sentimento. Na terapia bioenergética, o chute como forma de protesto é feito com o paciente deitado na cama, com as pernas estendidas e chutando a cama ritmadamente com as panturrilhas, uma depois da outra. Pedimos ao paciente que expresse o seu protesto assim como chuta. A forma mais simples de protesto é "por quê?" Esse exercício demonstrará de modo bastante vívido a capacidade do paciente de expressar seus sentimentos. Muitos pacientes novos acham isso difícil de fazer, enquanto alguns conseguem, mas com pouco sentimento. O primeiro grupo consiste em indivíduos que são capazes de reagir emocionalmente às situações só quando são provocados. A expressão espontânea de sentimentos lhes é estranha. Nessa situação, não veem uma razão para protestar. O segundo grupo tem medo de expressar um sentimento negativo ou agressivo. Sua incapacidade de fazer o exercício de maneira adequada deve ser analisada segundo sua história. É possível mostrar ao paciente que sua incapacidade decorre de uma infância na qual protestar era proibido.

O exercício de chutar como forma de protesto é essencial na terapia bioenergética. Se o indivíduo não consegue protestar contra a violação de seu direito inato de autoexpressão, torna-se uma vítima cuja orientação é a sobrevivência, e não a alegria. Assim que o paciente reconhece que tem o direito de protestar, o próximo passo é desenvolver sua capacidade de tornar esse protesto forte e eficiente. Alguns podem até usar sua voz vigorosamente, mas a ação das pernas é fraca e ineficaz. Em outros, o chute sai relativamente bom, mas a voz é fraca e não convence. Essa dificuldade de coordenar a voz com o movimento denota uma cisão na personalidade entre o ego e o corpo, entre as funções da metade superior do corpo e as da inferior. Nenhum exercício simples trata desse problema tão bem como o de chutar. Ele é usado no decorrer da terapia para ajudar o paciente a desenvolver a coordenação das duas metades do corpo e conquistar a liberdade de expressar a raiva.

O problema de soltar a voz foi analisado e discutido no Capítulo 3, no qual o foco estava na capacidade de chorar. Porém, é igualmente importante ser capaz de gritar. Por meio do choro, mobiliza-se os sentimentos viscerais no fundo do ventre. O som de um choro como esse tem uma ressonância grave, profunda, associada a "rendição" ou entrega. Por outro lado, o grito é um som agudo, de alta intensidade, que ressoa vigorosamente nas câmaras de ar do crânio. É o oposto da entrega e pertence, portanto, ao âmbito da raiva.

Ao berrar, a pessoa está furiosa. A carga energética que flui para cima e resulta no grito inunda e, momentaneamente, domina o ego. Em alguns aspectos, é o oposto da mesma carga que flui para baixo como excitação sexual para culminar em orgasmo. Em ambas as ações, o corpo é aliviado do controle egoico e, portanto, há uma entrega do ego. As crianças pequenas quase não têm dificuldade de gritar porque seu ego ainda não assumiu o controle total de suas reações. As mulheres podem gritar com muito mais facilidade do que os homens pela mesma razão, mas muitas têm medo de abrir mão do controle egoico. Gritar é como uma válvula de segurança: permite a descarga de uma excitação que não pode ser tratada racionalmente. Assim, gritar ajuda a reduzir um estresse intolerável. Sempre que meus pacientes sentem um excesso de pressão acumulado, são incentivados a gritar. Mais uma vez, o melhor lugar para fazer isso é dentro de um carro numa estrada onde, com as janelas fechadas, se pode gritar a plenos pulmões sem que ninguém ouça.

Todavia, o objetivo da terapia não é apenas soltar a voz, mas coordenar a liberdade de expressão vocal com uma liberdade igual de expressão física no movimento. O exercício de protesto é ideal para esse objetivo. O paciente é convidado a chutar ritmada e vigorosamente enquanto diz "por quê?", sustentando o som o maior tempo possível. Quando o paciente fica sem ar, ele continua a chutar enquanto respira duas ou três vezes antes de dizer "por quê?" novamente. Nessa segunda expressão de "por quê?", a voz se eleva tanto no tom quanto na intensidade, ao passo que os chutes também são dados com mais força. Mais uma vez, quando acaba o ar, os chutes continuam enquanto o paciente recupera o fôlego. Na terceira repetição, o "por quê" eleva-se a um grito, enquanto os chutes são tão fortes e rápidos quanto possível. A pessoa busca entregar-se por completo à expressão do protesto. Se esse objetivo for atingido, o alívio é total e o sentimento resultante é a alegria. Porém, isso não é fácil de alcançar; a maioria das pessoas tem medo de se entregar ao corpo. Em outros casos, o ego é muito rapidamente dominado e, embora o paciente possa chegar ao grito, é uma expressão dissociada — como uma reação histérica que acaba assustando o indivíduo. Nesse caso, ele por vezes se recolhe por um tempo, encolhendo-se e chorando como uma criança, para depois restabelecer o autocontrole. Uma vivência como essa não é negativa, pois permite obter a percepção de que a regressão e o recolhimento são temporários e que ele precisa de mais trabalho para fortalecer o ego. Pacientes vítimas de abuso sexual na infância tendem a recuar ou sair do corpo quando os sentimentos se tornam esmagadores. Fazer esse exercício de protesto com regularidade fortalece o ego por conectá-lo mais vigorosamente ao corpo, reduzindo assim sua tendência de dissociar-se do corpo.

Se os chutes e os gritos são integrados, o paciente não se dissociará de seu corpo. Entretanto, os chutes soltos e eficazes precisam de pernas relativamente livres de tensão crônica. Isso não é comum, já que a maioria das pessoas não tem sensibilidade suficiente nas pernas e nos pés nem apresenta um bom *grounding*. Elas estão energeticamente presas na própria cabeça e usam as pernas de forma mecânica. Andam *sobre* suas pernas e pés em vez de andar *com* eles. Suas pernas são muito finas ou muito pesadas. Chutar é um dos melhores exercícios para obter mais energia e sensibilidade nas pernas. Assim, peço que cada paciente chute regularmente em casa da mesma maneira que o faz em meu consultório. Peço-lhes para executar duzentos chutes ritmados em cada perna. Os joelhos devem se manter estendidos, mas não de modo rígido, e o chute é dado com a panturrilha, e não com o calcanhar. A perna deve ser elevada tanto quanto possível antes de cada golpe. Como é um exercício para abrir a pelve, nenhuma expressão vocal precisa acompanhar o chute. A maioria das pessoas não consegue dar duzentos chutes sem parar, e poucos têm dificuldade de fazer cem. Sua respiração não é adequada para esse exercício, mas com a prática torna-se mais profunda e livre, enquanto os movimentos ficam mais fáceis. Assim como correr, esse exercício estimula a respiração e, portanto, é aeróbico. No entanto, ao contrário da corrida, não trabalha com peso e não compromete os joelhos. Além disso, pode ser feito em casa. As pessoas que o têm praticado citam mudanças importantes nas pernas e no corpo. O peso das coxas, queixa de muitas mulheres, diminui e as pernas tornam-se mais torneadas. A respiração também melhora bastante.

"Por quê?" não é a única expressão que pode ser usada com o exercício de chutar. Dizer "não" da mesma maneira como se diz "por quê?" é um excelente meio de facilitar a autoexpressão. Muitas pessoas têm dificuldade de dizer "não", o que prejudica seu senso de *self*. Dizer "não" cria um limite que protege seu espaço e integridade. Outra boa declaração autoexpressiva é a frase "Me deixe em paz". Ela se refere ao sentimento que muitos pacientes têm de que seus pais não lhes deram a liberdade de se desenvolver naturalmente. Em muitos casos, os pais exigiram submissão à sua vontade, e quando isso não acontecia tornavam-se hostis e violentos. Os pais consideravam a resistência dos filhos um desafio à sua autoridade, e estavam determinados a romper a vontade deles. Em outros casos, mostravam-se muito envolvidos com os filhos, considerados extensões de si mesmos. Com frequência, como veremos adiante, esse envolvimento contém nuanças sexuais. Pacientes que passaram por tais vivências precisam expressar seus protestos energicamente. Declarações como "Me deixe em paz" e "O que você quer de mim?", quando afirmadas com veemência, ajudam o paciente a recobrar o sentimento de que tem o direito de ser livre, de ser ele mesmo, de realizar o seu próprio ser e não o de seus pais.

Sem esse direito, a capacidade de amar fica muito comprometida. Com frequência, o amor que os pacientes alegam ter pelos pais é fruto de culpa, não de prazer e alegria com eles. Não se pode sentir alegria em uma relação na qual não se pode ser verdadeiro com o próprio *self*. Quando os pais concedem essa liberdade aos filhos, recebem de volta seu amor verdadeiro. Porém, só os pais que encontram alegria na relação com os filhos podem dar-lhes o amor que apoia seu crescimento rumo à realização de seu ser.

Os pacientes são aconselhados a não atuar sentimentos negativos contra os pais. Essa atuação não é adequada nem útil. Os traumas sofridos quando crianças estão no passado e não podem ser reparados por ações atuais. É impossível mudar o passado. Entretanto, a terapia tem o poder de libertar o paciente das amarras e limitações ao seu ser que advêm de traumas do passado. Embora essas limitações possam ser bastante reduzidas pela descarga e expressão dos impulsos nelas contidos, isso deve ser feito num contexto terapêutico, e não diretamente com os pais ou outros. Um indivíduo física e psicologicamente frustrado pela repressão forçada de seus impulsos naturais torna-se livre e alegre quando seu corpo recupera a liberdade e a graça. Ele pode amar verdadeiramente e de fato sentir amor pelos pais que o maltrataram, mas também lhe deram a vida.

6. Amor: a emoção que satisfaz

A ENTREGA AO AMOR

Quase todos já vivenciaram a alegria de amar em algum momento da vida. O amor costuma ser descrito como o maior e mais doce sentimento, como o mistério que confere à vida o seu mais rico significado. Porém, quando é rejeitado ou perdido, também é reconhecido como a fonte de nossa dor mais intensa. Isso é compreensível, pois ele é uma ligação vital com uma fonte de vida e alegria, quer essa fonte seja um indivíduo, uma comunidade, a natureza, o universo ou Deus. Assim, a ruptura dessa ligação é vivenciada como uma ameaça à vida. Visto que o amor também é abertura e expansão do *self* para o mundo, sua perda resulta em contração e retraimento, o que é extremamente doloroso. Descrevi a dor dessa perda como um sofrimento profundo. Infelizmente, pode durar muito mais que a alegria do amor, pois o indivíduo fica com medo de amar de novo. O anseio por amor permanece no coração, mas não pode ser realizado enquanto o medo da perda ou da rejeição persistir.

O relacionamento que mais simboliza uma ligação amorosa é aquele entre mãe e filho. No mundo animal, a perda dessa ligação é fatal para o filhote se uma mãe substituta não for encontrada. Quando a relação é segura, o filhote se torna um adulto capaz de estabelecer uma ligação semelhante de afirmação com outro indivíduo no processo de acasalamento. A atração para a ligação amorosa é tão imperiosa que, apesar do profundo sofrimento vivido na infância, o indivíduo vai buscar, consciente ou inconscientemente, uma ligação amorosa com outra pessoa. Contudo, estabelecer essa ligação não é algo feito conscientemente. Ninguém pode se obrigar a amar. Isso acontece de modo espontâneo, ao perceber o coração batendo no mesmo ritmo e o corpo vibrando em uníssono. Pode acontecer por meio do contato visual ou de outra forma quando a carga nessa ligação é forte o bastante para fazer o coração bater, o pulso acelerar e o corpo vibrar de excitação prazerosa. É a excitação de ter encontrado um paraíso perdido — o paraíso que foi perdido quando a ligação amorosa com a mãe foi rompida pela primeira vez.

Nenhuma criança consegue conservar a ligação amorosa com a mãe para sempre. Seu destino vai obrigá-la a ir para o mundo lá fora e buscar um parceiro com quem restabelecerá uma ligação amorosa que será realizada no abraço sexual e na produção de descendentes. A criança que foi satisfeita na fase oral será aberta ao amor e ingressará com mais tranquilidade e segurança na fase genital.

A passagem para a idade adulta conduz o indivíduo por um período de latência, durante o qual ele estabelece ligações positivas com amigos, seguido pela adolescência, em que os relacionamentos amorosos são formados. Porém, satisfeitos ou não, todos nós rumamos para a posição adulta devido à nossa natureza biológica. Se fomos frustrados ou profundamente feridos na infância, nosso avanço em direção a um relacionamento amoroso maduro será inseguro, nosso empenho, hesitante e nossa abertura para a vida, contraída. Podemos nos apaixonar porque o amor é nossa linha vital, mas a entrega será apenas temporária, uma renúncia momentânea do controle egoico em nossa contínua luta pela sobrevivência.

Essa incapacidade de se entregar ao amor de peito aberto é a raiz de todos os problemas emocionais trazidos para a terapia. O indivíduo que foi ferido em sua primeira relação com os pais ergueu um conjunto de defesas para não ser ferido de novo, pois ele percebe na entrega um risco de vida. Essas defesas não estão apenas em sua mente consciente, pois se fosse assim ele poderia renunciar a elas quando quisesse. Companheiras desde a infância, elas se tornaram parte de sua personalidade, estruturadas na dinâmica energética de seu corpo. Ele se encouraçou como um cavaleiro para que a flecha do amor não penetre seu coração. Uma descrição mais adequada é dizer que ele agora vive em um mundo fechado, como um rei em seu castelo, aparentemente são e salvo enquanto conservar seu poder, mas alienado do mundo ou dos sentimentos naturais. Ele pode se aventurar pela vida, mas o faz como uma excursão, cercado de sua guarda. Não tem fé no amor de seu povo, pois vivências amargas lhe ensinaram que a traição é um perigo constante. Como todos os seres humanos, ele tem necessidade de amor, mas também acredita que tem uma necessidade igual ou até maior de poder. Para um rei, apaixonar-se é como cair do cavalo: caso isso aconteça, ele logo volta a montar para reconquistar sua posição de poder.

A analogia é válida, pois, na hierarquia das funções da personalidade, o ego considera-se um rei. O rei poderia dizer "Sou um servo do povo", mas na realidade é seu povo que o serve. O ego deveria servir ao coração, mas na maioria dos indivíduos o amor está a serviço do ego — a fim de aumentar seu poder e sensação de segurança.

Para muitos de nós, o amor constitui uma busca de segurança e uma busca de prazer e alegria. Enquanto se é carente, inseguro ou assustado, a busca de amor está contaminada por desejos orais ou infantis insatisfeitos. Por outro lado, há aqueles que renunciam ao ego muito rapidamente. Estes não encontram a satisfação que o amor promete porque a entrega é à outra pessoa, e não ao *self*. Sem um ego, tornam-se crianças que consideram o outro um genitor que pode satisfazer suas necessidades, ou seja, proporcionar satisfação. Esse tipo de entrega é encontrada em cultos em que, como já ressaltei, o fiel entrega seu ego e seu *self* a um líder todo-poderoso e onisciente (obviamente, um genitor substituto).

Embora a entrega permita à pessoa sentir-se livre e alegre, ela é baseada na negação de que o fiel é adulto e de que o líder do culto é uma criança emotiva cujo ego está inflado pela ilusão de onisciência e onipotência. Inevitavelmente, o culto deve sofrer um colapso, deixando todos os envolvidos arrasados e desiludidos. Isso também acontece em casamentos e relações amorosas, em que a necessidade de ser satisfeito pelo outro é um aspecto dominante da ligação. Essas relações são descritas como dependentes e codependentes, visto que cada parceiro precisa do outro. Isso não significa que não haja amor em tais relacionamentos, mas ele tem uma característica infantil ou pueril.

O medo de se entregar ao amor decorre do conflito entre o ego e o coração. Amamos com o coração, mas questionamos, duvidamos e controlamos com o ego. O coração pode dizer "Entregue-se", mas o ego diz "Tome cuidado, não se deixe levar; você será abandonado e ferido". O coração como o órgão do amor é também o órgão da satisfação. O ego é o órgão da sobrevivência, que é uma função legítima; porém, quando ego e sobrevivência dominam nosso comportamento, a entrega verdadeira torna-se impossível. Ansiamos pelo contato que faria nosso espírito flutuar, nosso coração bater mais rápido e nossos pés dançarem, mas esse anseio não é atendido porque nosso espírito está anulado, nosso coração está trancado e nossos pés estão sem vida.

A excitação e o calor do amor surtem um efeito de derretimento no corpo. Pode-se de fato sentir um derretimento na boca do ventre quando o amor é o principal componente do desejo sexual. O amor nos sensibiliza, mas ser sensível é ser vulnerável. Aqueles que não conseguem se sensibilizar com o amor são chamados de "coração de pedra", mas este não pode ser de pedra se sua função é bombear o sangue através do corpo. A rigidez está no sistema da musculatura voluntária, que reveste o corpo numa armadura como aquela usada pelos cavaleiros medievais. Essa rigidez nos impede de chorar profundamente, de ceder à tristeza e, portanto, de nos entregarmos ao amor. As crianças conseguem amar de forma plena porque são capazes de chorar profundamente. Quando somos isolados da nossa criança interior, isolamo-nos da capacidade de amar. Mas isso não significa que devamos agir como crianças. A rendição do ego é a renúncia das defesas egoicas inconscientes que bloqueiam a abertura para a vida e a busca dela. Entretanto, não acredito que haja alguém completamente incapaz de amar.

Em um livro anterior, citei o caso de um rapaz que dizia não saber o que era o amor.[18] Tratava-se de um indivíduo narcisista, que expressava pouquíssimo sentimento. Havia se desligado do corpo e agia exclusivamente a partir do ego. Seu corpo era tão tenso que os sentimentos e impulsos eram impedidos de chegar à superfície e atingir a consciência. Contudo, embora lhe fosse muito difícil entregar-se ao seu corpo ou amar, não era impossível. Enquanto o coração bate, há amor. O impulso para amar pode estar enterrado e reprimido, mas não está ausente por completo. Esse homem me procurou por insistência da mulher com quem estava envolvido sexualmente. Ela se queixava de que ele nunca expressava nenhum sentimento. Ele dizia que não sabia o que era o amor e perguntou-me se era o que algumas pessoas sentem por seus cachorros. Alegava não ter recebido nenhum afeto quando criança, mas essa negação era uma manobra defensiva para justificar seu isolamento e poupá-lo de sentir sua mágoa. Ele havia enterrado seu coração e sua criança, mas ambos estavam vivos em seu inconsciente. Libertá-los de seu túmulo vivo seria um grande trabalho.

O caso descrito é extremo. A maioria das pessoas sente algum desejo de amar e consegue ir em busca do amor até certo ponto. Como seu desejo é limitado e sua busca, hesitante, elas não são inundadas pela excitação que as elevaria à alegria. Estão assustadas demais para entregar-se plenamente, embora na maioria dos casos não estejam em contato com seu medo ou limitação. Não estão conscientes da tensão corporal que restringe sua capacidade de amar. O que sentem é um anseio por amar, o que não é o mesmo que a capacidade de amar. Quando encontram alguém que corresponde a esse anseio, ficam obcecadas por essa pessoa como o viciado ou o membro de uma seita. Sentem e acreditam que ele ou ela detém a chave de sua plenitude. E, apesar da dor ou humilhação que podem sofrer no relacionamento, é muito difícil para eles se libertar. Acredito que este seja o padrão em nossa cultura, porque o relacionamento amoroso comum é inseguro e incerto. E, como não cumpre a promessa de alegria que o amor oferece, ao fim rompe em decepções e recriminações.

Esse anseio por amor representa a criança não amada e insatisfeita, enterrada em nosso íntimo que, como a Bela Adormecida, está esperando o príncipe encantado para despertá-la para a vida e o amor. O príncipe é o genitor "bom" com quem a criança vivenciou pela primeira vez a alegria do amor posteriormente perdido. Sua eterna busca desse amor é como a busca de Shangri-lá no romance de James Hilton, *Horizonte perdido* (1933). O buscador em geral se apega a alguém que se assemelha ao genitor "bom" em alguns aspectos, mas também incorpora características do genitor "mau" que o rejeitou ou maltratou. A satisfação não pode ser conquistada pela regressão, a qual ajuda a pessoa a ligar-se ao passado e à criança interior. Assim que é despertada e libertada, a criança precisa integrar-se à vida adulta.

Para a maioria das pessoas, a questão não é se amam ou não amam, mas se conseguem amar com todo o seu ser. Seria demais esperar isso numa cultura como a nossa, que considera a entrega ao corpo um sinal de fraqueza. Uma entrega fria ao amor frustra-as, mas, em vez de reconhecer a causa de seu fracasso, culpam seu parceiro amoroso. É verdade que o compromisso do parceiro era igualmente frio — fato pelo qual ele também culpará o outro. Infelizmente, não há nenhum modo de fazer que tais relações proporcionem a alegria que cada um procura. Um relacionamento só floresce quando ambos trazem um sentimento de alegria a ele. Tentar encontrar alegria por outra pessoa nunca funciona, apesar de todas as canções de amor defenderem esse sonho. Amor é partilha, e não doação. Um amante partilha-se plenamente com a pessoa amada. Isso incluirá tanto a partilha da alegria como a do sofrimento. Visto que um prazer compartilhado é um prazer dobrado, a partilha da alegria intensifica esse sentimento, que pode se tornar êxtase no abraço sexual. A partilha do sofrimento divide sua dor. A alegria que se compartilha decorre da entrega ao corpo, e não ao outro.

As pessoas se apaixonam e vivenciam a alegria da entrega temporariamente. Ela não perdura porque era mais uma necessidade do que amor, mas isso não explica o fato de que quem está apaixonado vivencia isso como afeto genuíno. Minha explicação é que se apaixonar tem um componente regressivo que decorre da infância, quando esse amor era um compromisso total. A pessoa volta a vivenciar o amor que um dia sentiu pela mãe ou pai, mas ao fazer isso regride em parte à infância. Nesse aspecto de sua personalidade, ela busca o apoio e incentivo de que precisava naquele momento. Assim, embora o sentimento de amor seja genuíno, não decorre de uma entrega ao corpo e ao *self*, mas de um abandono da posição adulta de andar sobre os próprios pés, sozinho, de ser responsável pelos próprios sentimentos.

Esse problema foi bem ilustrado no caso de Diane, uma mulher atraente de 40 anos que estava sempre pronta para doar-se ao amor e cuidar de um homem. Em troca, esperava que ele cuidasse dela. Não que Diane fosse fraca, desamparada ou incompetente. Tinha um corpo forte e bem constituído, era inteligente e culta e havia cuidado de si no passado; mas não estava plenamente conectada com seu corpo ou consigo mesma.

Quando veio pela primeira vez à terapia, estava casada com um homem que a agredia fisicamente e de quem ela tinha medo. Por meio dos exercícios descritos no Capítulo 4, ela desenvolveu um melhor senso de *self*, a ponto de conseguir enfrentar o marido e, por fim, deixá-lo. A primeira fase de sua terapia terminou nesse ponto. Ela voltou cerca de quatro anos depois porque se envolvera com outro homem, que, embora a agredisse menos que seu ex-marido, ainda assim a tratava mal. No intervalo entre esses relacionamentos, tinha vivido sozinha, mantivera vários empregos — nenhum dos quais era seguro ou pagava mais do que um salário mínimo — e tivera vários romances. Pouco tempo depois de ir morar com seu novo companheiro, ele abriu um negócio e ela passou a trabalhar para ele. Ele era mais velho, divorciado e tinha dois filhos crescidos. Diane passou por algumas dificuldades com a filha de seu companheiro, que não a aceitava — o que era de esperar, pois ela era considerada uma rival. Essa situação era uma repetição de sua infância, quando era considerada uma rival por sua mãe. Em nenhum dos casos ela teve o apoio do homem — seu pai ou seu companheiro. Mais uma vez, sentia-se fracassada, apesar do amor que sentia pelo homem e de seu esforço para ajudá-lo e trabalhar com ele.

Alguma coisa estava errada em sua personalidade, frustrando seu desejo mais profundo de encontrar realização e alegria no amor. Ela não se queixava de seu destino, mas expressava tristeza por não ter filhos. Na terapia, fez tudo para se tornar uma pessoa mais eficiente. Praticou os exercícios respiratórios sobre o banco bioenergético, os de *grounding* e os de protesto por meio de chutes, expressando raiva contra o companheiro pelo modo como ele a tratava. Contudo, embora tudo isso a fizesse se sentir melhor, não houve uma mudança real em sua personalidade. Diane não conseguia continuar se empenhando em todos os "afazeres" (terapia, emprego, amor, vida), e essa obsessão era a própria razão pela qual nada dava certo para ela. Ela precisava justamente do oposto. Precisava admitir o seu fracasso, desistir, entender que não poderia dar conta de tudo e como havia chegado a esse ponto. É impossível nos empenharmos para fazer a vida ou o amor dar certo. Isso está além do empenho. Diane precisava chorar, expressar sua tristeza por seus fracassos e seu desespero por jamais ter se realizado no amor. Seu empenho era uma manobra para negar seu desespero, e o efeito era mantê-la obcecada. Ela também tinha de entender por que e como essa dinâmica se desenvolvera em sua personalidade. Aprendi que não se pode esperar que um paciente alcance esse entendimento por si só. Sua postura caracterológica serviu a várias funções importantes: foi sua forma de sobrevivência, como vimos, além de ter servido para dar significado e esperança à sua vida. Essas forças poderosas abastecem sua determinação de "fazer dar certo", de realizar sua esperança. Como ele não admitirá que sua esperança é irreal e que o significado que atribuiu à sua vida é ilusório, prosseguirá apesar das sucessivas decepções, que parecem apenas reforçar sua determinação. Acredito que é responsabilidade do terapeuta confrontar o paciente com a verdade de sua atitude. É evidente que isso é feito empaticamente para ajudá-lo a obter compreensão.

O corpo de Diane me dizia que ela não sofrera privações na infância. Era corpulenta e forte, o que indicava que fora cuidada e nutrida de maneira adequada quando bebê. Seu problema decorria de uma etapa posterior — entre 3 e 6 anos —, quando se tornou consciente de sua sexualidade e independência. No caso da menina, essas primeiras sensações sexuais são focalizadas no pai. No caso do menino, na mãe. A menina ama o pai, e o menino ama a mãe incondicionalmente, cada qual com toda a intensidade de seu jovem ser. Embora esse amor tenha notas sexuais, é inocente, pois o conhecimento da relação sexual está ausente da mente infantil. Entregando--se por completo à excitação desse amor pelo genitor do sexo oposto, a criança sente uma alegria que proporciona sentido à sua vida.

Infelizmente, esse estado de inocência não dura e a alegria se perde. Os pais se envolvem com os sentimentos do filho, reagindo às crianças com sua percepção consciente adulta da sexualidade, que não é inocente. Em geral, o genitor do sexo oposto reage muito positivamente, ao passo que o genitor do mesmo sexo reage negativamente. O pai reage ao amor da filha não só como pai, mas como homem. Seu ego fica inflado pela adoração dela e seu corpo fica excitado com seu calor e vivacidade. Como o mesmo não ocorre com a mãe, ela fica enciumada e considera a menina uma rival. Esse ciúme pode ser tão violento que a criança fica amedrontada por sua própria existência. Em autodefesa, ela gostaria de destruir a mãe, mas é impotente. Seu pai poderia ser seu protetor, mas ele ousaria enfrentar a raiva da mãe, tendo consciência de que está emocionalmente envolvido nesse triângulo? Sua incapacidade de proteger a filha torna-a vulnerável e vítima. Para sobreviver, ela deve eliminar suas sensações sexuais, retrair-se da relação com o pai e submeter-se à mãe. Diane fez tudo isso.

A vivência do menino não é diferente. Ele fica preso na situação edipiana e é transformado em rival do pai. Se se entregar por completo ao amor pela mãe, pode ser tomado por ela e tornar-se um mimadinho, o que o alienaria do pai. Negá-la é arriscar-se a provocar a hostilidade dela e o retraimento de seu amor e apoio, dos quais ele ainda precisa. Quando um filho é transformado em rival do pai, fica vulnerável ao ciúme e à raiva deste. Assim, passa a temer o pai, pois sente que competir com ele é incitar sua hostilidade, ao passo que não competir é perder o amor da mãe. O interesse sexual dela por ele ilude seu ego e excita seu corpo — e é muito difícil resistir. Porém, ceder à sedução e entregar-se à sua excitação levariam a uma relação sexual com a mãe, o que é assustador e perigoso. Isso aconteceu com Édipo, que, ignorando sua verdadeira identidade, matou o pai e desposou a mãe. Seu destino foi trágico. Para evitar esse destino, o menino deve eliminar suas sensações sexuais pela mãe, o que resulta em um ser psicologicamente castrado.[19]

O corpo de Diane mostrava os efeitos da situação edipiana em sua infância. Embora ele fosse forte e bem torneado, a parte inferior, dos quadris aos pés, não estava vigorosamente carregada. Embora suas pernas vibrassem quando ficava na posição de *grounding,* as vibrações não se estendiam até sua pelve, que ela mantinha contraída e rígida. Suas ondas respiratórias não se estendiam até seu ventre. Para mim, não havia dúvida de que ela temia entregar-se à sua sexualidade. Esse medo também se manifestava em tensão no peito, que restringia sua respiração e limitava seus sentimentos afetivos. Às vezes, seu rosto tinha uma expressão juvenil, quase infantil, que não se adequava à sua idade. Diane tinha medo de ser uma mulher plena.

Seu empenho tinha um forte desejo de agradar. Ela queria agradar a mim assim como a ambos os homens com quem havia se envolvido. Eles constituíam figuras paternas para ela, pois eram pelo menos quinze anos mais velhos do que ela. Essa necessidade de agradar preservava seu papel de "filhinha do papai". Sua esperança era de que nesse papel ela recuperaria o amor e a alegria que conhecera quando pequena, com o pai. Porém, o mesmo papel a impedia de encontrar realização como mulher.

Diane se lembrava do prazer e da alegria que sentia com o pai. "Ele lia para mim toda noite, por um longo tempo, antes de dormir. Parecia durar uma hora. Eu adorava ouvi-lo. Esperava por esse momento todos os dias. Depois da leitura, fazíamos cataventos e eu adormecia." Ele lhe apresentou a literatura e ela se lembra das caminhadas que fizeram juntos, quando ele partilhava suas ideias com ela.

Quando lhe perguntei sobre sua relação com o marido que a maltratava, Diane disse: "Eu adorava ouvi-lo falar. Ele era brilhante". E acrescentou que o sexo com ele foi o melhor de todos os tempos. Como ela o amava apesar da violência física, questionei-a mais profundamente a respeito de sua relação com o pai, e ela relatou uma lembrança da qual nunca esqueceu: "Lembro que eu tinha entre 3 anos e meio e 4 e estava deitada numa cama, alegre. Esse sentimento não era novo para mim. Nessa ocasião, recordo que meu pai subiu na cama e me bateu, mas eu sentia que ele não queria fazer aquilo. Não sei por que ele me bateu. Eu estava tão feliz por vê-lo! Foi um choque tão grande! Desde então, fiquei confusa. Senti-me incriminada injustamente e agora sou sempre incriminada injustamente pelas pessoas. Tenho de ficar na defensiva, mas não quero mais isso. Não sei como me proteger".

A lembrança de ter sido agredida pelo pai, vivenciada como uma traição, perturbava-a desde pequena. Ela nunca conseguiu se libertar disso porque não conseguia expressar raiva contra o pai pela agressão. Na sessão, sugeri que ela batesse na cama com a raquete de tênis para expressar um pouco dessa raiva reprimida. A princípio, pensei que ela dizia estar com raiva só para me agradar, porque, quando tentou bater no pai, teve dificuldade de expressá-la. Ela, então, admitiu que tinha dificuldade de expressar raiva contra ele. Admitiu também que tinha medo de que ele não a amasse mais se ficasse com raiva dele. Como seu pai havia morrido havia vários anos, ela estava alimentando a ilusão de que ele ainda a amava.

Desculpava o ataque dele acreditando que ele fora provocado pela mãe. Ele estava dividido entre as duas mulheres. "A obsessão dele por mim deixava minha mãe extremamente enciumada, e ele teve de escolher." Então, pela primeira vez, ela reconheceu que a obsessão dele por ela era sexual: "Ele era intenso demais para mim". Porém, isso não diminuiu o amor de Diane por ele. O interesse sexual dele inflamou-a em tal nível de paixão e alegria que fez que ela considerasse essa parte de sua infância maravilhosa.

O outro lado — sua relação com a mãe — era infernal. Ela tinha pesadelos. Quando estava acordada, sua mãe geralmente batia nela com uma colher de pau. Diane a descreveu como uma mulher dotada de uma vontade imbatível. "Ela deu uma surra em minha irmã, que era linda e dançava alegremente pela casa de salto alto, cabelo arrumado e maquiada. Isso era sexual demais para minha mãe. Bateu nela com uma colher de pau e mandou que mudasse de roupa ou então a espancaria até quase matá-la. Hoje minha irmã pesa quase 130 quilos, tem um discurso afetado e não transparece a verdade." Diane ficava aterrorizada com a mãe — por fora era submissa, mas por dentro, revoltada. Ela comentou: "Sempre me senti como uma pintura de Picasso, completamente dividida". Sua proteção, quando estava por perto, era sua avó grega, mãe de sua mãe —considerada sua melhor amiga.

Pode-se imaginar o tormento que Diane vivenciou quando criança, dividida entre o amor pelo pai, com sua excitação sexual, e a culpa por esse relacionamento e o medo dele. A culpa era avassaladora. "Sentia-me responsável pelo que acontecia. Se alguma coisa dava errado, era culpa minha. Quase fiquei louca. Eu costumava ficar muito brava, mas isso não levava a nada. Batia a cabeça contra a parede e gritava sem parar. Minha raiva tornou-se destrutiva. Eu queria quebrar as coisas, o que me fazia sentir ainda mais culpada."

No final da adolescência e depois de se formar na universidade, Diane atuou a sua revolta tornando-se parte da contracultura; envolveu-se com drogas e se tornou sexualmente promíscua. Após alguns anos, percebeu que seu comportamento era autodestrutivo e foi estudar na Europa. Lá apaixonou-se por um bom rapaz, quase da mesma idade dela, que retribuía seus sentimentos. Infelizmente, a relação não deu certo porque a família dele não aprovou sua formação, considerada inferior à deles. Teve outro caso amoroso intenso que também não vingou. A respeito desses relacionamentos, Diane disse: "Sempre escolho filhos cujas mães não abrem mão deles. Tive problemas com a mãe de todos eles. Ficavam apavoradas que eu os tirasse delas".

Em minha opinião, Diane é uma figura bastante trágica — e ela também se considera assim em certos aspectos. Ela disse: "Sou muito infeliz. Não vejo nenhum futuro para mim. Apenas vivo um dia após o outro". Essas afirmações trouxeram um pouco de choro profundo que depois a levou a comentar: "Há sempre uma tristeza profunda em mim, que acho que jamais irá embora". Os sentimentos não mudam se a pessoa tenta passar por cima deles. Como parte de seu empenho, Diane exibe um semblante feliz e radiante, em parte para apresentar-se como uma pessoa positiva e prestativa, em parte para sustentar sua esperança de que encontrará o amor de sua vida. Num nível profundo, era uma técnica de sobrevivência, pois sua tristeza tocava em um desespero que ela sentia ser uma ameaça à vida.

Porém, esse desespero era tão irreal quanto a esperança de reconquistar o paraíso perdido que ela conhecera e vivenciara quando criança, por meio do amor do pai. Tanto sua esperança como seu amor pertencem à sua infância e são irrelevantes para sua situação atual. Como mulher madura, ela quer um relacionamento maduro com um homem que seja mais do que um amante — que também seja um companheiro e um marido que trabalhe com ela para construir um lar e talvez gerar uma família. Entendendo que os homens precisam das mesmas coisas que as mulheres, não é uma expectativa irreal. Porém, só pode ser realizada se a mulher e o homem forem indivíduos maduros.

Diane não era uma mulher madura. Havia nela muito da garotinha, ainda em busca de uma figura paterna que reparasse seus problemas de infância. Ele iria adorá-la, dizer-lhe que ela era linda, ratificar sua inocência e protegê-la contra a madrasta malvada. É evidente que nenhum homem consegue fazer isso por uma mulher. A inocência perdida não pode ser recuperada. Entretanto, a culpa pode ser eliminada por meio do resgate da plenitude e da liberdade de autoexpressão, inclusive a expressão de sentimentos sexuais. O medo da madrasta pode ter fim pela mobilização da raiva. Isso aconteceu com Diane no fim da terapia, quando foi capaz de enfrentar a mãe e pedir-lhe ajuda. Para sua surpresa, a mãe mostrou-se muito disposta a ajudar.

O relacionamento de Diane com outros homens era mais complicado, pois ela acreditava que, ao entregar-se a eles, estava entregando-se ao amor. É assim que uma garotinha se vê em relação ao pai. Ele é seu mundo, emocionalmente ela existe em grande parte por causa dessa relação. Quando ouvimos uma menininha de 3 anos gritar de prazer "Papai, papai!" assim que o vê, compreendemos a totalidade de sua entrega. Esse comportamento é típico da criança cujo ego ou senso de *self* ainda não se desenvolveu por completo. É responsável pela profunda sensação de alegria que a criança conhece, mas nós não permanecemos crianças. Entre os 3 e 6 anos, desenvolve-se o ego e, com ele, o senso de *self*, que se torna um aspecto dominante da personalidade. Nesse período, conhecido como edipiano, a criança toma consciência da sexualidade adulta e perde a inocência. Quando vai para a escola, aos 6 anos, juntando-se a outras crianças da mesma idade para aprender coisas do mundo, ela tem ou deveria ter um senso de *self* estabelecido que denominamos ego. Agora ela é um indivíduo plenamente autoconsciente, orgulhoso de sua individualidade.

A autoconsciência é uma força alienante porque nos torna conscientes de nossas diferenças. Em casa, somos parte da família e adquirimos uma identidade de acordo com nossa posição nesse grupo. Essa identidade é relativamente inexpressiva na escola, onde convivemos com colegas na mesma posição. Na escola, formaremos novos vínculos com um ou mais pares, baseados na partilha de uma situação comum e de interesses e sentimentos semelhantes. Esses vínculos podem ser muito fortes, e o sentimento de amor entre duas crianças costuma ser intenso. A criança ainda mantém uma forte ligação com a família, mas esse amor, se for saudável, liberta-a e a ajuda a estabelecer uma base de parceria. Se ela é dependente da família, como Diane era, não passa com tranquilidade para as relações de parceria. Se é privada de amor em casa, se torna dependente dos novos amigos e insegura com eles. Se fizeram que se sentisse especial em casa, será competitiva com os novos conhecidos e tentará dominá-los. Em ambos os casos, as novas amizades não oferecerão a alegria pela qual anseia.

O amor de duas crianças em uma parceria saudável fortalece seu senso de *self*. Ele difere do amor da criança pelo genitor do sexo oposto, no qual há uma entrega do *self*. O sexo não está ausente dessas relações, pois é um fato da vida, mas sua atração é extremamente reduzida, de modo que a consciência recente do senso de *self* pode desenvolver-se em proporções maduras. No início do desenvolvimento da teoria analítica, Freud propôs dois conceitos antitéticos: o instinto de autopreservação, que identificou com o ego, e os instintos sexuais, que podem ser descritos como o instinto da preservação da espécie.[20] Não há dúvida de que essas duas forças existem na personalidade, seja como forem descritas. No adulto, são forças polares representando uma carga energética no corpo que pulsa entre os polos inferior e superior do corpo — entre a cabeça, com suas funções egoicas, e a pelve, com suas funções sexuais. Como qualquer atividade pendular, não pode ser maior em uma extremidade do que em outra. Assim, em termos de carga energética, o ego não pode ser mais forte do que sua contrapartida, que é a sexualidade.

Talvez pareça que esse princípio é negado por indivíduos narcisistas, cujo egotismo exagerado está associado a uma potência sexual diminuída. Essa grandiosidade, porém, não denota uma força egoica verdadeira; ao contrário, a imagem egoica exacerbada está inflada para compensar a impotência sexual.[21] A verdadeira força egoica manifesta-se na aparência dos olhos, que são diretos, firmes e fortes. Essa aparência decorre de uma alta carga energética nos olhos e corresponde a uma carga equivalente na pelve. Olhos brilhantes também denotam um ego forte, que está presente no corpo e decorre dos sentimentos de prazer e alegria. Sabemos que uma pessoa está amando pelo brilho de seus olhos.

AMOR MADURO

O amor maduro não implica uma entrega *do self*, mas uma entrega *ao self*. O ego entrega sua hegemonia sobre a personalidade ao coração, mas nessa entrega não é aniquilado. Em vez disso, se fortalece, pois suas raízes são nutridas pela alegria que o corpo sente. Na declaração "eu te amo", o "eu" torna-se tão forte quanto o sentimento de amor. Pode-se dizer que o amor maduro é autoafirmativo.

Diane é uma paciente típica entre tantos outros que, ao se apaixonar, entregam-se à outra pessoa, não ao *self*. Abrem mão da independência na esperança de que a outra pessoa cuide deles. Na verdade, regridem a uma posição infantil que parece prometer a consumação da relação que tiveram com o genitor do sexo oposto. Tornam-se dependentes e, nessa posição, ficam receptivos e indefesos contra maus-tratos. É evidente que esses relacionamentos não costumam durar, e no fim o indivíduo sofre uma repetição da dor profunda que vivenciou quando criança.

É impossível ter um relacionamento amoroso maduro se a pessoa não é madura, independente, sozinha se necessário, e capaz de expressar sentimentos livre e plenamente. Um amor como esse não é egoísta, pois a pessoa se partilha plenamente. É autocentrado, mas isso torna o relacionamento excitante porque cada pessoa é um indivíduo com um *self* único, que compartilha com o parceiro. Em um relacionamento como esse, a realização do amor no sexo é mútua em satisfação e prazer.

Essa visão contraria a ideia popular de que no amor se deve estar à disposição do parceiro. Isso transforma o relacionamento em escravidão, não em *partilha* — o compartilhar ocorre entre iguais, enquanto a escravidão é imposta por alguém superior. Tais relacionamentos amorosos logo perdem a empolgação e terminam com o parceiro que está sendo servido procurando fora do casamento a excitação do amor que lhe falta. Quando isso acontece, o cônjuge que é deixado para trás esforça-se ainda mais para servir, para fazer que dê certo, para ser o que o parceiro quer. Outra paciente minha, cujo marido a deixara, sucumbiu, chorando profundamente, e disse: "Vivo tentando consertar as coisas, mas nunca dá certo. Não se pode consertar as coisas. Fico tentando ajudar as pessoas e tudo que ganho é mágoa. Estou cansada disso".

Philip, um advogado de quase 60 anos, procurou-me porque sentia que algo estava faltando em sua vida. Casara-se muito jovem e tinha três filhos com uma mulher que não amava. Entretanto, permaneceu no casamento por quase vinte anos porque sentia que sua esposa precisava dele. Quando o conheci, vivia havia quase doze anos com Ruth, uma mulher muito mais nova que ele. O relacionamento deles tinha começado como um caso de amor sexual, mas nos últimos oito anos tanto o amor como o sexo tinham acabado. Dormiam na mesma cama, geralmente nus, mas não havia nenhuma intimidade entre eles. Philip relatou que a parceira costumava criticá-lo por besteira, mas, disse, ele dava motivos. Em outros aspectos, o relacionamento era agradável e eles pareciam administrá-lo bem. Cada um tinha sua carreira e quase sempre estavam separados por compromissos profissionais.

É fácil entender por que Philip se queixava de que algo faltava em sua vida. Fizera análise freudiana e junguiana durante muitos anos em sua busca de realização, o que também o levara à meditação e a outras atividades espirituais. Por muitos anos, fez parte de um grupo de homens cujo objetivo era elevar a consciência masculina. O rosto de Philip era largo, aberto. Tinha um corpo forte e bem constituído e era atraente. As mulheres se sentiam atraídas por ele, mas ele era fiel à parceira.

Para compreender seu problema, era preciso conhecer seu passado. Ele descrevia a mãe como uma mulher dominadora com tendências histéricas e o pai como um homem calado e passivo. Havia dois filhos — ele e sua irmã, dois anos mais velha. Philip tinha consciência de que sua mãe fora sedutora com ele. Ela o fazia se sentir especial e, ao mesmo tempo, responsável pela felicidade dela. Com sua experiência em psicanálise, ele conhecia as questões edipianas e reconhecia ter sido impelido a competir com o pai e a superar o seu desempenho. Sentia-se à vontade no mundo dos homens, onde podia ser agressivo sem ser abusado. Jogara rúgbi na faculdade. Seu problema dizia respeito às relações com as mulheres. Porém, a questão só poderia ser solucionada se ele entrasse em contato com os sentimentos por elas que havia reprimido . Falava abertamente sobre seu problema, mas com pouca emoção. Resolveu me procurar porque se deu conta de que suas emoções estavam trancadas nas tensões corporais que precisavam de uma abordagem física.

No banco bioenergético, a respiração de Philip era bastante superficial. Seu peito era inflado e contraído. Incentivá-lo a usar a voz o ajudou, mas não despertou nenhuma tristeza. No exercício de *grounding*, o paciente teve uma dificuldade considerável de fazer as pernas vibrarem. Fez o exercício de chutar demonstrando certo sentimento, mas não irrompeu em uma descarga emocional. Havia desenvolvido um forte controle sobre seus sentimentos desde cedo, e nesse momento ceder estava além de sua capacidade consciente. Apesar disso, sentia-se muito melhor depois dos exercícios. Sabia que o estavam levando na direção certa e estava determinado a prosseguir com eles e com a análise.

Em certa ocasião, quando Philip estava sobre o banco emitindo um som contínuo, sua voz atingiu um ponto em que parecia que ele começaria a chorar. Para minha surpresa, ele começou a rir, e não conseguia parar. Vi isso acontecer com outros pacientes e, em quase todos os casos, se o riso prossegue, termina em soluços. É uma tentativa inconsciente de negar a tristeza transformando-a em motivo de riso. Juntei-me a ele em seu riso para ajudá-lo a perceber que era irracional, mas o que aconteceu foi que ele ria cada vez mais, até que, quinze minutos depois, simplesmente paramos com a brincadeira. Embora Philip não tivesse chorado naquele dia, deu-se conta de que tinha uma forte resistência à entrega e a deixar que alguém "chegasse até ele".

Apesar da aparência viril de Philip, havia uma qualidade pueril nele que desmentia qualquer alegação de plena maturidade. Por meio da análise, ele se conscientizou de que se sentia aprisionado como um menino pela mãe e que se ressentia da responsabilidade que ela lhe impusera de ser seu "homenzinho". Agora, no entanto, estava aprisionado por seu senso narcisista de ser especial e superior, o que decorria da atração sexual de sua mãe por ele. O narcisismo é um problema comum de homens que tiveram uma mãe sedutora e controladora. Há uma característica fálica na personalidade deles, relacionada à sua potência de ereção, que é a base de sua sensação de serem sexualmente atraentes para as mulheres. Porém, para um homem assim, entregar-se ao amor é muito difícil: de um lado, corre-se o risco de ser possuído por uma mulher como foi pela mãe; de outro, isso significaria a perda da posição fálica, com sua sensação de ser especial e superior, pois isso levaria a um orgasmo sexual em que haveria a descarga de toda a excitação do jogo de sedução. Philip disse-me que conseguia permanecer em ereção com uma mulher por duas horas, enquanto ela vivenciava orgasmos múltiplos. Porém, o malogro ou a incapacidade de Philip de se entregar o deixava insatisfeito.

Como eu disse, a entrega requer a renúncia da vontade. A vontade é um mecanismo de sobrevivência, e, no caso de Philip, significava não deixar nenhuma mulher possuí-lo. O momento decisivo em sua terapia ocorreu pouco tempo depois da morte de seu pai, aos 92 anos, de quem cuidara por muito tempo. Imaginei que esse acontecimento tivesse um efeito libertador, pois a relação de Philip com o pai era confusa. Ele era filho, mas no último ano também fora pai dele. Seu envolvimento edipiano com o pai, que fazia que se sentisse superior, também o mantinha como o homem mais jovem. Agora, ele poderia reivindicar o que era seu por direito. Envolveu-se com Elizabeth, a quem que já conhecia, e o relacionamento deles tornou-se um caso sexual apaixonado, diferente do que tivera com Ruth. Philip agora sentia que estava realmente apaixonado por Elizabeth. Ela era mais velha, com filhos adultos. Antes ele se apaixonara por uma mulher mais jovem.

As circunstâncias de sua relação com Elizabeth possibilitaram-lhe levar uma vida dupla: ele passava os fins de semana com sua nova amante e o resto do tempo com Ruth. O novo relacionamento parecia florescer, tornando-se mais intenso com o passar das semanas, enquanto o antigo continuava em seu padrão normal. Philip estava ciente de que essa situação não podia prosseguir. Ele tinha de tomar uma decisão. Seu novo amor pressionava-o para que contasse sobre eles para sua parceira, mas ele hesitava, inseguro de si. Descreveu seu conflito da seguinte maneira: "Sei que ela me ama muito (falando de Elizabeth). Diz que nunca vivenciou tanto prazer sexual como tem comigo. Temos muitos interesses em comum e compreendemos um ao outro profundamente. Posso me abrir com ela. Ela quer estar comigo o tempo todo, mas sinto que há um pouco de dependência em sua personalidade. Com Ruth tenho mais liberdade. Ruth é uma mulher prática que sabe fazer as coisas, o que Elizabeth não é. Mas amo Elizabeth. Estou sexualmente excitado por ela, o que não sinto pela Ruth".

A personalidade de Philip não lhe permitiria levar uma vida dupla. Ele precisava ser sincero com ambas as mulheres, mas sabia que contar a respeito de Elizabeth para Ruth ia magoá-la e foi incapaz de fazer isso. Philip estava deitado sobre o banco, respirando, enquanto discutíamos essa questão, quando de repente começou a chorar. Ele havia chorado um pouco antes, durante a terapia, o que, acredito, ajudou-o a abrir-se para seu novo amor. Nessa ocasião, enquanto chorava, dizia sentir uma dor no coração, que associava à ideia de que magoar Ruth também se transformaria numa dor sua. Sentia uma dor profunda, como acreditava que Ruth sentiria se a rejeitasse. Philip começou a chorar mais profundamente à medida que vivenciou uma tristeza que havia reprimido desde a infância, quando a mãe rejeitou seu sentimento sexual por ela. A tensão em seu peito que lhe restringia a respiração e bloqueava sua capacidade de entregar-se ao amor era sua defesa contra a dor vivida na infância e sua vulnerabilidade a ser ferido de novo.

Contudo, a situação em que Philip se encontrava agora não tinha uma solução simples. Ele não conseguia deixar Ruth porque não queria magoá-la e tinha medo de ficar sozinho. Ruth estava na mesma situação. Sentindo que havia outra mulher na vida de Philip, não conseguia ir embora. Sabendo que o amor sexual deles tinha secado, ela insinuou que estava preparada para engatar um relacionamento temporário. Ela e Philip não haviam ficado juntos todos aqueles anos por amor, mas por necessidade. Era um relacionamento de codependência. Um precisava do outro. Assim como Philip estava preso na relação com Ruth, agora ele começava a perceber que também estava sendo aprisionado por Elizabeth. Ela o pressionava para deixar Ruth e ameaçava terminar a relação se não o fizesse, mas ela não podia mais abrir mão dele, assim como ele não podia deixar Ruth. Philip conscientizou-se de que Elizabeth era carente e de que o possuiria como sua mãe havia feito. Então, se deu conta de que teria de se separar de Elizabeth pela mesma razão por que estava se separando de Ruth — ou seja, porque ele não era livre.

Ser livre tornou-se a questão central na terapia de Philip. Ele se deu conta de que não conseguiria ser livre — ou seja, verdadeiro consigo mesmo — enquanto fosse dependente. Ele também era dependente em seu escritório de advocacia, apoiando-se em um sócio de quem acreditava precisar. Assim, apesar do fato de estar se aproximando dos 60 anos de idade, emocionalmente ele era um menino, e não um homem capaz de apoiar-se sobre os próprios pés. A maturidade emocional era a dimensão que faltava na vida de Philip, e isso o deixava com raiva. No decorrer do ano seguinte, pude ver uma mudança em sua personalidade e em sua vida. Ele e Ruth se separaram, embora tenham permanecido amigos. Ele também se separou de Elizabeth, embora os sentimentos sexuais de ambos permanecessem fortes. Além disso, assumiu uma posição de liderança em sua empresa. E quanto ao amor?

Philip disse que sentia amor por Ruth, embora não tivesse nenhum desejo sexual por ela. Para simplificar, seu coração estava aberto para Ruth e de um modo diferente também estava aberto para Elizabeth, por quem ainda tinha sentimentos sexuais. Esse amor era decorrente de bons sentimentos por esses indivíduos, e não de qualquer necessidade delas. E seu coração se abriu para incluir uma irmã, de quem estivera afastado durante anos. E depois, num movimento que me surpreendeu, durante uma sessão, ele disse: "Dr. Lowen, quero te dizer que te amo muito". Ele havia sonhado que se via subindo ao céu numa nuvem branca. Estava muito realizado, pois considerava isso uma expressão de renascimento espiritual. Ao mesmo tempo, sentia uma paz interior profunda, que também era um sentimento alegre. Apesar da tranquilidade e da simplicidade desses sentimentos, havia um elemento apaixonado neles. Philip estava amando a vida e o mundo. Não precisava de mais nada. Tinha se encontrado, atingido a essência de seu ser, seu coração, e lá havia descoberto o significado da vida.

Philip conhecera o amor antes. Apaixonara-se por Ruth no início, quando se tornaram amantes, assim conto acontecera com sua esposa logo que se conheceram. Nessas situações, o sentimento de amor era genuíno, mas não profundo o bastante, e não durou. Assim como uma pessoa se apaixona, ela se desapaixona, e isso acontece com muita frequência porque nos desapontamos com o fato de que o outro não nos satisfaz. Não nos damos conta de que ninguém pode nos satisfazer além de nós mesmos, e que nossa satisfação decorre de estarmos plenamente abertos a nós e à vida. Quando a flecha do amor perfura nossa couraça e nos atinge o coração, nos abrimos para a vida e a alegria, mas esse sentimento não é duradouro. Aos poucos, nosso ego reafirma seu poder, questionando, desconfiando e controlando. A abertura é considerada uma brecha em nossa posição defensiva, que devemos curar ou fechar. Apaixonar-se não é a resposta, e sim estar amando — ou seja, estar aberto. Primeiro, é necessário estar aberto para o próprio *self*, para os próprios sentimentos mais profundos, e para tanto é preciso estar livre de medo, vergonha ou culpa.

O medo prejudica a capacidade de se entregar ao amor. Não é um medo racional: decorre da vivência de infância do indivíduo e só faz sentido nesses termos. Entretanto, ainda tem poder enquanto agirmos como se estivéssemos na mesma situação da infância. Enquanto Diane estiver tentando provar que é uma boa garotinha, sendo prestativa, fazendo a coisa certa, terá medo de ser ela mesma, de reconhecer sua sexualidade, de entregar-se ao amor. Enquanto Philip tiver medo de se entregar a uma mulher, lutará contra a entrega ao amor. Baseará sua atração por uma mulher em suas qualidades superiores, e não no fato de ser um homem que precisa de uma mulher para satisfazer sua vida. Nesse nível, Philip ainda era um jovem rapaz que brincava com o amor e precisava de uma mãe para cuidar dele. Nunca tinha vivido de fato sozinho. Desde que saíra da casa da mãe para se casar, sempre estivera envolvido com alguém. Apesar de seu amor por Elizabeth, sabia que morar com ela imediatamente depois de deixar Ruth seria fugir do confronto com seu medo de ficar sozinho. Enquanto se sentisse dependente de uma mulher, não seria livre; sempre temeria seu poder de possuí-lo. Não teria maturidade suficiente para tornar a entrega plena ao amor uma expressão do seu *self* mais profundo. Algumas semanas após a discussão dessas questões, Philip comentou que acordara muito alegre por causa de um sonho em que se sentia livre por não estar mais com medo de ficar sozinho, não mais dependente de uma mulher. Sempre que um paciente se sente aliviado do medo, a vivência é alegre!

A maturidade é o estágio em que se conhece e aceita o próprio *self*. Conhecemos nossos medos, fraquezas e manipulações, e os aceitamos. Não acredito que algum dia cheguemos ao ponto de ficarmos completamente livres dos efeitos traumáticos do passado, mas não seremos controlados por eles. Aceitação não significa impotência. Visto que os problemas estão estruturados no corpo na forma de tensões crônicas, podemos trabalhar com eles para libertá-lo. Os diversos exercícios bioenergéticos que usamos na terapia podem ser feitos em casa se a pessoa souber como utilizá-los.

Aceitação também significa perder a vergonha das próprias dificuldades ou problemas. A vergonha é semelhante à culpa por restringir a liberdade de ser e expressar quem somos.[22] A mãe de Diane a deixara terrivelmente envergonhada por seus sentimentos sexuais ao rotular o comportamento sexual inocente de uma criança de vulgar e sujo. No entanto, como esses sentimentos estavam associados a sensações excitantes e agradáveis, a criança foi colocada num terrível conflito que quase a deixou louca. Ela tentou reprimir esses sentimentos e, como vimos, eliminou-os em certa medida, mas isso acumulou uma tensão interna que depois a impeliu a atuar os sentimentos.

Todos nós temos um pouco de vergonha do corpo e de suas funções animais, focalizadas amplamente na sexualidade, mas poucos pacientes falam sobre isso. Estão envergonhados demais para falar sobre sua vergonha e, por serem sofisticados, negam-na. A autoexpressão não se limita a sentimentos de tristeza e raiva. A maioria das pessoas tem alguns segredos sombrios que tem vergonha de revelar, e às vezes escondem-nos até de si mesmas. Medos, inveja, ódio, repulsão e atração, quando escondidos devido à vergonha, tornam-se obstáculos importantes para a entrega ao amor.

Assim como Diane tinha vergonha, Philip inconscientemente tinha um profundo sentimento de culpa. A culpa difere da vergonha, pois aquela relaciona-se a sentimentos e ações considerados moralmente errados, em vez de obscenos ou inferiores. Contudo, a maioria das pessoas que hoje procura terapia é psicologicamente sofisticada e nega qualquer sentimento de culpa. Após negá-la, não se pode falar sobre ela, o que torna difícil libertar o indivíduo de suas obsessões. As crianças são levadas a acreditar que os sentimentos de raiva e a sexualidade são moralmente errados quando direcionados para os pais. O medo é associado à vergonha, assim como a culpa. A culpa de Philip manifestava-se na grave tensão muscular em seu corpo que continha muita tristeza e raiva, mas só raramente atingia a consciência. Ele tinha uma raiva enorme da mãe pela traição dela ao seu amor, e do pai por deixá-lo sob o poder da mãe. Mas comprara aquela situação e entrara no jogo, o que o fez se sentir especial e superior. Como se poderia ficar com raiva de um genitor que o trata como especial e superior? A raiva só surgirá quando se perceber o preço que se pagou em dor e frustração por essa posição. Quando Philip chorou profundamente sentindo a dor em seu coração, estava a caminho de se tornar um homem livre.

A entrega ao amor implica a capacidade de partilhar o próprio *self* plenamente com o parceiro. O amor não é uma questão de dar, mas de estar aberto. Essa abertura, contudo, tem de ser primeiro ao próprio *self*, depois ao outro. Implica estar em contato com seus sentimentos mais profundos e então ser capaz de expressá-los de forma adequada. Para Philip, isso significou a percepção e a aceitação da raiva que tinha das mulheres — todas elas —, pois cada uma representava sua mãe de algum modo. Para Diane, isso significou a aceitação de sua raiva de todos os homens, incluindo seu terapeuta, pois cada um representava o pai que a havia traído. A entrega ao corpo e a seus sentimentos é a entrega ao amor.

7. A traição ao amor

À medida que os pacientes entram mais em contato consigo mesmos e com os acontecimentos de sua infância, em geral tomam consciência de que foram traídos por seus pais. Esse sentimento desperta, então, uma raiva intensa. Após dois anos e meio de terapia, Monika disse: "Sinto-me traída por meu pai. Ele me usou. Eu o amava e ele me usou sexualmente. Quando me conecto com minha pelve, sinto quanto fui traída. Não entendo por que os homens fazem isso". Depois, acrescentou: "Sinto-me como um animal. Sinto muita raiva. Quero morder, mas tenho medo de focalizar esse sentimento no pênis".

Seus sentimentos foram mobilizados pelo rompimento de uma relação com um homem por quem estava apaixonada. Ele aceitava o amor dela, mas costumava criticá-la. Aceitar o amor de uma mulher sem retribuí-lo ou demonstrar-lhe respeito é usá-la. Seu pai a usara sendo sedutor com ela, excitando seu amor e depois exibindo-a como um objeto sexual para os seus amigos. Desconsiderando se esse comportamento pode constituir abuso sexual ou não, foi uma traição ao amor e à confiança que uma criança tem por um pai. É evidente que todo ato de abuso sexual cometido por um genitor ou um indivíduo mais velho contra uma criança é uma traição ao amor e à confiança. Todavia, acredito também que todo ato de traição tenha em si um elemento de abuso sexual, seja abertamente atuado ou secretamente sugerido.

Outro paciente vivenciou esse sentimento de traição em relação à mãe. Quando criança, não conseguia enfrentá-la. Ela tentava controlar quase todos os aspectos de sua vida e de seu comportamento; em consequência, quando adulto, ele não conseguia agir em benefício próprio. Tinha de ser bem-sucedido, fazer a coisa certa aos olhos da sociedade para que sua mãe se orgulhasse dele. Ele era seu "criado" e, como homem, agia de modo similar com a esposa. Em determinada sessão, ele se queixou de garganta seca; não conseguia emitir um som alto nem respirar direito. Sentia-se sufocado, e a imagem que emergiu era a de um cão sendo conduzido pela coleira. Nesse caso, era uma raiva que enforcava. A mãe o vestia bem e desfilava com ele como se fosse um *poodle* premiado. Ao se dar conta disso, ele comentou: "Eu tinha de fazê-la sentir-se orgulhosa, corresponder à sua imagem de mãe superior".

Ela o usava, assim como o pai de Monika fazia com ela, para obter um pouco de excitação sexual e satisfação por ter uma criança adorável. Não tinha consciência de que, com esse comportamento, estava roubando a masculinidade do filho. Seus atos representavam a necessidade de fazer com um macho o que tinham feito com ela quando criança. Como vimos no capítulo sobre a raiva, externalizamos os insultos e traumas que sofremos quando éramos crianças impotentes e dependentes àqueles na mesma condição.

O uso do poder contra outra pessoa sempre tem conotação sexual. Os pais o usam para disciplinar um filho, a fim de que ele seja uma criança "boa" e, mais tarde, um adulto "bom". Ser mau, por outro lado, não e só ser negativo ou hostil, é ser sexual. Um "bom" filho é submisso, faz o que mandam. Dizem-lhe que tal comportamento lhe trará amor, mas essa é uma promessa falsa, pois o máximo que obterá é aprovação. O amor não pode ser condicionado. Amor condicional não é amor verdadeiro. Em defesa dos pais, deve-se reconhecer que certa disciplina é importante para manter um pouco de ordem na casa e evitar que crianças pequenas se machuquem. Mas disciplina é uma coisa e destruir um filho é outra. As pessoas que procuram terapia tiveram o espírito corrompido ou anulado. O mesmo ocorre com quem não procura terapia. Sem pensar, a maioria dos pais trata os filhos como foram tratados por seus genitores. Em alguns casos, fazem isso apesar de uma voz interior dizer que é errado. Uma criança maltratada em geral se torna um genitor que maltrata porque a dinâmica desse comportamento fica estruturada em seu corpo. Os filhos que foram submetidos à violência costumam ser violentos com os próprios filhos porque estes são objetos fáceis para a descarga da raiva reprimida. Com o tempo, as crianças identificam-se com os pais e justificam tal comportamento como necessário e carinhoso.

O relato seguinte de uma sessão com uma de minhas pacientes ilustra o relacionamento perverso que pode existir entre pais e filhos — neste caso, entre uma mãe e a filha. Rachel tinha cerca de 40 anos. Ela me procurou porque estava deprimida. À época, fazia terapia na cidade em que morava. Conhecera-me num *workshop* e estava intrigada com a ideia de trabalhar o corpo para resolver seus problemas.

Rachel era uma mulher atraente, de estatura mediana, com um corpo esguio e bem torneado que, porém, não parecia fortemente carregado de energia. Seu rosto tinha uma aparência jovem que denotava uma personalidade infantil. Suas pernas eram finas e não tinham uma aparência forte.

Em nossa quarta sessão, ela começou dizendo que os três meses após a nossa última consulta tinham sido muito difíceis. "Estava numa depressão muito grave e realmente em pânico de que nunca mais fosse capaz de me livrar dela. Acho que posso estar chegando perto daquela parte de mim que é obstinada e resistente. Quando pensava que viria vê-lo, ficava apavorada. Ansiava por vê-lo, mas tenho pavor do trabalho físico. Quando estive aqui na última vez, fiquei encolhida no divã, em posição fetal, e isso era tudo que eu queria fazer".

Ela continuou: "Na terapia, estive tratando de sonhos, um dos quais era sobre serpentes. Essa imagem é recorrente em meus sonhos. Sonho muito com serpentes, mas essa em particular sempre reaparece. Ela estava dependurada na entrada, toda enrolada e ameaçadora. Era grande, como uma jiboia ou píton, do tipo que me envolveria e apertaria até a morte. Num sonho recente, vi as serpentes num museu atrás do vidro e obriguei-me a olhar para elas. Duas outras tinham crânios em formato de primata em vez de crânios em formato de serpente. Estavam se tornando mais humanas. Nessa época, na terapia, eu estava tratando da dor por meu irmão ter me molestado. Quando penso nesse sonho, tenho uma vaga sensação de que o museu era na Filadélfia, como o Museu de Arte da Filadélfia. Quando me perguntava por que Filadélfia, ocorreu-me que era conhecida como a cidade do amor fraterno. Pensei que o amor fraterno fora todo deturpado pela sexualidade".

Quando indaguei sobre a idade do irmão, ela disse que era quatro anos mais velho e acrescentou: "Eu o amava tanto que teria feito qualquer coisa que ele me dissesse para fazer. Quando estava descrevendo o que ele fez comigo para meu outro terapeuta, achei que desmaiaria. Carreguei isso comigo todos esses anos, não conseguia expressar com palavras o que ele fez. Tinha medo de que as pessoas menosprezassem o ocorrido e eu ficasse terrivelmente envergonhada. Estava tão preocupada comigo que fui fazer alguns testes psicológicos. Fiz o teste de Rorschach e vi órgãos sexuais femininos por toda parte. Havia um evidente símbolo fálico no alto, que apontei, dizendo: 'O que seria esse anãozinho?' O examinador deu uma risadinha".

Quando perguntei a Rachel o que seu analista pensava a respeito de ela ter visto vaginas nos borrões, ela disse que acabara de receber os resultados e que eles não se haviam encontrado desde então. Pensei que o fato de ela ter visto vaginas tinha alguma coisa que ver com sua mãe. Pedi-lhe que me falasse sobre essa relação. Ela disse: "Bem, eu... eu... eu... tenho essa sensação de que minha mãe abusou sexualmente de mim".

Eu tinha uma intuição semelhante.

Rachel acrescentou: "Contei para o meu analista sobre um incidente que aconteceu quando eu era criança. Eu tinha um espinho ou alguma coisa na perna e não deixava que minha mãe se aproximasse para me tocar. Ela me pôs à força em seu colo enquanto eu gritava: 'Alguém me ajude!' Eu estava aterrorizada. Tenho uma sensação de aversão por ela e há uma indiscutível nuança sexual nisso".

Rachel descreveu sua mãe como a poderosa da família. "Ela comandava e nos colocava uns contra os outros para que não tivéssemos a quem recorrer. Eu... Eu estou tremendo por dentro ao lhe contar isso."

Parabenizei Rachel pela coragem de enfrentar essas questões, ao que ela respondeu: "Sou corajosa, mas penso que não ganho nada com isso. Um amigo diz que eu seria capaz de entrara na boca de um leão. Acho que eu entraria com algum tipo de ferramenta para pegar as presas".

A vagina é como uma boca, ressaltei. Engole a gente. "E você sentia que o desejo de sua mãe era possuir você?", perguntei a Rachel.

"Sim, não só de me possuir, mas de me destruir."

"Você sentia a hostilidade dela contra você? Acha que ela poderia matá-la?", perguntei.

Depois de uma longa pausa, ela respondeu: "Bem, entre outras coisas, ela me chicoteava quase todo dia".

Fiquei chocado e comentei: "Creio que ela fazia isso para que você se tornasse submissa, para anular seu espírito".

"Eu tinha algumas fantasias nas quais imaginava até onde ela iria", Rachel disse. "Haveria um momento em que as surras parariam. Tomei a decisão de não chorar. Não daria a ela essa satisfação. Mas depois eu chorava apenas para fazê-la parar. De maneira infantil, eu tinha medo de que ela se matasse se eu não o fizesse. Percebia nela uma erosão crescente de seu controle — uma ira crescente contra mim por eu não ceder".

Nesse ponto, tive a sensação de que a mãe de Rachel estava sexualmente envolvida com ela. Sugeri que o comportamento da progenitora tinha um aspecto lésbico.

Num tom de voz suave e baixo, Rachel disse: "Fico contente que você tenha dado um nome a isso". Depois, acrescentou: "Acho que ela tinha inveja de mim porque teve uma infância muito difícil. Acho que ela sofreu abuso sexual. Ela é uma mulher grande, de ossos largos. Vim ao mundo como uma criatura esguia, feminina. Creio que isso a incomodava".

Salientei para Rachel que sua mãe se identificava com sua feminilidade e queria possuí-la. Rachel disse que a mãe era uma mulher muito masculina, grande e gorda, e que costumava dar desculpas para olhar sua vagina.

Nesse ponto, Rachel queixou-se de sentir tontura e vertigem. Suspirou e murmurou: "Oh, meu Deus".

Observou que sua mãe lhe dava calafrios. Disse que sentia repulsa por ela e ainda sente, que mal consegue suportar estar perto dela. Depois, relatou um incidente que demonstrava o poder maligno que a mãe exercia sobre ela. "Quando fui para a Alemanha e tive meu filho, conseguia amamentá-lo com sucesso. Então, minha mãe foi me visitar e, no dia que ela chegou, meu leite secou e nunca mais voltou. Assim, da noite para o dia."

Rachel disse que acreditava que seu irmão tinha atuado o sentimento de sua mãe, e não de seu pai. "Minha mãe fechava os olhos à situação. Obtinha uma excitação lasciva disso. Acho que estava projetando seu ódio de si mesma em mim, por ser sexual, e transmitindo-me a mensagem de que eu era obscena e sedutora. Mas eu não era sedutora. Saí do meu caminho para não ser sedutora. Queria ser limpa e inocente, não saber nada sobre sexo. Não tinha consciência de que aquilo que meu irmão fazia era sexo. Só sabia que era invasivo, assustador e obsceno, e que eu não gostava."

Depois de uma breve pausa, Rachel comentou: "Sinto um grande alívio. Sei que é verdade". Dizemos que a verdade pode nos libertar. Mas isso só acontece quando a aceitamos. Aceitação implica entrega, uma entrega à realidade, ao corpo, aos próprios sentimentos. Rachel nunca havia se entregado, nunca havia desistido de sua luta para escapar da mãe, para escapar do passado. Essa luta lhe permitira sobreviver, mas também a mantinha presa à infância. E, como é impossível escapar do passado, o esforço para fazer isso está fadado ao fracasso, deixando a pessoa com os mesmos sentimentos de desamparo e desespero que conheceu quando criança. A ideia de que se pode escapar do passado é uma ilusão que sempre sucumbe perante a realidade, deixando o indivíduo deprimido.

Como todo sobrevivente, Rachel continua tentando mudar o passado para encontrar o amor que a salvaria e recuperaria sua autoestima. É a história da Bela Adormecida, sobre quem a bruxa malvada lançou uma maldição, condenando-a a dormir por cem anos — retirando-a da vida, na verdade — e cercando seu castelo com um bosque de espinhos impenetrável. O que salvou a Bela Adormecida foi o amor de um jovem e belo príncipe que teve a coragem de atravessar a barreira de espinhos e despertá-la. E também é a história de Cinderela, que foi libertada da vida de criada pelo amor de um jovem príncipe. Na história de Cinderela, uma bruxa boa fornece os recursos por meio dos quais a beleza de Cinderela pode ser vista pelo nobre. Ambas as histórias representam os sonhos das meninas de ser salvas do poder maligno de uma bruxa malvada ou madrasta perversa. Mas toda mãe que se volta contra sua filha por inveja torna-se uma bruxa ou madrasta perversa.

Como Diane, cujo caso apresentei no capítulo anterior, Rachel estava envolvida com um homem que cuidava dela financeiramente, mas abusava dela sexualmente. Ele deveria ser o príncipe no cavalo branco, o bom pai que a amaria e protegeria contra sua mãe cruel. Porém, sua dependência dele a mantinha no papel da princesa, da menininha assustada que considera a mãe todo-poderosa. Rachel tinha consciência disso, pois disse: "Ainda não estou pronta para sair, começar a agir e ganhar a vida. E me odeio por isso".

Realisticamente, tanto Diane como Rachel são pessoas competentes que podem bancar o próprio sustento — e já o fizeram. É perverso quando pessoas assim permanecem num relacionamento abusivo. Em certo nível, isso representa a atuação de sentimentos autodestrutivos que decorrem de uma sensação profunda de culpa e vergonha. Tanto Rachel como Diane acreditam que não são dignas do verdadeiro amor de um homem porque não são mulheres limpas. Foram "maculadas" por sua exposição à sexualidade adulta quando ainda eram inocentes. Essa culpa profunda bloqueia a entrega delas à própria sexualidade, que é a via natural para a expressão do amor adulto. Em vez de entregar-se ao *self*, elas se entregam a um homem, o que lhes permite sentir um pouco de alegria e acreditar que de fato amam. Porém, esses relacionamentos não dão certo. Eles repetem a vivência da infância com o pai — a entrega e a traição. A repetição — compulsão, como Freud a chamou — tem a força do destino.[23] Hoje é uma máxima bastante popular: "Quem não se lembra do passado está condenado a repeti-lo".

A mulher é traída pelo fato de que o homem que ela ama não é um cavaleiro numa armadura reluzente, mas um macho enraivecido que se sente pessoalmente traído pelas mulheres. A história dele revelaria que foi traído pela mãe, que, em nome do amor, usou-o e abusou dele. Hoje ele está sendo usado por outra mulher que espera que ele seja seu salvador, protetor e provedor. Ao mesmo tempo, ele descobre que está sexualmente envolvido com uma menininha, e não com uma mulher de verdade. Em certo nível, sente-se enganado e isso desperta sua raiva, enquanto, em outro nível, sente o poder de feri-la e abusar dela. Consciente ou inconscientemente, atuará na parceira a hostilidade que tinha contra a mãe. A parceira se submeterá, na esperança de provar que não é como a mãe dele e que o ama de verdade.

Os motivos por trás desse comportamento autodestrutivo são complexos. Diane e Rachel estavam sendo masoquistas ao permitir esse tipo de abuso? O comportamento masoquista é por si só muito complexo, pois o verdadeiro masoquista alega obter prazer quando sofre abuso, no que acredito. Wilhelm Reich fez uma análise dessa aparente anomalia.[24] Em um caso envolvendo um paciente que só conseguia desfrutar do sexo depois de ser surrado nas nádegas, Reich demonstrou que a surra removia seu medo da castração, o que lhe permitia entregar-se a seus sentimentos sexuais. Na mente do paciente, era algo como "Você me bate por eu ser um menino mau, mas não me castrará". Em virtude da natureza endêmica do problema edipiano, o medo da castração existe em quase todos os homens em nossa cultura. O medo da castração está associado à culpa pela sexualidade, mas só em alguns casos a culpa é tão forte que impele o indivíduo para uma posição masoquista.

Embora essa análise seja razoável, não justifica o sentimento de amor que tanto Diane como Rachel expressavam pelos homens abusivos com quem estavam envolvidas. Tenho de acreditar que esses sentimentos eram genuínos e que sem eles não conseguiram submeter-se ao tratamento abusivo. A ideia de que se pode amar seu algoz não é tão estranha quando nos damos conta de que na infância o algoz também foi um genitor amoroso. O pai de Rachel a amava apesar do fato de ter sido sedutor com ela e não conseguir defendê-la contra a esposa. O pai de Diane era uma fonte de alegria para ela quando era pequena e ela o amava com ternura. Como pai amoroso, ele prometeu estar presente quando precisasse. Foi seu fracasso em cumprir essa promessa implícita que constituiu a traição. No próximo capítulo, veremos como isso é verdadeiro inclusive para o pai que abusa sexualmente da filha.

A criança fica aprisionada nessa traição porque sente que esta é mais o resultado de uma fraqueza do que uma expressão de hostilidade. Com sua profunda sensibilidade, a criança pode sentir o amor do genitor mesmo quando está sendo ferida. Ela percebe os sentimentos que estão abaixo da superfície e acredita neles. É como se acreditasse que o abuso é um gesto de amor. Rachel acreditava que sua mãe a amava, embora de modo perverso, e que as surras eram uma expressão de seu amor sádico. "Você não me magoaria se não se importasse comigo" é uma forte convicção das crianças. A criança pode dizer: "Se é verdade que você me ama, por que não podemos fazer dar certo? Farei tudo que puder para ajudar". Na verdade, a declaração diz que a criança está preparada para entregar-se a fim de conquistar esse amor necessário.

Se lembrarmos que a criança é inocente, entendemos que ela não consegue compreender o mal nem lidar com ele. No entanto, seríamos ingênuos se não reconhecêssemos que o mal existe no universo humano. No mundo natural ele não existe, pois essas criaturas não comeram o fruto da árvore do conhecimento e não distinguem o bem do mal. Só fazem o que é natural à sua espécie. O homem comeu o fruto proibido e é amaldiçoado com a existência do mal, contra o qual luta. Em algumas pessoas, o mal é tão forte que pode ser visto em seus olhos. Há muitos anos, enquanto minha esposa e eu andávamos de metrô, olhamos nos olhos de uma mulher sentada à nossa frente. Ficamos chocados com seu olhar maldoso.

Nós dois o vimos, por isso não havia dúvidas em nossa impressão. Só muito raramente vi aquele olhar em outras pessoas, mas outro caso me marcou. Uma mãe e sua filha consultaram-me sobre a condição da menina. Minha avaliação da pequena corroborava um diagnóstico de esquizofrenia limítrofe. No decorrer da entrevista, durante a qual ambas estavam presentes, a filha fez algum comentário negativo sobre a mãe. Esta olhou para a menina com tal olhar de ódio que fiquei chocado. Não era um olhar de raiva, nem mesmo de ira, mas de puro ódio. Se um olhar pudesse matar, aquele seria capaz de fazê-lo. Era muito destrutivo. No entanto, essa mãe professava amor à filha, o que era uma negação de seu verdadeiro sentimento. Nenhuma criança conseguiria lidar com mensagens tão contraditórias e conservar a sanidade. Essa mãe tinha um lado mau em sua personalidade que encobria com palavras de amor e carinho. Suas características maldosas decorriam da negação de seu ódio.

O ódio não é mau, assim como o amor não é bom. São ambos emoções naturais, bem-vindas em certas situações. Amamos a verdade, odiamos a hipocrisia. Amamos o que nos dá prazer, odiamos o que nos causa dor. Há uma relação de polaridade entre essas duas emoções, assim como há entre a raiva e o medo.[25] Não podemos ficar com raiva e medo ao mesmo tempo, embora possamos oscilar entre esses sentimentos se a situação exigir. Desse modo, em determinado momento ficamos com raiva e preparados para atacar, depois esse impulso arrefece e nos sentimos amedrontados, querendo recuar. Podemos, portanto, ser amorosos e odientos, mas não ao mesmo tempo. A antecipação do prazer nos inspira e atrai para fora. Expandimo-nos e sentimo-nos aquecidos. Se a excitação aumenta, sentimo-nos amorosos e receptivos. Se formos maltratados nessa condição, o corpo se contrai e encolhe — se a mágoa for grave, a contração gera uma sensação fria, congelada no corpo. Para produzir uma contração tão forte, a dor deve ser infligida por alguém que amamos. O ódio, então, pode ser entendido como amor congelado. Em uma sessão com uma criança e seus pais, ouvi-a gritar para eles: "Odeio vocês, odeio vocês". Depois de expressar seu ódio, ela irrompeu em lágrimas e correu para os braços dos pais. Se ódio é amor congelado, isso explica a facilidade com que um sentimento se transforma no outro. Não conseguimos odiar se não conseguirmos amar, e vice-versa.

Quando somos feridos por alguém que amamos, nossa primeira reação é chorar. Como vimos, essa seria a reação de um bebê à dor ou angústia. Uma criança mais velha reagiria mais naturalmente com raiva para remover a causa da angústia e recobrar um sentimento positivo no corpo. O objetivo de ambas as reações é recuperar sua ligação amorosa com as pessoas importantes de sua vida — pais, cuidadores e amiguinhos. Se essa ligação não pode ser restabelecida, a criança permanece num estado de contração, incapaz de se abrir e buscar contato. Seu amor fica congelado; transformou-se em ódio. Se o ódio pode ser expresso, como a menininha fez com a mãe, quebra-se o gelo e o fluxo de sentimento positivo é recuperado. Porém, assim como poucos pais toleram a raiva de um filho, um número ainda menor admitiria a expressão de ódio vinda dele. Incapaz de expressar o ódio, a criança se sente mal e se considera má — não malvada, apenas não boa. O genitor que causou todo esse problema ao filho é considerado bom ou correto, a quem se deve obediência e submissão. Essa submissão torna-se um amor substituto. A criança dirá "Amo minha mãe", mas no nível corporal pode-se ver a falta de sentimento amoroso — não há calor nem excitação prazerosa, nem busca de contato. É amor por culpa, e não por alegria. A criança se sente culpada por odiar a mãe.

Nas sessões seguintes, Rachel expressou relutância em ver a mãe, com quem ainda estava envolvida. Sentia que esta ainda tinha algum poder sobre ela e que não era livre — sentia-se mais como uma marionete do que um ser humano. Todavia, ela não conseguia mobilizar nenhuma raiva contra a mãe: estava culpada e congelada demais pelo medo de enfrentá-la. Em algum nível ela vivenciou a mãe como uma bruxa. Certamente, seu comportamento em relação a Rachel era desumano. Estou certo de que ela tinha um pouco de amor pela filha, mas em seus ataques contra a menina parecia possuída por algum espírito maligno. Nesses momentos, odiava-a e poderia tê-la matado. Não há dúvida de que havia sido tratada da mesma forma, e o ódio que sentia pela menina era uma projeção de seu ódio contra aqueles que a haviam seviciado. Ao dissociar-se de seu ódio contra os pais, esse ódio transformou-se numa força malévola que se tornou um espírito maligno dentro dela.

Rachel odiava a mãe? Minha resposta é um inequívoco sim. Mas ela também está dissociada de seu ódio, que surge como um ódio contra si mesma. Ela disse: "Odeio-me por isso" (por não ser autossuficiente). Mas como ela poderia andar com as próprias pernas se estas haviam sido eliminadas de seu corpo? E, sem pernas sobre as quais se apoiar, como poderia expressar qualquer sentimento de raiva contra a mãe? Estava imobilizada, congelada pelo medo, pela culpa e pelo ódio.

Não acredito que o indivíduo consiga se entregar plenamente ao amor a menos que admita e expresse seu ódio. Este se torna uma força maligna só quando é negado e projetado em inocentes. Na minha opinião, pregar contra o ódio é inútil: é como dizer a um *iceberg* que derreta de amor. Precisamos compreender as forças que criam as emoções negativas se pretendemos ajudar as pessoas a se libertar delas. Para tanto, é preciso que primeiro aceitemos a realidade desses sentimentos e não os julguemos.

Há ódio em todos os meus pacientes, e ele tem de ser expresso. Contudo, primeiro ele precisa ser sentido e reconhecido como uma reação natural à traição ao amor. Precisamos sentir quanto fomos feridos, psicológica e fisicamente, para sentir que é legítimo expressar esse sentimento. Quando o paciente sente essa mágoa e está consciente da traição, dou-lhe uma toalha para torcer enquanto está deitado na cama. Sugiro que, enquanto a torce, olhe para ela e diga: "Você realmente me odiava, não é?" Assim que consegue expressar esse sentimento, torna-se mais fácil dizer: "Eu também te odeio". Em muitos casos, isso surge de modo espontâneo. Ao sentir esse ódio, é possível mobilizar uma raiva mais forte no exercício dos socos. Porém, nenhuma expressão por si só pode transformar a personalidade. Aceitar toda a gama dos próprios sentimentos, expressá-los e conquistar o autodomínio são os sinais ao longo da estrada que se percorre na viagem de autodescoberta.

Nesse processo de autodescoberta, a análise do comportamento e do caráter é a bússola que nos dá a verdadeira direção. Temos de entender o como e o porquê do comportamento, antes que este seja transformado. Devemos começar sempre com o reconhecimento e a aceitação da inocência da criança. Ela não conhece os complexos problemas psicológicos da personalidade humana. O amor de uma criança por seus pais, que é a contrapartida do amor dos pais por ela, está tão enraizado na natureza que requer uma boa dose de sofisticação de sua parte para questioná-lo. Até esse momento, a criança pensará que o abuso e a falta de amor se devem a algo que ela tenha feito de errado.

Não é difícil chegar a essa conclusão. Por exemplo, os conflitos entre os pais são quase sempre projetados no filho. Um dos genitores acusará o outro de ser indulgente demais, o que faz que a criança se dê conta de que não consegue agradar a ambos. Em geral, ela se torna o símbolo e o bode expiatório dos problemas conjugais, e, em muitos casos, embora esteja no meio do conflito, é obrigada a tomar partido. Conheço poucas pessoas que saíram da infância sem a sensação de que algo está errado com elas, de que não são o que e como deveriam ser. Conseguem apenas imaginar que, se fossem mais amorosas, tivessem se empenhado mais e fossem mais submissas, tudo estaria certo. Essas pessoas levam para suas relações uma postura de tentar satisfazer o outro e ficam chocadas quando descobrem que isso não é possível.

Relacionamentos adultos saudáveis baseiam-se na liberdade e igualdade. Liberdade denota o direito de expressar livremente os próprios desejos e necessidades; igualdade significa que cada um está na relação por si mesmo, e não para servir ao outro. Se a pessoa não consegue falar abertamente, não é livre; se tem de servir a outra, também. Entretanto, muitos não sentem que tenham esses direitos. Quando crianças, foram recriminados por exigir a satisfação de seus desejos e necessidades; foram rotulados de egoístas e insensíveis, e levados a sentir-se culpados por colocar seus desejos acima daqueles dos pais — como a paciente que, quando criança, queixou-se à mãe de que era infeliz, ao que ela lhe respondeu: "Não estamos aqui para ser felizes, mas para fazer o que é preciso". Depois, ela acabou sendo uma mãe para sua própria mãe. Esse é um destino que acomete muitas meninas, o que as priva do direito ao sucesso e à alegria. A traição ao amor por um dos genitores deve provocar raiva na criança contra o genitor, uma raiva que ela não pode expressar. A raiva reprimida congela seu amor, que se transforma em ódio. Isso faz que ela se sinta culpada e se torne submissa. Enquanto esses sentimentos de raiva e ódio não forem descarregados, ela não conseguirá se sentir livre e igual. Contidos, eles são levados para os relacionamentos adultos.

A maioria das relações começa com a atração dos indivíduos por sentimentos positivos e prazer. Infelizmente, esses requisitos raramente continuam a crescer e aprofundar-se com o passar dos anos. O prazer desaparece, os sentimentos positivos tornam-se negativos e o ressentimento aumenta porque, sem a sensação de ser livre e igual, o indivíduo sente-se insatisfeito e aprisionado. A raiva reprimida é atuada de uma forma ou de outra — seja psicológica ou fisicamente — e o relacionamento está falido. Nesse ponto, o casal pode romper ou procurar aconselhamento num esforço para resgatar os bons sentimentos que um dia tiveram um pelo outro.

Não tenho visto muitos casos em que o aconselhamento seja eficaz. A maioria dos profissionais tem como objetivo ajudar os indivíduos a compreender um ao outro e fazer um esforço maior para ficarem bem juntos, mas na realidade isso apoia a atitude neurótica de empenhar-se. Nenhum esforço torna alguém mais amoroso ou digno de amor. Nenhum esforço produz prazer ou alegria. O amor é um atributo de ser — de ser aberto —, não de fazer. Podemos ser recompensados pelo esforço, mas o amor não é uma recompensa. É a excitação e o prazer que duas pessoas encontram uma com a outra quando se entregam à atração que há entre elas. Visto que todos os relacionamentos amorosos começam com uma entrega, seu fracasso em prosseguir decorre do fato de que a entrega era condicional, e não total, e era à outra pessoa, e não ao *self*. Está condicionado a que outra pessoa satisfaça as suas necessidades e não representa uma partilha plena do próprio *self*. Uma parte do *self* fica retida, escondida, negada por causa de culpa, vergonha ou medo. Essa parte retida — raiva e ódio — é como um tumor na relação, que a corrói lentamente. A tarefa terapêutica é remover esse tumor.

É a existência de culpa, vergonha e medo no inconsciente que leva a pessoa a se esforçar. Diane, por exemplo, tinha muita vergonha de sua sexualidade, sentia-se culpada pela raiva contra o pai que ela amava e temia que qualquer expressão dessa raiva o afastasse. Ela não podia doar-se livre e plenamente a um homem porque não tinha a si mesma plenamente. Era incompleta em sua individualidade e em algum nível percebia sua carência, que então tentava compensar pelo empenho em servir e amar, o que resultava em abusos. É evidente que ela não merecia o abuso. Porém, ele só acontece com indivíduos que estão numa relação de dependência. Tornam-se um objeto fácil sobre o qual o outro pode dar vazão à sua hostilidade, raiva e frustração pessoais, derivadas de suas primeiras vivências com seu genitor. É uma lei em que a vítima pode facilmente tornar-se o algoz quando está disponível um objeto conveniente em quem o ódio e a raiva reprimidos podem ser atuados.

Se nós, adultos, procuramos outra pessoa para satisfazer nosso ser — para obter felicidade —, traímos a nós mesmos e somos traídos por essa pessoa. Por outro lado, quando olhamos para nós mesmos e nos entregamos ao corpo, não podemos ser enganados nem seremos vítimas de abuso. Não podemos ser enganados porque não somos dependentes do outro para ter bons sentimentos, e nosso amor-próprio não nos permitirá aceitar abuso. Com essa atitude, todos os nossos relacionamentos são positivos, porque se não forem, nós os rompemos. Indivíduos cujo amor-próprio e autoestima são elevados não são solitários ou sozinhos. As pessoas são atraídas por eles devido à sua energia e pelas "boas vibrações" que irradiam deles. Por terem amor-próprio, exigem respeito e em geral são tratadas com respeito. Isso não quer dizer que essas pessoas não sejam magoadas. É impossível evitar a dor ou o sofrimento. Entretanto, esses indivíduos não permanecem em situações nas quais sejam continuamente feridos.

Reconhecendo que a alegria é desejável e a atitude de amor-próprio é positiva, também devemos ter em mente que elas não são fáceis de conquistar. A entrega ao *self* e ao corpo é um processo muito doloroso a princípio, porque entramos em contato com a dor que está em nosso corpo. Toda tensão crônica é uma área de dor em potencial que sentiremos quando tentarmos aliviá-la. Por causa da dor, é preciso trabalhar lentamente com o corpo. É como descongelar um dedo enregelado da mão ou do pé. Excesso de calor aplicado muito rápido resulta num afluxo de sangue para a área, o que rompe as células do tecido contraído e provoca gangrena. A expansão de uma área contraída, que é o equivalente a deixar fluir, não deve ser resolvida de uma só vez, mas aos poucos, a fim de que os tecidos e a personalidade se ajustem a um nível superior de excitação e a uma maior liberdade de movimento e expressão. Todavia, por mais devagar que se trabalhe, a dor é inevitável, pois cada passo de expansão ou crescimento envolve uma vivência inicial de dor, que desaparece à medida que o relaxamento ou a expansão tornam-se integrados na personalidade.

A dor emocional costuma ser mais difícil de admitir e tolerar do que a dor física. A última é localizada, a primeira é difusa. Sentimos a dor emocional no corpo todo, em nosso ser. A dor emocional é sempre a perda de amor. Podemos ser feridos emocionalmente de diversas maneiras, seja por rejeição, humilhação, negação ou ataques verbais ou físicos. Porém, cada um desses traumas é de fato uma perda de amor. Ser ferido fisicamente por alguém com quem não se tem nenhuma ligação emocional resulta apenas em dor física. A pessoa pode ser ferida fisicamente por todo o corpo, mas a dor não é sentida lá no fundo, como acontece com a dor emocional. Quando uma ligação amorosa é rompida, somos arrancados de uma fonte de excitação prazerosa e de vida. O organismo inteiro se contrai, inclusive o coração. Surge a sensação de que a própria vida está ameaçada, o que induz a um sentimento de medo. Sobrevivemos a essa ameaça à nossa existência porque nem todas as ligações amorosas foram rompidas. E, exceto no caso dos bebês, as pessoas geralmente têm uma ligação disponível com outras criaturas, com a natureza, com o universo, com Deus. Sem algum tipo de ligação, não acredito que o ser humano consiga sobreviver.

Aqueles que sobreviveram à perda de amor quando crianças têm medo de romper ligações. Alguns chegam a dizer que um relacionamento ruim é melhor do que nenhum. A mera ideia de estar só é extremamente assustadora para muitas pessoas. Desperta sentimentos da infância, quando a sobrevivência estava associada a fazer parte de uma família. E está relacionada com o fato de que estar só obriga a pessoa a viver intimamente com o *self*. Se o próprio *self* é fraco, incerto e inseguro, estar só com o próprio *self* não é agradável. Mas a insegurança que torna difícil viver só compromete o convívio do indivíduo com o outro. Ele sente necessidade de uma ligação para reduzir a dor emocional, mas esta nunca é aliviada por outra pessoa. Então ele se torna cada vez mais dependente, o que resulta em abuso físico, que para alguns parece preferível à dor emocional de estar só.

A dor emocional é descarregada pelo choro, que alivia o estado de contração crônica do corpo. Para ser eficiente, o choro deve ser tão profundo quanto a dor e estar ligado à convicção de que é inútil procurar alguém que recupere a bênção da infância, da inocência e da liberdade. Ao mesmo tempo, é preciso desenvolver um *self* mais forte, energizar o corpo e perceber a própria raiva. Um indivíduo traído normalmente sentiria uma raiva assassina do traidor. Como lidar com esse sentimento quando o traidor é um genitor? Quando a pessoa traída é uma criança cuja sobrevivência depende dele, a raiva deve ser reprimida. Porém, para reprimir um sentimento tão poderoso, uma enorme tensão deve ser desenvolvida no corpo. Essa tensão debilita o senso de *self* e frustra a capacidade do indivíduo de ser agressivo na satisfação de suas necessidades. Sem a capacidade de lutar, torna-se uma vítima cuja meta é a sobrevivência em vez da alegria.

Certa vez recebi um homem de quase 50 anos que se queixava de tensão em volta da cintura e de ansiedade e desconforto no ventre, que vinha suportando por muitos anos. Esse paciente, a quem chamarei de Harry, fizera vários tipos de terapia durante longos anos, inclusive psicanálise tradicional, mas esse problema nunca foi tratado. Era forte, de boa aparência, bem-sucedido na carreira e, segundo ele, tinha um bom casamento. Era médico, como seu pai havia sido antes de se aposentar, por isso tinha certo conhecimento da literatura que trata dos problemas do corpo e da mente. Perturbava-o o fato de que seu estado não tinha melhorado com as diferentes terapias. Ele conhecia a análise bioenergética, mas nunca a experimentara. Fui-lhe recomendado como autoridade no assunto.

Quando vi seu corpo, fiquei surpreso com a pouca sensibilidade de sua parte inferior. Embora tivessem uma aparência normal, suas pernas pareciam fracas e sem vida. Suas nádegas estavam extremamente contraídas; por isso, suas coxas e seus pés estavam virados para fora. Eu podia ver a faixa de tensão na região lombar de suas costas, mas Harry não sentia dor ali. Essa falta de vitalidade na metade inferior de seu corpo estava em acentuado contraste com a aparente vitalidade na metade superior, que mostrava uma musculatura bem desenvolvida. Quando apontei isso para Harry, ele reconheceu minhas observações. Embora tivesse trabalhado com outros terapeutas em nível corporal, nenhum deles havia constatado esse desequilíbrio, cujo significado estava bastante claro. Harry havia sido aniquilado por uma forte ameaça de ansiedade de castração, que o fez eliminar a sensibilidade na parte inferior do corpo.

Para confirmar essa conclusão, perguntei-lhe sobre seu passado. Era o mais novo de três meninos e, como o bebê da família, era adorado por sua mãe. Isso criou um grande problema, pois seu pai sentia inveja e raiva do sentimento que a mãe nutria pelo menino. Essa raiva assumiu a forma de surras sempre que ele não lhe obedecia, fazia algo que não devia ou apenas discordava do pai. As crianças pequenas anseiam por liberdade para explorar o mundo e vão resistir e rebelar-se contra restrições; o corpo de Harry era o testemunho da extensão de seu castigo. Um castigo como esse é facilmente justificado pelo genitor como "para o seu bem". Ele deve aprender o que é certo e o que é errado e assumir responsabilidade por seus atos. Harry de fato aprendeu isso; era uma criança obediente e ia bem na escola. Aparentemente, sua vida era bem-sucedida, mas bem no fundo alguma coisa o incomodava e o deixava inquieto. Porém, ele vivenciava isso apenas como um sintoma físico e uma sensação de que algo faltando em sua vida.

Durante a conversa sobre sua infância e sua relação com os pais, levantei a questão do conflito edipiano, que me parecia tão evidente. Harry disse que sabia sobre o conflito edipiano e admitia que era relevante para a sua situação da infância, mas não via nenhuma ligação entre ele e seu problema. Como não tinha dificuldade sexual, não tinha ideia de que fosse psicologicamente castrado num grau sério. Gostava das relações sexuais com sua esposa; o que estava faltando era paixão. Harry funcionava com a cabeça, e não com as entranhas, que estavam presas pelo medo que sentia do pai. Sem paixão, não pode haver alegria.

Harry percebia que alguma coisa estava errada, mas não tinha consciência da verdadeira natureza do problema, que sempre pode ser determinada pela expressão do corpo e com base em um estudo de sua forma e motilidade.[26] O problema do indivíduo sempre é manifestado em seu corpo, pois isso é quem ele é. Na análise bioenergética, a terapia sempre começa com uma análise do distúrbio corporal, que depois é correlacionado com o problema psicológico que a pessoa apresenta. Poucas pessoas têm consciência de quanto seus sentimentos e comportamento são condicionados pela dinâmica energética do corpo. O primeiro passo de qualquer terapia integrada — ou seja, que envolva tanto o corpo como a mente — é ajudar o paciente a perceber as tensões no corpo e compreender suas ligações com seu problema psicológico. Harry veio com uma queixa física e não tinha consciência de suas implicações psicológicas. A maioria dos pacientes vem com um problema psicológico e pouca ou nenhuma consciência de sua ligação com o corpo. Harry reconheceu as implicações psicológicas de seu problema corporal quando as apontei devido à sua experiência terapêutica anterior. Porém, saber de um problema ou mesmo obter algum *insight* geralmente não surte uma mudança significativa na personalidade. A paixão que Harry precisava sentir não estava no comando de sua mente; encontrava-se bloqueada pela repressão do sentimento e só poderia ser redespertada quando essa repressão fosse eliminada.

Harry nunca havia expressado plenamente sua raiva contra o pai pelas surras que recebeu. Essas surras aniquilaram seu espírito e ele se tornou um "bom menino", respeitando o pai e fazendo o que era esperado dele. Não percebia a injustiça de seu tratamento, embora na vida adulta fosse muito sensível à injustiça política. Não sentia raiva nenhuma contra a mãe por permitir as surras e por não protegê-lo contra um pai ciumento e enraivecido. Sua raiva estava aprisionada em tensões no alto das costas que ele não conseguia descontrair porque não tinha nenhuma base sobre a qual se apoiar. Retirara sua energia da parte inferior do corpo porque se sentia culpado pelo envolvimento sexual com a mãe. Não tinha consciência de sua culpa porque não estava em contato com sua raiva.

Harry tinha de sentir sua perda antes que fosse capaz de mobilizar a raiva necessária para libertar o próprio corpo. Comecei a terapia levando-o a fazer exercícios bioenergéticos com as pernas para que pudesse perceber a perda de sensibilidade nelas. O exercício de *grounding*, descrito anteriormente, no qual a pessoa toca o chão com as pontas dos dedos, mostrou-se útil. Depois de alinhar as pernas para que os pés ficassem ligeiramente virados para dentro e os joelhos posicionados sobre o centro dos pés, ele conseguiu sentir alguma vibração. Depois, ficou em pé com as pernas na mesma posição e o peso do corpo deslocado para a frente, na parte arredondada da sola dos pés; sentiu então mais contato com as pernas e mais vida nelas, o que o ajudou a entender o direcionamento da terapia, ou seja, "se entregar" à parte inferior do corpo.

Sobre o banco bioenergético, sua respiração era curta e restrita ao peito, que estava contraído. Ele não conseguiu emitir um som prolongado que permitiria que a onda respiratória chegasse até o ventre, tampouco chorar. E é óbvio que não sentiu nenhuma raiva. No entanto, consegui fazer Harry chutar enquanto estava deitado na cama e dizer: "Me deixe em paz". Fez sentido para ele realizar esse exercício e obteve algum sentimento enquanto o fazia. Teve dificuldade de fazer um exercício sexual específico, o que o fez perceber a dor e a tensão nas pernas. A dor desapareceu assim que ele interrompeu o exercício, o que foi lamentável por um aspecto: Harry tinha de sentir sua dor muito mais intensamente para despertar a raiva reprimida. Essa é uma regra geral em terapia. O paciente só reagirá com vigor quando seu problema lhe causar uma dor física e emocional suficiente para tornar inexpressiva a sua sobrevivência. Para Harry, sobreviver significava ser um bom menino e fazer o que era esperado dele. Ele tinha esperança de que sua atitude traria a recompensa do amor, que tinha a promessa de alegria, mas depois de muito trabalho árduo finalmente aprendeu que a alegria é o sentimento que se tem quando se é verdadeiro com o próprio *self*.

Bater numa criança em qualquer circunstância é abuso físico e algo inconcebível. Dá resultado porque a criança fica aterrorizada, como qualquer uma ficaria ao perceber sua impotência contra o poder destrutivo de um superior. Se o superior for um genitor, de quem ela é dependente, esse medo torna-se arraigado na personalidade. Quando a criança se transforma em adulto, há dois direcionamentos: o indivíduo pode assumir uma posição passiva, na esperança de conquistar reconhecimento e amor por ser bom, fazendo boas coisas para os outros e não causando problemas — Harry pertencia a essa categoria; ou tornar-se rebelde e atuar a ira que guarda em seu interior. Esses indivíduos tornam-se algozes dos filhos e cônjuges.

Alguns oscilam entre esses dois padrões, dependendo da situação. Os padrões neuróticos são mantidos pela ilusão de que alguém pode fornecer o amor buscado. Mas ninguém consegue amar verdadeiramente esses indivíduos, pois estão repletos de culpa e não amam a si mesmos; seria como despejar água no ralo. É difícil amar alguém que não é alegre e não consegue reagir ao amor com alegria. O fracasso dessa relação tende a torná-lo mais passivo e irado. Ao negar a traição, mesmo que a negação seja inconsciente, a pessoa trai a si mesma e acaba se organizando para repetir a vivência da infância.

Em certos aspectos, o caso de Harry era semelhante ao de Rachel. Ela fora vítima de abuso físico pelo genitor do mesmo sexo assim como Harry, mas enquanto Rachel se odiava por não ser financeiramente independente, Harry era muito bem-sucedido no trabalho e se orgulhava de sua posição. Sua atitude diante da vida era muito positiva na medida em que ele acreditava que com boa vontade se pode alcançar todos os objetivos. Portanto, ele não sentia nenhuma animosidade para com os pais pelo dano que lhe causaram. Também estava certo de que conseguiria superar esse dano com boa vontade e esforço. Contudo, com essa atitude seria impossível atingir a intensidade de raiva capaz de libertar seu corpo das tensões debilitantes. Ele teria de fracassar no esforço terapêutico para sentir até que ponto fora roubado de sua masculinidade.

O que poderia motivar um genitor a espancar um filho tantas vezes a ponto de aniquilar seu espírito? Esse era o significado da faixa de tensão na região lombar que agia para dividir-lhe o corpo, separando a metade inferior, com sua sexualidade, da metade superior, com suas funções egoicas. Mas Harry não era esquizofrênico, nem tinha dupla personalidade. Mantinha a sanidade e um pouco de integridade abandonando sua natureza sexual. Funcionava sexualmente, mas em nível mecânico, sem nenhuma paixão real. Não havia paixão em nenhum aspecto de sua vida, inclusive no trabalho. O pai de Harry o odiava? Harry odiava o pai? Eu responderia sim às duas questões. Mas e quanto ao seu sentimento pela mãe, que o colocara na posição de rival do pai pelo amor dela? Ou por não protegê-lo contra a raiva do pai? Sua relação com a ela é complexa. Por meio de sua sedução, ela o fez se sentir especial e superior, mas à custa da sexualidade dele, pois era um meio de prendê-lo a ela. A culpa dele por seus sentimentos sexuais pela mãe era tão grande quanto sua raiva e ódio reprimidos. Por causa dessa culpa, ele não conseguia ver o pai como a pessoa fria e sádica que era. E por causa dessa culpa ele não conseguia se entregar ao amor.

Fui consultado por Louise, terapeuta que há alguns anos sentiu-se atormentada por um sentimento de culpa pelo suicídio de um de seus pacientes. Ela estava bem consciente de que não era responsável pela morte do rapaz, mas sentia que devia ter prestado mais atenção às suas expressões de angústia, que teriam indicado pensamentos suicidas. Mesmo reconhecendo que era uma terapeuta competente e que agira de modo responsável, ela não conseguia se libertar do tormento da culpa.

Essa paciente descrevia a si mesma como uma pessoa dócil. No decorrer das terapias anteriores, fizera algum progresso na capacidade de ser agressiva. Neste estudo, tenho enfatizado o tempo todo que a culpa está diretamente ligada à repressão da raiva. Essa repressão elimina as boas sensações corporais. Em seu lugar, a pessoa sente um elemento perturbador que causa desconforto. O sentimento de que algo está errado é a base da sensação de culpa. É impossível se sentir culpado quando se sente bem com o próprio *self*. Sobreposto ao sentimento de algo errado está o julgamento ao *self* de que se deveria fazer mais, empenhar-se mais, ser mais responsável pelos outros. Louise foi criada com esses mandamentos.

Quando investigamos sua história, ela fez um relato chocante de violência física. Quando pequena, era constantemente espancada pelo pai com o cinto ou a mão, geralmente em suas nádegas nuas. Ele era um homem violento e ela tinha muito medo dele. Nas terapias anteriores, expressara alguns sentimentos de raiva contra ele, mas nunca com a intensidade adequada diante de tal violência. Perguntei-lhe se já desejara que o pai morresse. Ela disse que não. Porém, eu tinha certeza de que ela tinha uma tremenda ira dentro de si contra ele por tê-la tratado com tanta violência, uma ira que reprimira por medo. Seu sentimento de culpa decorria diretamente dessa repressão e fora transferido para o seu paciente, a quem estava inconscientemente tentando salvar de sua própria raiva contra os homens.

Fiz um exercício com Louise para ajudá-la a sentir sua ira. Esse exercício foi descrito no Capítulo 5, mas vou repeti-lo aqui porque é muito útil para fazer que um paciente sinta sua raiva. Ela se sentou numa cadeira de frente para mim e me sentei em outra a um metro dela. Pedi-lhe que cerrasse as mãos como se fosse dar socos, projetasse o maxilar inferior para a frente, arregalasse os olhos, apontasse os punhos para mim e dissesse: "Eu quero matar você". Foram necessárias várias tentativas até que ela se entregasse ao exercício. Quando o fez, seu olhar ficou maníaco e pude sentir a intensidade avassaladora de sua ira. Fiz esse exercício muitas vezes com pacientes individuais e em grupos, e ninguém jamais foi atacado de fato. Nesse exercício, a expressão é de raiva, não de ira, porque o indivíduo nunca perde o controle. Mas em quase todos os casos ele obtém uma sensação de força e poder, além de um sentimento do *self* mais forte.

Depois desse exercício, Louise perdeu sua aparência dócil. Seu rosto ficou mais vivo e com uma expressão mais forte. Ela entendeu a ligação entre a raiva contra o pai e a culpa pelo suicídio de seu cliente e sentiu-se imensamente aliviada.

Quando uma mulher reprime sua raiva contra o pai por traição ao seu amor, tal raiva é transferida para todos os homens, mesmo que inconscientemente. Ela surgirá de maneira sutil para destruir o relacionamento. Do mesmo modo, os homens que reprimiram a raiva contra a mãe por tê-los dominado ou fracassado em protegê-los contra um pai hostil necessariamente projetarão essa raiva em todas as mulheres. Cada mulher representa a mãe sedutora e, ao mesmo tempo, castradora. Enquanto essa raiva não for expressa, o homem não se sente livre para ser ele mesmo; assim, sua relação com as mulheres fica comprometida. O parceiro será culpado pela falta de satisfação no relacionamento, que na realidade decorre de uma insatisfação na própria pessoa. Culpar o parceiro é uma traição ao amor que se recebeu. Para que um relacionamento amoroso dê certo, é preciso estar livre de culpa, a fim de que seja possível expressar todos os sentimentos de maneira apropriada. Para tanto, a pessoa tem de conhecer o próprio *self* profundamente, o que é a meta da terapia.

8. Abuso sexual

O abuso sexual é a forma mais hedionda de traição ao amor, visto que a sexualidade costuma ser uma expressão de amor. O abusador se aproxima da vítima como se estivesse oferecendo amor, mas depois se aproveita de sua inocência ou impotência para satisfazer suas necessidades. A traição à confiança constitui o aspecto mais pernicioso desse crime, mas a violação física acrescenta uma dimensão importante de medo e dor a essa ação destrutiva. Os indivíduos abusados sexualmente carregam cicatrizes dessa experiência pelo resto da vida. A mais séria é a repressão da experiência, por sentirem vergonha e nojo do que aconteceu. Porém, quando esses sentimentos são reprimidos, provocam um profundo vazio interior e confusão. As vítimas de abuso sexual não conseguem se entregar ao próprio corpo ou ao amor, o que significa que não há a menor chance de realização em sua vida. Para elas, a viagem de autodescoberta é uma aventura das mais assustadoras. Seu tratamento requer uma consciência especial desse problema.

Quão comum é o abuso sexual? Depende do que consideramos abuso sexual. Estudos estatísticos baseados em questionários enviados a adultos indicam que de 30% a 50% dos que responderam relataram ter sofrido abuso quando crianças. Se qualquer violação da privacidade de uma criança referente ao seu corpo e sexualidade for considerada abuso sexual, acredito que essa incidência seja maior que 90%. Uma paciente recordou da vergonha e da humilhação quando, aos 3 anos, foi forçada pela família a posar nua para uma foto. Comentários públicos a respeito da sexualidade em desenvolvimento de uma criança podem ser considerados uma forma de abuso sexual. Quando um pai espanca a filha pequena nas nádegas nuas, isso é, na minha opinião, um ato de abuso tanto sexual como físico. Se o pai obtém excitação sexual de suas ações, a criança percebe. Uma paciente relatou que pediu ao marido que a espancasse nas nádegas — algo que a excitou sexualmente a ponto de a relação sexual que se seguiu ter sido a melhor que vivenciou. Esse é um típico comportamento masoquista.[27] Sem dúvida, decorria do fato de que essa mulher fora espancada assim pelo pai quando criança, o que a excitou sexualmente. Práticas masoquistas ou sádicas associadas ao sexo decorrem de vivências de infância que ficaram gravadas na personalidade. Muitas pessoas usam fantasias masoquistas, como a de ser amarradas enquanto estão envolvidas no ato sexual, para ajudá-las a atingir o clímax. Eu iria mais longe e diria que sempre há implicações sexuais quando um adulto bate numa criança.

Hoje, no entanto, estamos conscientes de que muitos casos de abuso sexual envolvem contato sexual direto entre um adulto ou adolescente e uma criança. Também falamos desses casos como uma forma de incesto. Quando ocorrem esses contatos diretos, seu efeito é devastador para a personalidade da criança, e a gravidade disso é inversamente proporcional à idade dela — ou seja, quanto mais nova a criança, mais grave o dano. Fiquei chocado ao saber de casos com bebês. Quando o abuso sexual acontece em idade muito precoce, a criança reprime toda a memória do ocorrido suprimindo os sentimentos a eles associados. A repressão envolve o amortecimento de uma parte do corpo. Quando os sentimentos tornam-se vivos novamente, a memória é despertada. Essa situação será ilustrada no caso seguinte.

Madeline estava com quase 50 anos quando tomou consciência de que tinha sido vítima de abuso quando era bem pequena. Ela percebia que algo estava errado em sua vida porque em ambos os seus casamentos sofrera abuso físico dos companheiros. Contudo, não associava o tratamento abusivo deles à possibilidade de abuso sexual no início da vida. Tanto sua mãe como seu pai eram alcoólatras, mas como também eram reservados e mantinham Madeline afastada das outras crianças, ela considerava sua vida em família normal.

Madeline era uma sobrevivente. Dirigia um negócio bem-sucedido e criara quatro filhos até a idade adulta. Também tivera a coragem de deixar os dois homens que a maltrataram, mas não sentia raiva deles. Só sabia que precisava sair daqueles relacionamentos. Um dia, a melhor amiga de Madeline incentivou-a a participar de um grupo de sobreviventes ao incesto. Quando ouviu outras mulheres contando como sofreram abuso sexual por um genitor quando criança, começou a compreender que ela devia ter passado por experiência semelhante. A ideia a deixou aterrorizada, mas não saía de sua cabeça. Começou a sentir o medo em seu corpo, o que então conseguiu associar a um ato de abuso.

Madeline veio me procurar após uma vivência com outro terapeuta, que, no fim de uma sessão, deu-lhe um abraço pressionando sua pelve contra a dela. Ela ficou ao mesmo tempo nervosa e assustada. Depois de relatar esse incidente, continuou contando sobre a percepção consciente que adquirira no grupo de sobreviventes ao incesto: a de que seu pai abusara dela quando ela tinha 1 ano de idade. Essa informação pareceu-me inacreditável, mas como não tinha nenhuma razão para questionar seus sentimentos, admiti que fosse possível. Ao longo dos dois anos seguintes de terapia, fiquei convencido de que aquilo acontecera. À medida que o trabalho com seu corpo progredia e ela começava a ter sensações no assoalho pélvico e no reto, entrou em pânico. O medo era tão grande que ela eliminava todo sentimento e se dissociava do corpo. Esse medo confirmava sua crença de que fora penetrada no reto quando muito pequena.

O fenômeno de dissociação é um processo típico do estado esquizoide, em que a mente consciente não está identificada com os fatos corporais. O "eu" da mente consciente atua como um observador do que está acontecendo no corpo. A ligação entre o eu observador e o eu agente está rompida. A razão para essa ruptura é que a vivência é assustadora demais para ser integrada pelo ego, que se protege dissociando-se dela. Em casos extremos, em que o medo torna-se terror, há uma ruptura mais grave do corpo, o que resulta na despersonalização, caracterizada como um colapso nervoso que poderia levar à esquizofrenia. Madeline nunca se tornou esquizofrênica. Porém, a ligação entre seu corpo e sua mente era vulnerável, sujeita a um rompimento sempre que seu medo se aproximava do nível do terror. Isso constituía o estado esquizoide.[28] Em um estado mais avançado, ela teria se dissociado a ponto de não sentir que tinha um corpo. Felizmente, esse estado grave teve curta duração. Aos poucos, ela recuperou a ligação entre a mente consciente e o corpo, o bastante para sentir a realidade do *self* físico. Contudo, essa ligação era superficial em vez de profunda, o que a impedia de perceber quanto fora prejudicada. Abaixo da superfície estava uma criança aterrorizada.

No cotidiano, ninguém imaginaria que Madeline fosse tão aterrorizada. Ela era inteligente e conseguia lidar razoavelmente bem com os fatos comuns da vida. O terror só surgia quando um sentimento forte emergia e a tirava do controle. Visto que ela precisava ser mais agressiva para se proteger de abusos, pedi-lhe que fizesse o exercício de chutar a cama e dissesse em voz alta: "Me deixe em paz". Se sua voz se elevava até que um grito irrompesse, ela se encolhia em posição fetal num canto da cama, choramingando como uma criança aterrorizada. Levou vários minutos até que o medo cedesse até que ela conseguisse voltar ao seu *self* "normal" e fosse capaz de sair do meu consultório com alguma sanidade. Também era muito difícil para ela chorar, porque qualquer perda de controle a lançava em terror. Acredito que com minha empatia, apoio e incentivo ela revelou seu sentimento, o que lhe permitiu vivenciar uma forte raiva sem ficar aterrorizada nem se dissociar.

Observando a rotina de Madeline, não se suspeitaria do grau de perturbação em sua personalidade. Ela agia com a cabeça e pouca sensibilidade corporal. Entretanto, tinha sentimentos sexuais e muitos homens eram atraídos para ela. Alegava gostar do contato com eles, o que acredito que fosse verdade, mas era uma vivência dissociada, pois ela não estava conectada com sua sexualidade, que era limitada ao aparelho genital e desprovida de paixão. No nível superficial de sua personalidade, era uma mulher madura, mas num nível profundo era uma criança aterrorizada, perdida e desamparada. Conforme foi tendo mais contato com a criança aterrorizada, começou a sentir seu corpo de modo diferente — não como algo que podia usar, mas como a pessoa que era. E seu terror e medo diminuíram.

Dados o horror da infância de Madeline e a perturbação resultante em sua personalidade, poderia ser difícil compreender seu prazer sexual. Porém, é preciso levar em conta que havia uma cisão em sua personalidade e que a sua sexualidade era muito superficial, assim como os outros sentimentos. Ela não conseguia se conectar com sua sexualidade como uma expressão do *self*, assim como eu não consegui me conectar com o grito emitido por minha garganta durante minha primeira sessão com Reich. O grito é um som intenso, mas não havia nenhum sentimento de intensidade em mim. Do mesmo modo, o sexo deveria ser uma vivência intensa, mas para Madeline e outros indivíduos vítimas de abuso sexual não é vivenciado como tal. Qualquer forma de abuso, físico ou sexual, que aterrorize uma criança faz que ela se dissocie de seu corpo. Para Madeline era difícil vivenciar qualquer sentimento intenso sem ficar aterrorizada e dissociar-se. Seu corpo era incapaz de tolerar a carga e sua mente não conseguia integrar a emoção.

Na terapia, Madeline trabalhou fisicamente para aprofundar sua respiração e ceder ao sentimento em seu corpo. No entanto, cada passo mais profundo num sentimento mais forte a lançava num episódio de terror, em que se fechava e se dissociava. Embora ela depois reconquistasse o autocontrole, disse-me que ficava fora do próprio corpo durante algum tempo. Ficar fora do corpo significava eliminar todos os sentimentos e funcionar exclusivamente com a mente consciente. Aos poucos, o medo diminuiu e ela conseguiu suportar mais emoções e sentimentos sem ficar aterrorizada e dissociar-se. Caso acontecesse, agora ela conseguia voltar rapidamente, o que reconhecia como um progresso significativo. Lembro-me da sessão em que Madeline comentou com entusiasmo: "Consigo sentir meus pés".

A questão do abuso muito precoce continuava difícil de resolver. Ela se sentia extremamente vulnerável no ânus e em volta dele, o que me fazia pensar como podia ter relações sexuais aparentemente normais dada a quantidade de medo vivenciado em seu assoalho pélvico. Madeline contou-me que gostava de sexo, mesmo com os homens que abusaram dela. De fato, ela era muito sedutora, embora não tivesse plena consciência desse aspecto de seu comportamento. Embora fosse uma menininha aterrorizada em nível profundo, era também uma mulher sofisticada na superfície, que ficava excitada com a atenção sexual dos homens. Sofisticação é a palavra certa, pois embora denote a ausência de inocência, indica também falta de culpa, o que é irreal. Para sobreviver, Madeline aceitara a perversidade de seu mundo como normal. Se o mundo é sexo, ela aprenderia a usá-lo. Assim, apesar do abuso sexual ocorrido na infância e do abuso físico em sua vida de casada, Madeline não sentia ódio dos homens e nenhuma raiva contra eles.

Tanto o ódio como a raiva estavam nela, mas haviam sido eliminados pela necessidade de sobreviver, o que ela fazia mostrando-se sexualmente disponível para os homens. Afinal, se eles eram tão desesperados por contato e descarga sexuais, por que não ceder a eles? A submissão remove a ameaça de força e violência e nega o medo. É um falso raciocínio de mulheres que foram vítimas de abuso pensar que homem nenhum as machucaria se cedessem a ele.

Há, porém, outro elemento na personalidade das vítimas de abuso infantil que molda seu comportamento tanto quanto o medo e a impotência associados com a agressão: a forte excitação sexual limitada ao aparelho genital e dissociada da personalidade consciente. O abuso sexual precoce tanto assusta como excita a criança. Essa excitação não é integrada ao seu corpo e ego imaturos, mas deixa uma marca indelével. A criança entra momentaneamente no mundo adulto, o que abala sua inocência, mas a partir daí a sexualidade se torna uma força irresistível e arrebatadora, embora dissociada, na personalidade. Marilyn Monroe é um exemplo dessa condição. Ela corporificava a sexualidade, mas não era uma pessoa sexual. Era como se representasse um papel sexual sem estar identificada com ele em nível adulto. Sua personalidade adulta estava dividida entre uma mente sofisticada e uma dependência e um medo infantis. Era sexualmente sofisticada, mas muito superficial, encobrindo uma sensação latente de estar perdida, desamparada e assustada. Em estudo anterior, caracterizei Marilyn como um exemplo de personalidade múltipla.[29]

Foi-me encaminhada uma jovem para que eu a ajudasse a compreender sua vida confusa. Betty, como a chamarei, fora criada em lares adotivos e relatava uma história de abuso sexual a partir dos 10 anos de idade. Sua confusão relacionava-se aos problemas que tinha com os homens. Eles eram atraídos para ela (que era atraente), mas os relacionamentos com eles não davam em nada. O mais notável a respeito de Betty era que ela exalava um aroma sexual quase palpável, mas estava completamente inconsciente dele. Ela existia em dois níveis: um superficial, no qual era uma mulher sexual — sofisticada e competente em questões triviais; e outro mais profundo, no qual era uma criancinha aterrorizada, incapaz de chorar profundamente ou de ficar furiosa. Comportava-se como se estivesse possuída por uma carga sexual que era uma força estranha em sua personalidade, sobre a qual não tinha nenhum controle. Betty não tinha consciência do efeito desse forte aroma sexual sobre um homem, pois não o percebia. Ele não estava sempre presente: surgia só quando ela estava inconscientemente tentando seduzir um homem para obter intimidade sexual. Sua sedução, entretanto, não era uma expressão de paixão, mas de necessidade.

Betty precisava de minha ajuda, e uma maneira de obtê-la era excitar meu interesse sexual por ela pela emanação sexual. Ela não estava emitindo conscientemente um aroma genital; ele era causado pelo fato de que sua vagina estava carregada e excitada, o que, entretanto, ela não sentia. Essa excitação era fruto do abuso e não de seu próprio sentimento; assim, ela não se identificava com isso. Aprendera a usá-lo cedo na vida por meio de suas vivências em lares adotivos. Descobrira que, embora suas mães adotivas fossem hostis com ela porque, como mulheres, desconfiavam de sua sexualidade, os homens reagiam sexualmente a ela. Quando criança, consciente ou inconscientemente, tentara obter apoio de seus pais adotivos, mas eles a usaram para fins próprios. Estou certo de que em algum nível eles lamentavam a sua sorte e queriam ajudá-la, mas num nível mais imediato aproveitavam-se de sua necessidade e desamparo para usá-la e abusar dela. Em seu desespero, ela consentia, acreditando que em algum nível eles a amavam. Isso não dava certo. As mães adotivas percebiam o que estava acontecendo e Betty era enviada para outro lar adotivo, onde os mesmos fatos se repetiam.

Betty não ficou muito tempo em terapia comigo e não tive tempo de analisar seu histórico completo. Ela havia reprimido a maior parte de suas primeiras memórias, e na época em que a atendi, há muitos anos, eu não tinha a capacidade de compreensão que agora tenho a respeito dessas questões. Aprende-se com as próprias falhas. Porém, eu intuía que essa devia ser a situação, já que Betty me fora encaminhada pelo homem com quem estava vivendo e para quem trabalhava, que eu sabia ter a personalidade de um tirano. Sua maneira de abordar as mulheres era oferecendo ajuda, que ele acreditava ser genuína, mas quando elas correspondiam ele as usava sexualmente. Esse é o tipo de homem a quem Betty era atraída por força da compulsão para repetir. Madeline agia por força de uma compulsão semelhante para se envolver com homens que abusavam dela fisicamente, assim como Martha, cujo caso apresentei no Capítulo 3. Enquanto essas mulheres continuarem obcecadas pela busca de um homem que as ame e proteja, serão usadas e sofrerão abuso. Seus relacionamentos com os homens não dão certo. Os homens reagem a elas como objetos sexuais, e não como pessoas sexuais, porque essas mulheres não se consideram pessoas. Seu senso de identidade está seriamente comprometido pelo abuso sexual.

O abuso sexual superexcita prematuramente o aparelho sexual da vítima. Apesar do medo que sentem, a excitação sexual do contato fica marcada na personalidade porque não é descarregada pelo aparelho sexual. Elas se tornam atraídas por um homem considerado semelhante em personalidade ao tirano, e sua submissão sexual é uma tentativa inconsciente de libertar-se de sua obsessão revivendo a situação e completando a descarga. Porém, isso nunca acontece devido à dissociação.

Lucille contou-me que estava sempre consciente de uma excitação na vagina que ela vivenciava como um elemento estranho ou desconhecido. Uma parte significativa de seus atos sexuais tinha como objetivo descarregar essa excitação para que ficasse livre de seu tormento. Isso não dava certo, porque a liberdade que sentia depois do sexo era fugaz. Ficava literalmente possuída por uma força estranha, a carga sexual de seu algoz, que ela era incapaz de descarregar. A descarga só ocorre quando a excitação flui para baixo através do corpo, para dentro e depois para fora do aparelho genital. Ser violentada em idade muito tenra, ou seja, antes que se desenvolva a capacidade de descarregar a excitação pelo orgasmo, faz que esses órgãos se tornem carregados de uma força sobre a qual o indivíduo não tem controle. A menina fica literalmente privada dos próprios órgãos genitais.

A vítima de abuso sexual pode recuperar seus órgãos sexuais permitindo que a excitação flua para baixo e dentro deles. Esse é o padrão sexual normal, mas nesses casos eles estão bloqueados fisicamente por uma faixa de tensão em torno da cintura e psicologicamente por fortes sentimentos de vergonha das próprias partes sexuais, que são consideradas impuras. Muitas mulheres sentem vergonha de sua sexualidade porque não lhes foi permitido desenvolvê-la como uma expressão de amor. E, no entanto, a sexualidade é uma expressão de amor, um desejo de estar próximo e unido com outra pessoa. Infelizmente, esse amor é quase sempre misturado com seu oposto — a hostilidade. A maioria dos seres humanos tem sentimentos ambivalentes devido a suas experiências de infância, nas quais o amor de seus pais era misturado com sentimentos negativos e hostis. Isso fica claro nos casos já descritos, mas acredito que também seja verdadeiro para a maioria das relações familiares. É impossível se entregar plenamente ao amor depois de ter sido traído por aqueles que se amava e em quem se confiava. Atendi inúmeras mulheres vítimas de abuso sexual com padrões semelhantes de comportamento. São pessoas inteligentes cuja vida foi gravemente prejudicada por terem sido vitimadas. Todas têm personalidades múltiplas em consequência do conflito entre sua excitação sexual e seu medo, entre a sensação de ser desejável e um forte sentimento de vergonha. E, em todos os casos, a sexualidade não era um aspecto integrado de sua personalidade.

Há alguns anos, fui consultado por uma mulher muito bonita de cerca de 40 anos chamada Ann. Ela apresentava uma rigidez corporal extrema que dificultava todos os seus movimentos. A paciente relatou que, ao ser escolhida rainha do festival anual da faculdade, teve dificuldade de descer os degraus para receber a coroa. Os médicos foram incapazes de tratar aquele problema, porque não encontravam nenhum distúrbio neurológico. Ela acreditava que tinha fundo emocional. Dos 12 aos 18 anos, seu pai fez sexo com ela regularmente. Ele estava apaixonado por ela e ela por ele. Ann o descrevia como um homem importante em sua comunidade, admirado e considerado por todos, inclusive por ela. Sua explicação para o seu problema era que não conseguia atingir o clímax no sexo com ele porque depois se sentia culpada e envergonhada. Não se entregando aos seus sentimentos sexuais, ela acreditava que estava fazendo isso pelo pai — pois ele precisava dela. Ela alegava amá-lo, o que estou certo de ser verdade. E estou certo de que ele a amava — mas também a traiu. A traição dele dificultou sua entrega sexual aos homens. Fora casada por muito tempo com um homem a quem amava, mas disse que levou anos até conseguir ter um orgasmo com ele. Dado o grau de rigidez corporal de que ainda sofria, não acho que fosse fácil simplesmente ceder à paixão do amor: ela fora mais prejudicada do que sabia ou reconhecia.

A traição, como a deslealdade, sempre foi considerada um pecado capital, que nos tempos antigos merecia pena de morte. Estou certo de que Ann guardava uma tremenda raiva contra o pai por seu comportamento. Sua rigidez não era apenas um meio de controlar a paixão; servia também para reprimir e controlar a ira. Assim como derretemos de amor, enrijecemo-nos e tornamo-nos frios de ódio. O ódio, no entanto, estava na camada externa de músculos, e não em seu coração. Como todos os indivíduos vítimas de abuso sexual, ela estava dividida: em seu coração, amava o pai, mas na camada muscular resistia e odiava-o. Sua beleza era uma expressão de seu poder de atração sexual, mas sua sexualidade não estava plenamente disponível para ela.

Atendi Ann somente duas vezes, porque ela morava em outra região do país. Quando falamos de sua vida e de seus problemas, senti que ela não estava preparada para revelar sua raiva contra o pai, nem queria fazê-lo. Porém, sem a descarga dessa raiva, seria impossível atenuar a rigidez muscular que a atava como uma camisa de força. Nos indivíduos que sofreram abuso sexual há uma forte resistência a dar vazão à raiva contra o algoz. Em parte, essa resistência decorre da culpa por ter participado dos atos sexuais, quer essa participação tenha sido voluntária ou forçada. Entretanto, também decorre de um medo da raiva em si, que é vivenciada como desejo de matar. Matar um genitor é o crime mais hediondo, não obstante a traição tenha sido dele. A resolução dos conflitos criados pelo abuso sexual só pode ocorrer por meio de uma abordagem terapêutica que ofereça uma situação controlada para a expressão dessa raiva.

Estudos demonstram que crianças do sexo masculino são quase tão vítimas de abuso sexual quanto as do sexo feminino. Alguns foram violentados pelos pais; outros, por outros homens mais velhos; outros, ainda, pelos irmãos mais velhos. Quando isso acontece, tem o mesmo efeito sobre a personalidade de um menino que tem sobre a de uma menina. Se há penetração anal, a criança vivencia dor e medo intensos, que podem levá-la a dissociar-se de seu corpo, como Madeline fez. O abuso sexual de um menino cometido por um homem mais velho abala a masculinidade em desenvolvimento da criança e faz que se sinta envergonhada e humilhada. Não acredito que tais vivências criem uma tendência homossexual na personalidade do menino, mas a fraqueza resultante de sua identificação masculina poderia predispô-lo a esse padrão de comportamento sexual.[30] O dano para a personalidade da criança é causado pelo impacto emocional da vivência. Medo, vergonha e humilhação são sentimentos devastadores para alguém que não tem meio de descarregar e recuperar-se do insulto desse trauma. O abuso físico de uma criança pelo pai, como em surras repetidas, tem efeito semelhante na personalidade do menino e, como assinalei no capítulo anterior, deve ser considerado uma forma de abuso sexual.

O abuso sexual é tanto uma demonstração de poder quanto de amor sexual. A sensação de poder sobre outra pessoa atua como um antídoto para o sentimento de humilhação que o algoz sofreu quando foi vítima de abuso na infância. A questão do poder também entra na atividade sexual mesmo quando ocorre entre adultos que consentiram nisso, como em práticas sadomasoquistas. O algoz em geral é alguém que se sente incapaz de ser homem ou uma mulher em nível maduro. Esse sentimento de impotência desaparece quando a vítima é uma criança, um adulto indefeso ou um parceiro submisso. O algoz se sente poderoso nessa situação, o que significa que também se sente sexualmente potente. Quando sentimentos de poder se misturam num relacionamento sexual, ele sempre acaba se tornando abusivo. Um homem que precisa sentir poder para ser s potente necessariamente abusará da mulher. Quase sempre, quando ele é considerado poderoso, a mulher fica excitada e mais capaz de entregar-se a ele. Claro que estou me referindo àquelas que foram vítimas de abuso e se sentem impotentes. Diane, de quem falei em capítulo anterior, observou que o melhor sexo que experimentou foi com o marido que abusou dela fisicamente. O comportamento abusivo entre adultos denota uma relação sadomasoquista que permite que o indivíduo se entregue à sua excitação sexual. Para o sádico, é o sentimento de poder sobre o outro, manifestado em atos cuja intenção é ferir ou humilhar. Para o masoquista, a submissão à dor e à humilhação remove, temporariamente, a culpa que bloqueia a entrega sexual. Na submissão, a culpa é transferida para o algoz, permitindo à vítima fingir inocência.

Em certo nível, o comportamento abusivo expressa ódio — o desejo de ferir alguém. Entretanto, devemos reconhecer que há também um elemento de amor na relação. Reich reconheceu a conexão entre sadismo e amor, pois acreditava que um ato sádico se originava do desejo de contato e proximidade com alguém. Começa como um impulso de amor no coração, mas, conforme esse impulso se move para a superfície, é distorcido por tensões na musculatura relacionadas com a raiva reprimida, transformando-o em um ato lesivo. A vítima pode sentir essa dinâmica, sobretudo quando o algoz é um genitor atuando sobre o(a) filho(a). Estou sugerindo que uma criança pequena, que é extremamente sensível às nuanças emocionais de comportamento, consegue reconhecer que a punição ou o abuso tem a intenção de ser um ato de amor. O amor torna-se sádico quando não pode ser expresso. Esse reconhecimento poderia impedi-la de sentir a plenitude de sua raiva contra o algoz. A criança também reconhece a dor no algoz que o impede de expressar amor. Ela, então, fica com pena e se identifica com ele.

Os garotinhos são vítimas de abuso físico não só pelos pais, mas também pelas mães. No Capítulo 4, vimos um caso em que o abuso físico da mãe contra o filho tinha a intenção consciente e inconsciente de anular seu espírito e torná-lo submisso a ela. Nenhuma criança consegue enfrentar a violência da mãe ou do pai. Qualquer um seria aniquilado por uma vivência como essa. Porém, raramente essa destruição é total, pois isso seria a morte — embora saibamos que tais casos ocorram. Nas profundezas do corpo da criança, permanece um núcleo de resistência que sustenta a vida e fornece algum senso de identidade. A força desse núcleo depende de como o genitor se relaciona com ela após o abuso. Depois de ter descarregado sua ira reprimida, a mãe, por exemplo, pode sentir um amor profundo pela criança de que acabou de abusar. O efeito destrutivo do abuso é parcialmente reduzido na medida em que a criança sente esse amor. Se esta sente uma hostilidade profunda na mãe, que equivale à rejeição fria, ela poderia se tornar esquizofrênica. Em algum nível, as crianças são conscientes de que a surra ou o abuso físico é preferível à rejeição fria, que é a morte emocional.

A proposição geral de que os indivíduos tendem a atuar nos outros o que fizeram com eles ajuda a compreender o comportamento aparentemente irracional de uma mãe para com seus filhos. Se ela foi humilhada quando criança por qualquer expressão sexual, tenderá a fazer o mesmo com a prole. Essa tendência de atuar em inferiores indefesos só pode ser evitada se o indivíduo tiver uma consciência perspicaz do que lhe foi feito e uma percepção profunda de seu efeito destrutivo sobre sua personalidade e sua vida. Essa percepção consciente implica que se possa sentir raiva contra o genitor pelo abuso e pela violação. A mãe que sente vergonha de seus sentimentos sexuais humilhará a filha por qualquer expressão de tal sentimento: as mães identificam-se com as filhas e projetam nelas os aspectos negativos de sua própria personalidade. Assim, uma mãe pode considerar o comportamento sexual da filha devasso porque foi vista desse modo quando criança. Ao criticar a filha por ser sexual, ela está dizendo: "Você é a má, a suja. Eu sou limpa". Por outro lado, ela também pode projetar na filha seus desejos sexuais insatisfeitos, querendo inconscientemente que ela os atue para obter uma excitação indireta das ações da filha. Na realidade, ambas as atitudes podem existir numa mãe — a que conscientemente desqualifica a filha por ser sexual e a outra que inconscientemente a impele a atuar sexualmente. Essa identificação inconsciente no nível sexual de uma mãe com a filha tem um componente homossexual. A falha em ver esse aspecto da relação do genitor com o paciente pode tornar-se um obstáculo que impede o movimento deste rumo à independência e realização.

A vítima de abuso torna-se o algoz por uma identificação inconsciente com ele. Esse é o outro lado da moeda a ser reconhecido e aceito pelo paciente para que ocorra uma autoaceitação plena. Rachel relatou um sonho em que via uma menina pequena em pé perto dela, cujo rosto estava vermelho de um lado, como se tivesse sido esfregado em alguma coisa. Ela imediatamente se deu conta, no sonho, de que havia esfregado o rosto da menina em sua região púbica. Ficou horrorizada de pensar que pudesse fazer uma coisa dessas, mas, no sonho, Rachel também era a menina que fora violada.

Se o sonho reflete um incidente que pode ter acontecido com ela quando criança, por que iria querer atuá-lo em outra pessoa? Atuar em outros o abuso que sofreu permite-lhe sentir que "não estou sozinha em minha vergonha". Mas há outra motivação para esse comportamento: quando uma criança sofre abuso sexual, isso é ao mesmo tempo excitante e assustador para ela. Toda criança pequena é fascinada pelos genitais dos pais. Antes de tudo, eles foram sua fonte de vida. Também foram a chave para seu submundo de prazeres e medos. Entretanto, por causa do medo, o abuso e a excitação que o acompanha são reprimidos e só sua marca permanece. A pessoa é fortemente impelida a repetir a vivência, em geral como o algoz, mas também como a vítima. Acredito que seja assim que um adulto se torne obcecado por sexo com crianças. O desenvolvimento de sua libido fica comprometido porque parte de sua energia e excitação está encapsulada na memória reprimida e em sentimentos associados. Trazer esses incidentes à consciência é o primeiro passo para liberar a energia contida. Trazer a experiência enterrada à luz reduz a vergonha, permitindo ao indivíduo sentir sua mágoa e seu medo. Aceitar ambos os sentimentos lhe permitiria chorar, aliviando a dor, e ficar com raiva, o que recuperaria sua integridade. Mas essa raiva tem de ser real e intensa para purificar e libertar o espírito.

As mães estão em uma posição única para atuar sexualmente nos filhos, porque estão mais envolvidas com o corpo deles do que os pais. O modo como tocam o corpo da criança pode ter implicações sexuais, assim como o medo de tocar — ou seja, o medo de que esse toque desperte sentimentos sexuais. Uma mãe comentou sobre seu filho de 2 anos: "O pênis dele é tão bonitinho que dá vontade de pôr na boca". O sentimento por trás desse comentário deve, de alguma maneira, ser comunicado à criança quando seus genitais estão expostos. Seu senso de privacidade em relação a esse órgão se vai. O sentimento dela invade a pelve dele e se apossa de seus genitais. Não é só um mero olhar para os genitais da criança que irá perturbá-la, é olhar com alguma consciência ou interesse sexual. As mães são aconselhadas a limpar o pênis do bebê para evitar infecções. Não acredito que seja uma boa ideia, nem que seja necessário. Desde tempos imemoriais os meninos têm crescido sem necessitar desse tipo de intervenção. O perigo de toda relação entre pais e filhos é que o vínculo tenha um forte componente sexual. Esse componente será negado e reprimido tanto pelos pais como pelo filho, mas seu efeito sobre o último é devastador, como mostram os casos seguintes.

Max, 30 anos, era filho único; seu pai morrera quando ele era pequeno. Foi criado pela mãe, que ele descreveu como uma mulher poderosa que não tinha medo de ninguém. Max era psicólogo e conhecia a análise bioenergética. Admitia que havia muitas tensões em seu corpo que o impediam de vivenciar prazer ou alegria. Trabalhava muito, mas não obtinha nenhuma satisfação real disso. Estava sempre se empenhando para conquistar uma posição que lhe permitisse sentir-se relaxado e tranquilo, mas sem sucesso. Ele sentia que tinha de lutar por tudo que quisesse, e essa atitude o envolvia em diversos processos jurídicos. Os mesmos problemas e dificuldades surgiam no relacionamento com a esposa. Tinham brigas constantes que nada resolviam, posto que o problema dele era pessoal. Conhecendo Max, seria possível descrevê-lo como um homem atormentado, mas, embora ele reconhecesse esse tormento, não sabia o que o causava.

Fisicamente, tinha boa aparência, era forte e cheio de energia, mas seu corpo apresentava características caóticas. Quando respirava, as ondas respiratórias tinham um padrão sobressaltado, convulsivo, e não fluíam facilmente. O problema era mais óbvio na metade inferior de seu corpo. Sua pelve era contraída e não se movia com a respiração. Suas pernas, embora tivessem bom desenvolvimento muscular, não lhe davam nenhuma sensação de apoio. No exercício de *grounding,* elas balançavam em vez de vibrar, e derrubavam-no. Como não tinha sensação de apoio do chão, ele se segurava em pé com a cabeça, sempre pensando, calculando, manipulando. Descrevia sua maneira de viver como muito frustrante.

Nos dois primeiros anos de terapia, Max fez pouco progresso. Lutou, esforçou-se e tentou, mas não conseguiu dar vazão a nenhum sentimento forte. Era quase impossível para ele entregar-se ao corpo. Porém, sua resistência era inconsciente. Ficou desanimado e abandonou as sessões. Não o incentivei a prosseguir porque a última coisa de que ele precisava era ser pressionado. Eu não sentia que qualquer esforço extra da parte dele ou minha ajudaria. Durante as sessões, ele havia focalizado sua relação com a mãe, que ainda estava muito envolvida na vida dele e continuava tentando controlá-lo. Ele se revoltava, mas não conseguia libertar-se, embora com meu incentivo tenha aos poucos se distanciado dela.

Cerca de um ano depois, ele retomou a terapia. Sentia que eu compreendia seu problema, embora eu tivesse sido incapaz de ajudá-lo a realizar a mudança que almejava. Entretanto, em alguns aspectos sua atitude e sua vida haviam mudado. Mostrava-se menos agressivo. A relação com a esposa estava melhor. Continuou fazendo os exercícios bioenergéticos em casa, sobretudo dar chutes na cama e respirar usando o banco bioenergético, e sentia que o haviam ajudado a se sentir melhor. Percebi uma mudança nele — estava mais aberto à ideia de entregar-se. Sobre o banco conseguia ceder mais à tristeza e chorar, embora não com a profundidade desejada. Seus chutes estavam mais fortes; eram focalizados em seu desejo de libertar-se da mãe e da pressão que ela exercia sobre ele para que lutasse contra o mundo. Por volta dessa época, ocorreram dois fatos importantes que promoveram seu anseio por liberdade. O primeiro foi a morte da mãe. De algum modo profundo, isso o libertou da influência dela. O segundo foi o nascimento de seu primeiro filho, o qual tanto ele como sua esposa queriam muito. A criança trouxe luz e alegria à vida de ambos. Embora esses acontecimentos fossem promissores para Max, ele precisava sentir essas características no próprio corpo.

Entregar-se é simplesmente "render-se" aos sentimentos. A primeira grande ruptura para Max ocorreu quando ele estava chutando a cama dizendo "Me deixe em paz", que ele sentiu ser destinado à mãe. Quando um paciente fala de querer se livrar de uma pressão, sugiro que exija isso. É preciso estar preparado para lutar pelo que se quer a fim de obtê-lo. A beligerância de Max não era a de um lutador; era mais manipuladora do que confrontadora. Sua ira latente era tão grande que ele não ousava deixar que viesse à tona. Por mais consciência desse problema que ele adquirisse em nossas conversas, isso não o aliviava do medo. Isso só aconteceria quando ele conseguisse expressar plenamente seus sentimentos de protesto e raiva. O exercício de chutar a cama é ideal para esse propósito porque não há nenhum perigo consequente a renunciar ao controle. O paciente não vai ferir a si mesmo ou outra pessoa e a espuma do colchão não será danificada. Para atingir o ponto de ruptura, os chutes têm de se tornar espontâneos e a voz deve atingir a altura de um grito. Isso aconteceu com Max. Ele "se rendeu" ao exercício e os sentimentos afloraram. Assim que terminou, sentiu que estava mais leve e livre. Essa conquista, claro, tinha de ser consolidada e desenvolvida com a repetição do exercício, dando a Max uma sensação crescente de liberdade.

No entanto, a ruptura não se estendeu para a parte inferior de seu corpo. Não libertou sua pelve. O passo seguinte na terapia requeria um trabalho com as pernas e a pelve. Para essa finalidade, recorri sobretudo a um exercício de cair que carrega energeticamente as pernas e os pés, permitindo que a carga irrompa na pelve e liberte-a. Nele, o paciente fica em pé, de costas para o banco. Com as mãos numa cadeira atrás dele para manter o equilíbrio, ele dobra os joelhos até os calcanhares saírem do chão. O peso do corpo está todo na parte arredondada dos pés, mas o paciente se segura para não cair para a frente pressionando os calcanhares para baixo, mesmo que não toquem o chão.[31] O paciente é instruído a manter a carga nos pés e não se deixar cair. Quando esse exercício é feito do jeito certo, a pelve se move espontaneamente com a respiração. Isso não aconteceu com Max, embora repetisse o exercício muitas vezes, em diversas sessões. Porém, a cada vez que fazia o exercício, mais sensibilidade surgia em suas pernas.

Max não conseguia manter a posição por mais de um minuto. Seus joelhos desmoronavam e ele caía no chão. Quando discutimos esse problema, ele disse: "Não consigo enfrentá-la. Ela está em cima de mim, me sufocando". Ao dizer isso, ficou muito enraivecido e projetou a pelve para a frente, dizendo: "Foda-se!" Depois de ter dito isso, sua pelve começou a se mover livremente com a respiração. Era a ruptura de que ele precisava.

Max não sabia se sua mãe tinha de fato deitado sobre seu corpo quando ele era criança. É provável que, como ela se deitava com ele, seu corpo fosse pressionado contra o dele, excitando-o sexualmente. Não havia dúvida de que ela estava sexualmente envolvida com ele e, depois dessa vivência, ele também não duvidava disso. Seu corpo refletia o fato de que havia sido muito excitado sexualmente pela mãe, mas era incapaz de afastar-se ou descarregar a energia. O tormento quase o levou à loucura. Ele não se dissociou do corpo, como Madeline, porque não ficava aterrorizado com a mãe. Ela não o odiava e não o violara fisicamente. Pelo contrário, amava-o, mas era sexual demais. Ao focalizar seu amor sexual em Max, ela o usava para realizar seu sonho romântico, mas para Max era uma forma de abuso sexual.

Robert era outro paciente apegado à mãe. Apesar de brilhante e atraente, não conseguia encontrar satisfação na vida ou no mundo. Queria fazer um trabalho importante, mas não conseguia. Queria um relacionamento profundo com uma mulher, o que também não acontecia. Superficialmente, Robert se sentia especial, mas em um nível mais profundo sentia-se inseguro e assustado. A excitação não fluía livremente através de seu corpo e ele tinha acentuadas tensões em torno da pelve, que reduziam sua carga sexual. A sensação de ser especial era evidente no modo como se relacionava com as pessoas. Eu o descreveria como sedutor. Ele sabia o que e como dizer, o que denotava um alto grau de controle egoico. Mas, em consequência disso, Robert tinha medo e era incapaz de entregar-se ao seu corpo, a si mesmo e à vida.

Descreveu seu passado da seguinte maneira: "A energia da minha mãe era frenética. Por um lado, isso era empolgante; por outro, avassalador. Quando eu era envolvido por ela, perdia completamente o senso de eu. Meu irmão tinha muito ciúme do envolvimento dela comigo. Ele era três anos mais velho e tinha o dobro do meu tamanho. Batia em mim e me torturava física e psicologicamente. Não tinha nenhuma dificuldade de expressar sua raiva. Eu o admirava e temia. Percebo que fiz um acordo com minha mãe em troca do meu *self*. Ela se convenceu de que eu era perfeito, não podia cometer erros e nunca mentia. Ao mesmo tempo, eu mentia o tempo todo, como ela. Porém, em nossa aliança essas mentiras eram ignoradas. Era uma aceitação de corrupção mútua. Eu a considerava perfeita. Identificava-me com ela".

Robert poderia ter se tornado homossexual, o que não ocorreu devido a certa identificação com seu pai, que tentou intervir em seu favor. Quando a mãe ameaçava o pai, entretanto, ele recuava. Por fim, ele se voltou contra Robert, o que a levou a dominá-lo.

O efeito sobre o menino foi destrutivo. Robert disse: "Sentia que estava a ponto de enlouquecer. Costumava mexer no armário e nas gavetas dela, manusear suas roupas íntimas. Não conseguia deter esse impulso nem conter a excitação; depois, quando atingi a puberdade e me envolvi mais com meus amigos, isso diminuiu".

Quando adulto, Robert lançou-se no mundo e tentou estabelecer uma vida autônoma, mas isso não era fácil, dado seu grau de distúrbio de personalidade. Ele de fato sobreviveu, o que significa que se tornou um dos incontáveis jovens que estão lutando pelo sucesso, mas cuja vida não lhes oferece nenhum sentimento real de alegria ou satisfação. Os que começam a fazer terapia são os afortunados, pois têm uma chance de elaborar problemas e obsessões e encontrar o verdadeiro significado da vida. Não se trata de uma viagem fácil nem rápida, como veremos no próximo capítulo. Eu a descreveria como uma viagem pelo submundo, onde nossos maiores medos — isto é, o medo da insanidade e o medo da morte — jazem enterrados. Se a pessoa tiver a coragem de encarar esses medos, retornará para um mundo novo e iluminado, sem as nuvens do passado.

9. Medo: a emoção que paralisa

Todos os pacientes em terapia são amedrontados. Alguns não estão conscientes de seu medo, outros o negam. Poucos estão em contato com a profundidade de seu medo. Nos capítulos anteriores, ressaltei que os pacientes temem suas emoções de amor, raiva e tristeza. E temem igualmente — se não mais — o medo. Embora não se trate de uma emoção ameaçadora, é paralisante, sobretudo quando é muito grande, como no terror. Quando aterrorizado, o organismo congela e não consegue se mover. Quando o medo é menor, ele entra em pânico e corre, mas o pânico é uma reação histérica e, portanto, um modo ineficaz de lidar com o perigo. Quando as crianças têm medo dos pais, que pode ser irracional e violento, não há para onde correr. Ficam aterrorizadas, paralisadas. No mundo selvagem, quando um animal fica aterrorizado por um predador e não consegue escapar, acaba morrendo. Se escapasse, o medo rapidamente diminuiria e seu organismo voltaria ao normal. Para a criança amedrontada, não há escapatória. Ela deve, portanto, fazer alguma coisa para superar seu estado de paralisia. Tem de negar e reprimir o medo. Mobiliza sua vontade contra ele. Contrai os músculos do maxilar numa expressão de determinação que diz: "Não vou ficar com medo". Ao mesmo tempo, dissocia-se em algum grau de seu corpo e da realidade e nega que os pais sejam hostis e ameaçadores. Essas são medidas de sobrevivência e, embora ajudem a criança a crescer e evitar um ataque parental, também se tornam um modo de vida por serem estruturadas no corpo. A criança vive em estado de medo, quer o sinta ou não.

Embora a maioria dos pacientes não perceba o grau de seu medo, não é difícil vê-lo. Todo músculo cronicamente tenso fica em estado de alerta, porém o medo é mais evidente na contração do maxilar, nos ombros erguidos, nos olhos arregalados e na rigidez generalizada do corpo. Pode-se dizer que esses indivíduos estão "petrificados de medo". Quando o corpo manifesta uma ausência geral de vitalidade na palidez, flacidez muscular e apatia do olhar, a pessoa está "morta de medo". Dizer que o medo está estruturado no corpo não significa que não possa ser aliviado. Para tanto, é preciso haver consciência dele e da tensão, além de algum tipo de alívio desta. No capítulo anterior, ressaltei que a raiva é o antídoto para o medo. O paciente tem de ficar louco — ou seja, enraivecido a ponto de se sentir fora de si ou descontrolado. Isso desperta o espectro da loucura, o medo de que "se eu abrir mão do controle, vou enlouquecer". Todo paciente tem certo medo de enlouquecer se abrir mão do controle. Neste capítulo, discutirei o medo e explicarei como lido com ele na análise bioenergética.

É comum ouvirmos pais berrarem para o filho: "Você está me deixando louco!" Essa declaração indica que o genitor está numa situação angustiante, que não suporta mais nenhuma atividade da criança, que o estresse se tornou excessivo. Porém, com base em meu trabalho com os pacientes, descobri que quem de fato é levado à loucura é a criança. Não duvido de que o estresse de criar um filho em nossa cultura hiperativa possa ser esmagador, sobretudo para pais já estressados por conflitos emocionais e conjugais. Todavia, embora o estresse, se for forte e contínuo, possa desencadear um colapso mental, essa situação não se aplica a um genitor, pois este dá vazão ao estresse. Ele pode gritar com a criança e até bater nela. A criança não tem essa opção. É obrigada a aguentar o abuso, embora muitas tentem fugir. Para suportar um estresse intolerável, é preciso amortecer o corpo e dissociar-se dele. As crianças recuam fisicamente para o quarto e psicologicamente para a imaginação. Esse recuo cinde a unidade da personalidade e constitui uma reação esquizofrênica.

A cisão pode ser uma fratura ou uma ruptura completa, dependendo da força inata da criança e da gravidade do estresse. A questão é se ela consegue se manter integrada sem se anular ou desmoronar. Uma criança mais velha, entre 3 e 5 anos, pode ter desenvolvido uma força egoica suficiente para resistir e não se anular. A resistência assume a forma de rigidez, que lhe permite preservar um sentimento de integridade e identidade. Essa rigidez depois se torna um mecanismo psicológico de sobrevivência. Abrir mão dessa rigidez é uma perspectiva muito assustadora.

A tortura, de uma forma ou de outra, é usada para aniquilar o espírito, a mente ou o corpo de uma pessoa. Não tem de ser fisicamente lesiva. Um dos métodos mais eficientes de tortura é a privação de sono. A mente não tem meios de se recuperar da assimilação de estímulos, o que exige um dispêndio contínuo de energia. Mais cedo ou mais tarde, a pessoa não aguenta e a mente dissocia-se de uma realidade intolerável. Os indivíduos esquizoides que se tornam superestressados e não conseguem dormir acabam tendo um colapso nervoso. O fator desencadeante é a estimulação constante, da qual não têm como escapar. O exemplo clássico é o método chinês de tortura em que um indivíduo é enterrado no chão até o pescoço e sua cabeça fica exposta a um contínuo pingo de água. Finalmente, a estimulação torna-se excessiva e, como não é possível escapar, insuportável e intolerável. Nesse ponto, a vítima começa a gritar a fim de descarregar a excitação, mas, se isso não traz alívio, ela é impelida para fora de sua mente. Seu controle se dispersa e sua mente perde o domínio da realidade.

A criança é mais vulnerável que o adulto a esse tipo de tortura que anula a mente — senão o corpo. Ela não consegue escapar. Sabemos que o abuso físico é um dos meios mais comuns pelos quais se pode destruir uma criança. Entretanto, o abuso verbal ou emocional é ainda mais comum. Muitas crianças são submetidas a críticas constantes, que por fim aniquilam seu espírito. Tudo que fazem está errado. A criança percebe a hostilidade dos pais, uma hostilidade profunda que não pode evitar nem entender. Esther foi um bom exemplo dessa tortura. Era a pessoa mais bem-comportada, educada e atenciosa que conheci, mas sua vida era um desastre. Nada que fizesse lhe trazia satisfação. Fracassou na profissão e em dois casamentos. Seu fracasso definitivamente não se devia à falta de empenho. Ela sempre se empenhava em fazer o certo, mas não adiantava. O empenho não lhe trouxe o amor que tanto queria. Quando criança, empenhara-se em agradar à mãe e conquistar seu amor — sem sucesso. Sua mãe era uma mulher crítica e renegava tudo que ela fazia.

Esther relatou um incidente típico da relação delas. Quando tinha 8 anos, a mãe deu-lhe um sermão por seu mau comportamento. Não era a primeira vez que era recriminada por alguma ação inocente, e Esther fez uma careta. Isso enfureceu sua mãe, que, com raiva, disse: "Não ouse fazer careta quando falo com você". A hostilidade da mãe congelou a criança, que já estava apavorada com ela. Esse estado de paralisia caracterizava Esther quando a atendi. Era uma mulher madura que estava deprimida por sua incapacidade de realizar seus sonhos. A ira assassina contra a mãe estava trancada atrás de um exterior rígido e inacessível. Entretanto, ao trancar sua raiva, ela também eliminou sua agressividade natural, restando-lhe apenas a esperança de que, sendo boa, conquistaria o amor que tanto queria. Não foi o que ocorreu, porque o amor não pode ser obtido por bom comportamento. Eliminando sua agressividade natural, ela perdeu sua paixão.

Quando seu segundo casamento fracassou, Esther percebeu a ira dentro dela. Certa vez, foi para cima do marido num acesso de fúria, o que a fez se sentir terrivelmente culpada. Essa raiva fora desencadeada pela passividade dele e constituía uma transferência da raiva que sentira do pai, que alegava amá-la, mas não a protegia da mãe. No conflito entre mãe e filha, ele ficou do lado da primeira. A traição de seu pai quase a deixou louca, mas, sem nenhum apoio, sua fúria teve de ser reprimida. Seu corpo era rígido como um pedaço de pau. Conforme a terapia progredia, Esther reconhecia o problema. Ela se descrevia como uma "esquizofrênica controlada". O que ela queria dizer, na realidade, era que, se não mantivesse seus sentimentos controlados, ficaria louca — louca de raiva, a ponto de perder o controle e matar alguém.

Algumas pessoas perdem de fato o controle e matam outras ou a si mesmas. Isso pode acontecer quando o ego se dissocia do corpo e de seus sentimentos e fica muito fraco para conter a raiva reprimida. É como se esses indivíduos inconscientemente carregassem uma granada. Torná-los conscientes dessa ira reprimida reduz o perigo de que ela irrompa com efeito mortal. Aceitar os próprios sentimentos fortalece o ego e promove o controle consciente dos impulsos. Aceitar um sentimento envolve mais do que a consciência intelectual de sua existência. É preciso vivenciá-lo e fazer amizade com ele. Quando eu era criança, um cachorro grande correu na minha direção e fiquei muito assustado. Para superar esse medo, minha mãe me deu um cachorro de pelúcia. Ajudou um pouco, mas nunca superei meu medo de cachorros, até que convivi com eles. Ajudar nossos pacientes a aprender a conviver com sua raiva de modo saudável é um dos objetivos básicos da terapia.

Em maior ou menor grau, todos os pacientes são esquizofrênicos controlados. Todos têm medo de perder o controle, de enlouquecer, porque quando crianças quase o fizeram. Gary era um homem tranquilo, de fala mansa, cujas emoções estavam amortecidas. Como Esther, tinha uma mente muito racional que governava todos os seus atos, assim como um computador. Na realidade, era um especialista em informática, mas não há nenhuma alegria em um computador ou em um indivíduo que age dessa maneira. Fizera psicanálise por vários anos, mas sem progresso na vida emocional. Trabalhar com o corpo para aprofundar a respiração e levá-lo a chorar fez que se sentisse mais vivo. Porém, ele precisava mobilizar a agressividade e a raiva reprimida. Para tanto, tinha de abrir mão de seus controles inconscientes. Levá-lo a chutar e gritar "Não aguento mais isso!" permitiu-lhe abrir caminho para um senso de *self* que não vivenciava desde a infância.

Sua história não era complicada. Ele relatou: "Minha mãe costumava me bater toda vez que eu a irritava. Tinha pavio curto. Lembro que, quando eu me queixava de algo, ela me batia. Mas eu não conseguia parar de me queixar, o que a enfurecia. Eu não tinha o direito protestar. Se eu chorasse ou dissesse alguma coisa, ela me batia com mais força. Lembro que ficava pálido, com medo de explodir. Ela me enlouquecia. Eu sabia que ela me amava, mas eu não conseguia me relacionar com ela. Ela era infeliz e eu não conseguia fazê-la feliz. Ela me enlouqueceu".

Gary não ficou louco. O que ele fez foi eliminar seus sentimentos dissociando-se de seu corpo e indo para a cabeça. Sua defesa era diferente da de Esther, que se tornou rígida a fim de se controlar. Gary tornou-se mais desvitalizado para que não houvesse sentimento para controlar. O paciente não mataria ninguém. Ele mesmo estava parcialmente morto. Sua ira só viria à tona quando ele se tornasse vivo o bastante para sentir sua dor.

E ela de fato veio à tona quando, com meu apoio, ele se sentiu seguro para se permitir enlouquecer um pouco. Respirar, chorar, chutar e gritar eram parte do trabalho terapêutico em quase todas as sessões. Para conquistar sua voz, ele teve de calar a voz da mãe, que agora estava nele dizendo-lhe o que fazer, o que ela queria, como se comportar e assim por diante. Torcendo a toalha como se fosse um pescoço, ele gritou para ela: "Cale a boca! Pare de se queixar ou mato você". Ele também bateu na cama com os punhos para destruir a imagem de sua mãe hostil. Aos poucos, perdeu o medo de que, se explodisse, enlouqueceria. Sim, ele ficaria louco, mas era a loucura da raiva, e não da insanidade. Em ambos os casos, há uma perda de controle do ego, mas no primeiro ela se dá por meio da entrega ao corpo ou ao *self*, ao passo que no último o *self* também é perdido.

Se prolongada, qualquer forma de hiperestimulação da criança pode levá-la à insanidade. Uma dessas formas é a estimulação sexual, seja por meio de contato físico ou do comportamento sedutor. A criança não tem meios de descarregar essa excitação, que depois age como um fator de irritação constante no corpo. No Capítulo 8, discuti o caso de Lucille, que relatou estar consciente de uma excitação constante em sua vagina que não conseguia descarregar. À medida que a terapia progrediu, ela tomou consciência de que havia certa "loucura" em sua personalidade. Lucille se sentia confusa e diferente das outras pessoas, o que pudemos remontar ao fato de ter ficado exposta a um pai que, por um lado, se preocupava com a sexualidade, enquanto por outro desqualificava qualquer expressão de sentimento ou interesse sexual nos outros. Sua mãe se comportava como uma puritana, mas obtinha um prazer secreto de assuntos sexuais. Essa é uma situação típica de duplo vínculo em que duas mensagens conflitantes são transmitidas à criança: uma de que a sexualidade é excitante e outra de que é ruim e suja. Além disso, seus pais demonstravam interesse por sua sexualidade — o pai tocando-a de modo inconveniente nas nádegas. Foi o suficiente para quase levar Lucille à loucura, mas ela preservou certa integridade e sanidade por meio da rigidez corporal extrema. Max, cujo caso está num capítulo precedente, quase foi levado à loucura por sua mãe, que, ele disse, ficava "em cima de mim". Ele não desenvolveu a rigidez corporal que caracterizava Esther ou Lucille. Em vez de controlar sua excitação pela rigidez, atuava-a numa sexualidade compulsiva e numa ira selvagem. Esse comportamento, entretanto, não ajudava a reduzir a excitação latente e a frustração de que sofria. A frustração decorria de tensões em seu corpo que cindiam a conexão energética entre este e a cabeça, por um lado, e entre a pelve e o tronco, por outro.

Quando observo o corpo de meus pacientes, vejo sua dor nas tensões que os prendem e restringem. A boca contraída, o maxilar projetado para a frente, ombros erguidos, pescoço contraído, peito inflado, ventre encolhido, pelve imóvel, pernas pesadas e pés estreitos são sinais do medo de se entregar. Em geral meus pacientes não se queixam de dor, embora alguns às vezes vivenciem dor em diferentes partes do corpo, como na região lombar. Queixam-se mais de certa angústia emocional, o que quase sempre é o motivo para procurarem terapia, mas no começo a maioria supõe que é psicológica. A dor física assusta a maioria das pessoas. Elas reagem a isso como faziam quando eram bem pequenas. Querem que ela vá embora. O ego da criança não consegue lidar com a dor como o de um adulto. Se a dor não vai embora, elas vão, ou seja, dissociam-se do corpo e refugiam-se na cabeça, onde essa dor não existe. O recuo ocorre quando não conseguem suportar a dor no corpo. Afastando-se dele, tornam-se capazes de tolerar a situação dolorosa, pois ela não machuca. Tornaram-se insensíveis. Adultos normais e saudáveis não recuam nem dissociam-se do corpo em situações dolorosas. Seu ego é forte o bastante para não desmoronar, exceto em situações mais incomuns, como quando estão sendo torturados. Quando um adulto desmorona ou se dissocia — como Madeline fez —, é porque a conexão entre o ego e o corpo foi enfraquecida por vivências dolorosas na infância ou no início da vida.

Retornar ao corpo é um processo doloroso, mas, ao reviver a dor, a pessoa volta a conectar-se com a vivacidade e os sentimentos que havia reprimido para sobreviver. Como não é mais uma criança dependente e desprotegida, pode aceitar e expressar esses sentimentos na segurança da situação terapêutica. Entretanto, mesmo nessa situação, os pacientes ficam a princípio assustados demais para entregar o controle egoico que assegurou sua sobrevivência.

Embora a entrega ao corpo implique abrir mão do controle egoico sobre os sentimentos, isso não acarreta necessariamente uma perda de controle das ações ou do comportamento. Porém, isso pode ocorrer se os sentimentos forem muito fortes e o ego, muito fraco. Quando a mente consciente de um indivíduo é dominada por uma excitação que não consegue administrar, ela pode perder sua capacidade de controlar o comportamento. O indivíduo fica à mercê de sentimentos que podem levar a atos perigosos e destrutivos. Tais sentimentos podem ser a ira assassina ou o desejo incestuoso. Qualquer pessoa que atue tais impulsos é considerada louca ou insana, e poderia ir parar num hospital psiquiátrico. Mas o medo da insanidade é maior do que o medo de cometer um ato hediondo. É o medo da perda do *self*. Quando a mente consciente é dominada por qualquer sentimento, isso resulta na perda dos limites do *self*. Como um rio que transborda de suas margens, não se pode distinguir o rio no volume de água. O rio perdeu a identidade, assim como o indivíduo que está inundado por um sentimento. A perda de identidade é um dos sinais de insanidade. Achamos normal uma pessoa insana imaginar ser Cristo, Napoleão ou outro personagem. Mas a perda da identidade não precisa ir a tais extremos. O indivíduo que sofre um colapso nervoso torna-se confuso a respeito de quem é, de onde está ou do que está acontecendo. É difícil considerar louco alguém que esteja consciente de sua identidade e da realidade espaçotemporal. A perda dos limites do *self* acarreta necessariamente uma perda da realidade — na verdade, a perda da percepção consciente de seu *self* real. Essa é, por si só, uma vivência devastadora. A pessoa fica desorientada e despersonalizada. Na última condição, ela não está consciente de seu corpo, mas, depois que ocorre a despersonalização, o medo desaparece. A dissociação entre mente e corpo, que é a cisão que ocorre na esquizofrenia, elimina toda percepção dos sentimentos. O medo da insanidade está ligado ao processo de dissociação, e não a estar dissociado — assim como o medo da morte é na realidade o medo de morrer. Não há medo no estado de morte. É o processo de abrir mão do controle egoico que é assustador.

No entanto, é o que buscamos em nosso ser, pois é a base para a vivência da alegria. Muitos ritos religiosos incorporam práticas que produzem um estado arrebatador de excitação no indivíduo, fazendo que transcenda os limites do *self*. Em uma cerimônia vodu da qual participei há muitos anos no Haiti, isso era alcançado por meio da dança inspirada pelo ritmo contínuo de dois tambores. O rapaz que dançou por quase duas horas ao som dessa música terminou num estado de transe no qual não tinha mais controle de seu corpo. Eu pessoalmente vivenciei uma excitação irresistível que me arrebatou a ponto de mudar meu senso de realidade. Quando era menino, lembro-me de ficar tão excitado pelas luzes, pela música e pela agitação em um parque de diversões que a cena parecia um mundo dos contos de fada. Mais tarde, recordo-me de rir tanto durante uma brincadeira que não sabia mais dizer se estava dormindo ou acordado. E vivenciei um orgasmo de intensidade tão arrebatadora que me senti fora deste mundo. Em nenhuma dessas ocasiões fiquei assustado. Nada disso teria acontecido se eu estivesse assustado — na verdade, foram vivências extremamente prazerosas, alegres ao ponto do êxtase.

Há inúmeras diferenças entre a loucura que é paixão (a paixão divina) e a loucura que é insanidade. Na primeira, a excitação é prazerosa, o que permite ao ego expandir-se até que, num último momento, é transcendido. Porém, mesmo nesse momento a transcendência não é alheia ao ego, pois é natural e otimista. É uma entrega à vida mais profunda do *self*, àquela que opera no nível inconsciente. As crianças não têm medo de perder o controle egoico. Na realidade, elas adoram isso. Ficam rodopiando até se sentirem tontas e caírem no chão, rindo de prazer. Todavia, se abrem mão do controle em tais atividades, é um ato livre feito sem pressão. A falta de controle egoico é natural nas crianças bem pequenas. O bebê nunca teve nem conheceu esse controle; como qualquer outro animal, ele é regulado por sentimentos, não pelos pensamentos conscientes. À medida que cresce e seu ego se desenvolve, ele se torna um indivíduo consciente de si que pensa a respeito de suas ações. A imposição do controle consciente permite que a pessoa adapte seu comportamento a metas maiores e mais distantes do que a satisfação de necessidades imediatas. Porém, quando agimos de acordo com nossos pensamentos e ideias, não somos espontâneos, o que elimina a alegria e reduz o prazer que a ação poderia produzir. Entretanto, posto que isso é feito em benefício de um prazer maior no futuro, é um modo natural e saudável de reagir. Torna-se um padrão neurótico quando o controle é inconsciente e arbitrário e não capitula.

O controle consciente pode capitular quando for conveniente. A pessoa não consegue abrir mão do controle inconsciente porque não se dá conta da sua existência ou de seu mecanismo e dinâmica. Esse controle inconsciente afeta muitos indivíduos que sentem dificuldade de expressar sentimentos ou declarar desejos. Tendem a ser passivos e fazer o que lhes mandam. Mesmo quando fazem um esforço deliberado para dizer "não", sua voz é fraca e a expressão carece de convicção. Sua agressividade está comprometida por tensões musculares crônicas no corpo que contraem a garganta, estrangulando o som, e por tensões musculares crônicas no peito, que restringem a respiração, reduzindo a quantidade do ar que passa através das cordas vocais. Poderíamos dizer que um indivíduo como esse é inibido, que se sente constrangido quando se trata de fazer exigências em benefício próprio. Geralmente, ele tem consciência de sua inibição, mas se sente impotente para aliviá-la, pois não entende por que é assim nem percebe as tensões que constituem a inibição. Esse problema pode ser trabalhado em terapia, como mostra o caso seguinte.

Victor, de 35 anos, começou a terapia comigo porque sentia uma profunda frustração. Apesar de ter uma cabeça boa, um grau razoável de competência profissional e de se dedicar com afinco, não era bem-sucedido no trabalho. Essa mesma falta de sucesso caracterizava suas relações com as mulheres. Observando seu corpo, notei graves tensões em seu maxilar, ombros e em torno da pelve. Essas últimas indicavam que ele sofria de uma grave ansiedade de castração. Estava consciente da tensão, mas não compreendia a causa e sentia-se impotente para fazer algo a respeito. Além das tensões elencadas, o traço mais notável de sua personalidade era sua voz. O som era baixo, reprimido e sem ressonância. Era só um pouco mais alto que um sussurro. Se tentava gritar, isso requeria um grande esforço e ele ficava rouco. Em outros aspectos, não havia nada de submisso em Victor. Era tão intenso quanto tenso. A tensão em seu maxilar era tão grave que sofria de zumbido nos ouvidos. Essa tensão expressava sua determinação; tudo que fazia era com forte resolução. Como se empenhava muito, tinha pouco prazer na vida e nenhuma alegria.

Para entender seu problema, é preciso conhecer suas vivências quando criança, pois elas moldaram sua personalidade. Victor era o mais novo de três filhos e, como caçula, foi nele que a mãe focalizou seus sentimentos. Ele era o seu bebê e o seu homem e estava à disposição dela o tempo todo. Segundo Victor, ele jamais pôde fazer qualquer tipo de exigência. Na verdade, não tinha voz ativa na própria vida. Infelizmente, o pai de Victor também era um homem passivo cujo papel era fazer sua esposa feliz, servindo-a. A mãe de Victor não era uma mulher forte. Considerava-se uma princesinha para quem tudo tinha de ser feito, e Victor foi eleito para servi-la. Essa situação perdurou até que, no decorrer da terapia, Victor adquiriu coragem para declarar sua independência. Já tentara isso antes, mas a mãe não dava atenção à sua recusa em servi-la e ele sempre acabava capitulando. Ela simplesmente não o ouvia. Um dia, quando ela exigiu que ele a levasse de carro ao aeroporto e recusou-se a ouvir um "não" como resposta, ele reagiu e colocou a mão na garganta dela. Foi um gesto espontâneo, sem nenhuma intenção consciente de feri-la, mas a assustou tanto que ela recuou. Quando Victor relatou o incidente, vi o significado daquele gesto. Inconscientemente, ele atuou o que havia sido feito com ele. Quando pequeno, fora estrangulado e, embora tivesse sido psicologicamente, o efeito era o mesmo. Era como se uma mão tivesse sido colocada em sua garganta para silenciá-lo. Como vimos no Capítulo 5, precisamos inverter a ação para nos livrarmos de seu efeito.

Esse simples ato, embora fosse um passo em direção à liberdade e à independência, não resolveu os conflitos do paciente nem o libertou do vínculo com a mãe. As forças que o prendiam a ela eram profundas e poderosas. Sendo sexuais, ele estava preso numa teia de desejos, culpa e ira. Victor estava consciente das nuanças sexuais subjacentes à relação com a mãe. Ela era muito sedutora com ele e totalmente insensível ao efeito que isso causava. Sempre pergunto, no início da terapia, sobre o comportamento sexual de todos os membros da família no lar de infância de meus pacientes. Em resposta às minhas perguntas, Victor contou-me quanto ficava excitado no contato com a mãe: "Eu não conseguia suportar o desejo nem conter a excitação. Aquilo estava me deixando louco". Entretanto, ele tinha de suportar para salvar sua sanidade. Impusera a si mesmo uma prisão que ainda estava operante quando veio para a terapia. Projetou o maxilar, manteve os ombros rígidos e encolheu a barriga. Mas essa ação não eliminou a carga. Ela agora estava trancada em seu corpo contraído e tenso. Se Victor não tivesse sido capaz de "suportar", teria sido dominado, o que teria ultrapassado seus limites e destruído seu senso de realidade. Ele teria enlouquecido. Felizmente, para um adulto, o perigo não é tão grande. O ego adulto pode ter fraquezas, mas ao menos agora pode administrar um grau de excitação que seria impossível gerir na infância. Há limites, claro. Praticamente qualquer um pode ser levado à loucura se certa pressão for exercida sobre ele para anular seu ego. Por outro lado, uma carga energética que aumenta aos poucos poderia fortalecer o ego se ele tivesse o apoio de um terapeuta que também fornecesse o controle a que o paciente renunciaria.

Quando a excitação e a tensão associada a ela tornam-se excessivas, o corpo reage espontaneamente para descarregá-las por meio do grito. O grito é um som agudo que aumenta de tom e intensidade até atingir o clímax. No grito, a onda de excitação flui para a cabeça — em oposição ao choro, em que a onda flui para o ventre. Em contraste com o som do grito, o do choro é grave. No choro, descarregamos a dor da solidão e da tristeza. É um apelo por contato e compreensão. No grito, descarregamos a dor de uma excitação intensa, que pode ser positiva ou negativa. As crianças gritam de alegria quando a excitação prazerosa é muito grande ou de medo quando há dor. O grito age como uma válvula de segurança para purgar uma excitação que poderia de outro modo "explodir a cabeça" se não fosse descarregada.

Os pacientes sempre se sentem mais calmos e abertos depois de gritar. E, assim como todos nós temos algum motivo para chorar — a saber, a falta de alegria em nossa vida —, também temos razões para gritar. Para a maioria de nós, a luta pela sobrevivência é intensa, dolorosa e cansativa, mas suportamos porque temos medo de sentir aquele tremendo impulso de gritar "Não consigo suportar isso". Temos medo de que "nossa cabeça exploda" quando na realidade isso pode salvá-la.

Num programa de rádio ao vivo, há alguns anos, descrevi a importância do grito. Um ouvinte telefonou para dizer que usava essa técnica de descarga regularmente quando voltava para casa dirigindo ao final do expediente. Explicou que era caixeiro-viajante e que, por volta das cinco da tarde, já estava no limite. Sentia-se tenso. Gritar dentro do carro enquanto estava na estrada aliviava a tensão para que, quando chegasse em casa, se sentisse relaxado e de bom humor. Desde então, tenho ouvido histórias parecidas. Quando as janelas do carro estão fechadas, ninguém ouve os gritos. O barulho do carro e do tráfego abafa todos os outros sons. Tenho recomendado isso aos meus pacientes que precisam gritar, mas ficam inibidos pelo medo de que os outros os ouçam. A pessoa poderia gritar num travesseiro, mas, para ceder totalmente, precisa se sentir livre. Meu consultório em Nova York é à prova de som.

Há muitos anos, atendi uma paciente que se sentia excluída da vida. Explicou-me que fora casada por pouco tempo com um homem adorável que morrera num acidente de avião bem diante de seus olhos. Ela estava assistindo o pouso do seu avião particular, quando de repente ele perdeu o controle e colidiu. Ela deve ter entrado em estado de choque, porque deu as costas e foi embora sem um grito ou som sequer. Percebi que ela havia bloqueado o grito que uma vivência como essa provocaria. Enquanto estava deitada na cama, pedi-lhe que tentasse gritar. Apenas um som baixo saiu de sua garganta congelada. Para liberar o grito, coloquei dois dedos nos músculos escalenos anteriores nas laterais de seu pescoço, que estavam contraídos, apertando sua garganta. Quando apliquei certa pressão nesses músculos, irrompeu um grito que ela não conseguiu controlar. Seu grito continuou depois que retirei meus dedos. Depois, quando o grito se acalmou, ela soluçou profundamente por algum tempo. Depois do choro, disse que sentia que sua vida lhe fora devolvida. No ano seguinte, casou-se novamente.

Tenho usado esse procedimento com pacientes que não conseguem gritar. Em quase todos os casos, eles reagem com gritos altos e claros. A pressão imediata sobre esses músculos muito contraídos é dolorosa, mas no momento que o paciente grita a dor desaparece, porque os músculos relaxam. Gritar é tão libertador que ninguém jamais se queixou desse procedimento, embora eu sempre explique antes o que faço e por quê. A constatação de importância do grito decorreu de minha vivência terapêutica com o dr. Reich, que já mencionei. Aquele grito abriu a porta da minha alma e permitiu que viessem à tona memórias que mantive enterradas por décadas.

Há outro aspecto do grito importante para a vivência da alegria. O fluxo de excitação no corpo é polar, o que, como ressaltei antes, significa que a onda ascendente e a descendente são iguais em intensidade. Um aspecto da direção descendente é sexual. Se o indivíduo consegue permitir que a onda ascendente atinja o clímax num grito pleno, também consegue permitir que a onda descendente atinja o clímax no orgasmo. Atingimos nosso ponto mais alto no grito e o mais baixo no orgasmo. Ambos são descargas poderosas. No entanto, o fato de conseguirmos gritar uma vez não é sinal de potência orgástica, a qual depende da capacidade de gritar livre e plenamente sempre.

Um grito não pode ser forçado. Se tentamos forçá-lo, ocorre um berro que arranha a garganta. Para gritar, é preciso se entregar, algo que as crianças pequenas conseguem fazer com grande facilidade. Infelizmente, essa capacidade é eliminada no início da vida, quando os pais não conseguem suportar os gritos do filho — que os deixam malucos — e o considera maluco por gritar. Os loucos gritam porque a pressão interna aumentou além da sua capacidade de contê-la, não porque sejam loucos. Geralmente ficam agitados pelo mesmo motivo. Seus gritos são uma medida de proteção. Se não gritam para aliviar a pressão, podem se tornar violentos e matar alguém. Como regra, o paciente que grita não é perigoso. Porém, embora o grito seja uma medida de segurança, não é uma reação integrada à vivência de ser levado à loucura. Essa reação requer a mobilização do corpo todo numa expressão significativa. Isso ocorre quando o movimento das pernas, nos chutes, é coordenado com os gritos e as palavras "Você está me deixando louco".

Gritar constitui uma descarga emocional tão poderosa que se tornou a base de duas outras abordagens psicoterapêuticas. A mais famosa delas é a terapia do grito, desenvolvida por Arthur Janov. Seu livro, *O grito primal*, causou grande alvoroço quando foi publicado, em parte porque prometia uma cura rápida para a neurose.[32] Ele se tornou popular não só devido à promessa de cura, mas também ao fato de que abordava uma realidade que fora amplamente ignorada pela psicanálise e pelos terapeutas anteriormente. Essa realidade é a existência, em todos os neuróticos, de uma dor profunda originada das primeiras mágoas. A terapia primal é a técnica de Janov para descarregar essa dor por meio do grito, o que, pelo menos temporariamente, transforma o paciente num indivíduo livre — alguém não mais preso ao seu medo neurótico. Janov considerava que a essência da neurose era a repressão dos sentimentos, relacionada com a inibição da respiração e o desenvolvimento de tensões musculares. Ao ler o livro, muitas pessoas perceberam a necessidade de gritar para aliviar a dor e reagiram com entusiasmo às promessas de cura de Janov. Os pacientes que "explodiram" em um grito depois de respirar profundamente relataram que se sentiam "puros", "limpos". Em minha primeira sessão com Reich, tive uma vivência similar e, embora ela tenha aberto uma janela para o meu *self* mais profundo, não se tratou de cura. Estou em minha viagem de autodescoberta há cinquenta anos e, embora tenha encontrado mais de mim mesmo, ainda não encontrei nenhuma cura. O verdadeiro progresso em terapia é um processo de crescimento, não uma transformação. A pessoa se torna mais aberta e madura, mas a ênfase está no "mais".

Para que não haja equívocos, devo explicar que expressar sentimentos não constitui a totalidade da terapia. A autodescoberta requer um trabalho analítico considerável, que inclui a análise cuidadosa do comportamento atual, a situação transferencial, os sonhos e todas as vivências passadas. O diálogo é um aspecto fundamental da análise bioenergética. Prepara o terreno para a elaboração dos problemas emocionais do paciente, mas não os remove em um nível profundo. Descobri, com base em minha experiência, que *insight* e compreensão não resolvem os conflitos, embora ofereçam ao paciente os meios para que o ego lide de maneira mais eficiente com seus problemas.

Por mais que haja conversa ou compreensão, isso não aliviará significativamente as graves tensões musculares que oprimem a maioria de nós. Essas tensões bloqueiam a expressão dos sentimentos e só podem ser aliviadas por meio da plena expressão deles. Porém, plena expressão significa que o ego deve estar envolvido. Na realidade, a plena expressão de sentimentos não só alivia a tensão como também fortalece o ego e o autodomínio. Podemos gritar como uma criança, mas quando isso é feito com compreensão não nos sentimos pequenos. Adultos são crescidos, o que significa que têm todas as capacidades e a sensibilidade da criança, mas também a maturidade e o autodomínio que tornam seus atos eficientes no mundo.

Outra terapia baseada no grito foi desenvolvida por Daniel Casriel para ser usada com grupos.[33] Casriel diz: "Os gritos podem liberar emoções reprimidas desde a infância, e a liberdade de fazê-lo pode proporcionar mudanças positivas significativas na personalidade". Além do grito, há a conversa sobre a vida do paciente, seus problemas, esperanças e sonhos. Porém, como Casriel aprendeu, o problema latente nas pessoas é a "anatematização das emoções básicas e a encapsulação dos sentimentos em uma concha defensiva que é extremamente dura de penetrar em situações de psicoterapia tradicional".[34] Assisti a uma demonstração dessa técnica pelo dr. Casriel num *workshop* de psicoterapeutas de grupo. Os participantes se sentavam em círculo, de mão dadas, e cada um gritava "Estou com raiva". O próprio Casriel participou desse exercício, que parecia despertar algum sentimento nos participantes. Gritar, como nesses exercícios, é catártico para aliviar certa tensão, mas não acredito que tenha muito valor terapêutico, posto que o medo subjacente de ficar louco não é confrontado. Uma expressão de raiva como essa não envolve o corpo todo e está longe da intensa ira que existe no fundo da personalidade de tantos de nós.

O exercício que utilizo é o de chutar a cama enquanto se está nela, aliado ao grito e às palavras "Você está me deixando louco". Esse exercício é uma expressão de sentimentos mais integrada, que envolve o corpo todo. O mesmo exercício pode ser feito com outras palavras, como "Me deixe em paz" ou "Quero ser livre". O som deve elevar-se até um grito pleno. Se o paciente consegue entregar-se por completo ao exercício, sua cabeça se move para cima e para baixo, ritmicamente, com o movimento de suas pernas, e a voz é alta e clara. Quando isso acontece, ele experimenta uma sensação de liberdade, prazer e alegria da entrega a um sentimento forte. Sem uma prática considerável, a maioria dos pacientes é incapaz de uma entrega tão plena, mas a cada vez que fazem o exercício conquistam mais força egoica. Alguns se sentem amedrontados, mas essa sensação passa assim que se acalmam e sentem meu apoio e segurança. Não é um exercício para ser feito sozinho ou fora do contexto terapêutico; ele depende da compreensão e da coragem do terapeuta para enfrentar e trabalhar com o medo de abrir mão do controle. Nunca tive um resultado negativo.

Há vários anos, fiz uma apresentação em um hospital psiquiátrico sobre a análise bioenergética. Como parte da apresentação, pediram-me que eu trabalhasse com um dos pacientes ali internados. Para demonstrar como trabalho com o corpo, dei a esse paciente uma toalha para torcer enquanto estava deitado num colchão e incentivei-o a expressar qualquer sentimento de raiva que pudesse despertar. Enquanto ele fazia o exercício, fiquei em pé no tablado explicando ao auditório a natureza do exercício. O paciente entregou-se a ele com uma forte expressão de raiva, tanto vocalmente como torcendo a toalha. Entretanto, ao fazer isso, ele "saiu do ar"; ou seja, ficou fora de controle. Eu o estava observando enquanto falava com o auditório, mas não fiz nenhum movimento para interferir; porém, a expressão no rosto de muitos no auditório era de choque diante do que tinha acontecido. Permiti que o paciente fosse até o fim do exercício, que durou cerca de cinco minutos. Quando acabou, ele recuperou o autodomínio e eu lhe perguntei se estava assustado. Ele disse "não", que tinha consciência de que eu o observava e sabia o que estava acontecendo. A vivência reduziu o medo do paciente de "entregar-se" aos seus sentimentos, o que é algo necessário no tratamento de pacientes aterrorizados e esquizoides. Porém, para trabalhar dessa maneira, o terapeuta deve ser capaz de entregar-se ao próprio corpo. O paciente encontra sua base de segurança na competência e confiança do terapeuta.

O exercício de chutar é um dos que mais uso, porque muitos de meus pacientes, que são pessoas comuns, em algumas situações normais da vida, têm um pouco de medo de enlouquecer caso abram mão do controle e se entreguem aos sentimentos. O exercício permite que eles explorem a possibilidade de abrir mão do controle e conquistem a força egoica para entregar-se ao corpo e seus sentimentos. Estranhamente, nunca vi ninguém perder completamente o controle. Todos eles têm consciência do que estão fazendo e só se permitiram ir até o ponto de entrega que podiam administrar. Porém, com a prática contínua, o ego da pessoa se fortalece até que a entrega fique cada vez mais fácil.

Não acredito que discussões racionais nos ajudem significativamente a perder o medo de ficar loucos, posto que o medo está estruturado em tensões musculares crônicas — especificamente, nos músculos que conectam a cabeça ao pescoço e controlam os movimentos desta. Pode-se apalpar a tensão nesses músculos e reduzi-la em parte por meio de manobras e massagem, mas um alívio significativo que afete o comportamento só aparece quando a pessoa encara seu medo e descobre que este não está relacionado com sua atual situação de vida. Fazia sentido quando era criança e seu ego não era suficientemente forte para lidar com os perigos que encarava. Mas agora ela não é mais criança, e se seu ego é fraco é porque está preso pelo medo em seus problemas de infância. Esse medo está representado pela tensão na base da cabeça. No exercício mencionado anteriormente, essa tensão é reduzida porque a cabeça é sacudida para trás e para a frente pelo movimento de chutar quanto mais a pessoa se entrega ao exercício e ao sentimento associado a ele.

Quando as crianças batem com a cabeça, isso serve a um propósito semelhante. Crianças que se encontram em uma situação dolorosa constante que não podem mudar ou evitar, batem com a cabeça contra a cama ou às vezes até contra a parede para aliviar a tensão dolorosa que se acumula no pescoço. São muito pequenas para compreender por que são forçadas a agir assim e quase sempre seus pais são muito insensíveis para ver e entender seu sofrimento. Contudo, consigo compreender a intensidade da pressão numa criança a ponto de levá-la a cometer um ato aparentemente tão autodestrutivo. Ela deve sentir que é a única maneira de aliviar uma pressão que a está deixando louca. Levo meus pacientes a fazer o mesmo exercício deitados na cama, utilizando as palavras: "Você está me deixando louco". Posto que reduz a tensão na base do crânio, isso diminui o medo de abrir mão do controle egoico.

Essa tensão na base da cabeça também é responsável pelas comuns dores de cabeça por tensão, de que tantas pessoas sofrem. Essas dores se desenvolvem quando uma onda de excitação, como um impulso de raiva, sobe pelas costas e é bloqueada na base do crânio, fazendo que a tensão atrás da cabeça se intensifique e se espalhe no topo da cabeça como uma tampa para impedir que o impulso irrompa. Conforme a pressão se acumula sob a tampa, surge a dor de cabeça. Como a expressão do impulso está bloqueada — ou seja, reprimida —, ele nunca alcança a consciência. A pessoa não tem consciência de que está com raiva e que, ao reprimir o impulso desse sentimento, cria a tensão que dá origem à dor de cabeça. As dores de cabeça não se desenvolvem quando o impulso de raiva é muito forte, porque este não pode ser reprimido facilmente. Elas se desenvolvem quando o poder da força de repressão é mais forte que a força do impulso. A dor de cabeça por tensão costuma persistir depois que o impulso se acalmou. Os músculos relaxam devagar e continuam a doer por causa da tensão. Muitas vezes consigo interromper uma dor de cabeça como essa com massagem e manipulação suaves desses músculos, com um movimento semelhante ao de desenroscar uma tampa apertada.

Contudo, como o medo da própria raiva está no núcleo do medo de entregar-se, é necessário que o paciente o encare para se libertar dele. Na realidade, incentivo-o a enlouquecer, ou seja, a sentir raiva. Victor quase foi levado à loucura pelo comportamento sedutor da mãe, que o atormentava, mas seu medo da insanidade, quando adulto, decorria do medo de sua ira assassina contra a mãe pela perda de sua virilidade. Um dos exercícios que utilizo para diminuir o medo do paciente de sua ira foi descrito no Capítulo 5 e vou repeti-lo aqui em conexão com o medo da insanidade. O paciente se senta em uma cadeira de frente para mim e eu me sento em uma cadeira a aproximadamente um metro de distância. Explico-lhe que esse é um exercício para mobilizar sua raiva. Para fazer isso, ele fecha as mãos em punho e as aponta para mim. Depois, peço-lhe que projete o maxilar inferior, mostre os dentes e, ao mesmo tempo, arregale bem os olhos e olhe para mim. Ele é instruído a ameaçar-me com os punhos, balançando a cabeça ligeiramente, e dizer: "Eu vou te matar". A parte mais difícil desse exercício para o paciente é manter os olhos arregalados. Em geral, os olhos arregalados desencadeiam um sentimento de medo e o paciente os fecha. Se ele sente o medo, não pode sentir a raiva. Os olhos arregalados surtem um efeito especial. Diminuem o foco sobre a realidade imediata e permitem que surja um olhar de insanidade. Em quase todos os casos, o rosto do paciente assumirá uma expressão demoníaca, o que permite que venha aos olhos um sentimento de intensa raiva com o qual se identifica.

O exercício inteiro não leva mais do que um minuto ou dois. Assim que o paciente sente sua raiva, peço-lhe que baixe os punhos e relaxe, mas que não deixe a raiva sair de seus olhos. Se ele mantém a raiva nos olhos, integra esse forte sentimento ao seu ego e obtém o controle consciente dele e, assim, perde o medo de senti-lo. O controle consciente se manifesta na capacidade da pessoa de trazer, deliberadamente, uma expressão de raiva aos olhos. Assim como é possível expressar medo com os olhos, adotando um olhar de medo — com olhos e boca bem abertos —, também é possível expressar raiva adotando uma expressão de raiva. A maioria das pessoas não consegue fazer isso quando quer porque não tem pleno controle de seus músculos faciais, inclusive daqueles que circundam os olhos. Perderam essa capacidade natural porque, quando crianças, ficaram com medo de mostrar um rosto com raiva para um genitor. Embora haja uma possibilidade com esse exercício de que o paciente seja dominado pela raiva, isso pode ser evitado pela ênfase na conscientização e contenção do sentimento. A ênfase está no sentimento, e não na ação.

Uma clara expressão de raiva nos olhos indica que uma forte carga energética atravessou o corpo e atingiu os olhos. O fluxo de excitação na emoção da raiva, conforme descrevemos em um capítulo anterior, é ascendente: sobe pelas costas, atinge o topo da cabeça e depois chega aos olhos. Quando mobilizo essa expressão em meus olhos, sinto meus pelos se eriçando no alto das costas e os cabelos no topo da cabeça. Vê-se o mesmo fenômeno num cachorro quando está com raiva. A importância dessa carga para os olhos é que os leva a focalizar de modo penetrante, melhorando sua visão. Como vimos, o movimento oposto ocorre no medo, em que a energia se retira dos olhos. Indivíduos amedrontados geralmente se sentem confusos devido a uma dificuldade de focalizar. Essa dificuldade desaparece com o exercício. Contudo, não se deve esperar que fazer esse ou qualquer outro exercício bioenergético uma ou várias vezes modificará um padrão de medo de uma vida inteira. O sentimento de raiva deve ser integrado à personalidade para que sua expressão seja fácil, natural e condizente com a situação. Sua expressão ocorrerá, então, de forma espontânea, quando surgir a necessidade. O fato de o comportamento estar sob controle consciente não anula sua espontaneidade. Não pensamos para caminhar, comer ou escrever, mas mesmo assim estamos conscientes do que estamos fazendo e conseguimos controlar conscientemente nossos atos.

Não podemos ter o controle consciente do comportamento se temos medo de abrir mão do controle. Isso pode parecer contraditório, mas não é. O medo tem um efeito paralisante sobre o corpo que, prejudicando a espontaneidade de um ato, torna-o desajeitado. O conflito entre o impulso de recuar e o de agir reduz o controle consciente, o que sustenta o medo. Há, por certo, razões históricas para ele. Se, quando criança, a pessoa sentiu uma raiva assassina, seria justificado acreditar que qualquer expressão desse sentimento resultasse em ser severamente surrado por um genitor. Nessa situação, a criança não tem escolha a não ser inibir a ação e reprimir o sentimento. Porém, reprimir o sentimento fixa a pessoa no nível da infância. O passado fica congelado na personalidade, mas está potencialmente ativo. Até mesmo na situação terapêutica, na qual todo perigo é removido, o paciente ainda pode ter medo das consequências da expressão de raiva intensa.

Há outro elemento nesse problema da entrega, também relacionado com as vivências de infância. As crianças tendem a igualar sentimentos a ações. Desejos e sentimentos são forças poderosas. O desejo de que alguém morra pode ser vivenciado pela criança como equivalente a matar a pessoa. Os sentimentos também são considerados permanentes. Os adultos sabem por experiência própria que os sentimentos mudam tal qual as condições climáticas — e até mais rápido. A raiva pode transformar-se em carinho e o amor, em ódio, de acordo com mudanças nas circunstâncias da vida. As crianças, que vivem plenamente no presente, não pensam em termos de futuro e, portanto, não têm uma concepção de mudança. Consideram que determinada dor vai durar para sempre. Elas costumam perguntar: "Quando vai passar?" Esse tipo de pensamento se aplica aos sentimentos. A criança pensa: "Se estou com raiva de você, ficarei para sempre. Se odeio você, odiarei para sempre". Associada a essa visão está outra que iguala pensamentos com ações: o desejo de matar alguém é equivalente ao ato de matá-lo. O ego da criança pequena não consegue distinguir entre pensamento, sentimento e ação. Essa distinção torna-se possível quando ela se torna autoconsciente e seu ego reconhece que tem controle sobre o comportamento.

A terapia analítica é impossível com uma criança pequena porque lhe falta a objetividade necessária para que esse processo terapêutico funcione. Entretanto, muitos adultos também carecem de objetividade devido à sua fixação emocional em um nível infantil, o que prejudica o ego e sua capacidade de diferenciar com clareza pensamentos de sentimentos e ações. O adulto sabe que, embora possa ter uma raiva intensa o bastante para matar, ele não vai agir influenciado por ela porque seria inconveniente ou insensato. A tendência a atuar decorre de um componente infantil na personalidade. Assim, é sinal de maturidade quando conseguimos ter e expressar o sentimento de ira assassina sem agir influenciados ou guiados por ela. O exercício descrito antes, no qual o paciente se senta numa cadeira diante de mim e me ameaça com os punhos enquanto repete "Eu vou te matar", dá a ele uma oportunidade de vivenciar e desenvolver o controle consciente que lhe permitiria tornar-se e agir como o adulto que realmente é.

Outro aspecto importante desse exercício é a relação entre a voz e os olhos. Muitos indivíduos, ao fazê-lo, gritam bem alto as palavras "Eu vou te matar", mas carecem de raiva no olhar. A ênfase excessiva na voz diminui a carga nos olhos. A expressão de raiva torna-se limitada à voz à custa dos olhos. Essa é uma reação mais infantil, pois quando éramos bebês e crianças pequenas a voz era o modo dominante de expressar os sentimentos. Entre adultos, contudo, os olhos tornam-se o principal meio. Desse modo, a raiva adulta deve ser mais temida quando a voz é moderada e os olhos estão faiscantes. É uma extensão da filosofia de Theodore Roosevelt: "Fale suavemente, mas carregue um porrete bem grande".

Devo enfatizar que, embora os exercícios descritos reduzam o medo de nos entregarmos ao corpo, devem ser complementados com outros exercícios para expressar a raiva. A sensibilidade do terapeuta ao problema do paciente lhe permitirá escolher o exercício apropriado. Por exemplo, Victor, cujo caso foi discutido neste capítulo, contou como sua mão foi parar no pescoço da mãe espontaneamente, o que ele reconheceu como um impulso de estrangulá-la. Consigo compreender esse impulso. O tom de voz de uma mãe quando fala com o filho pode ser tão corrosivo que a criança não consegue suportá-lo. Porém, quase sempre é o martelar constante da voz da mãe nos ouvidos da criança que a leva à loucura. Em tal situação, se ela não consegue escapar, seu impulso natural é estrangular a mãe como única forma de fazê-la calar a boca. É óbvio que a criança não pode se guiar por esse impulso e, portanto, tem de reprimi-lo. Liberar o impulso na terapia é relativamente simples. Como já mencionei, dou aos pacientes uma toalha enrolada para que eles torçam com toda força. Ao mesmo tempo, eles são incentivados a verbalizar seus sentimentos. Expressões como "Cale a boca, não aguento mais sua voz, eu vou te estrangular" vêm bem a calhar. Esse exercício dá ao paciente uma sensação de poder que ajuda a superar seus sentimentos de impotência.

Outro sentimento forte associado ao medo da insanidade é a sexualidade. Podemos ser arrebatados por uma paixão sexual intensa tanto quanto por uma raiva de mesma intensidade. É possível ficarmos loucamente apaixonados ou loucos porque fomos traídos. Mas num indivíduo saudável ambos os sentimentos são egossintônicos e vivenciados como parte do *self*. Os sentimentos podem ser contidos, o que lhe permite expressá-los de maneiras positivas e construtivas, mas a contenção só é possível quando ele consegue aceitar seus sentimentos totalmente. A atuação, tanto sexual como de raiva, decorre do medo de manter a excitação do sentimento intenso. A pessoa não consegue suportá-la. Tem de fazer alguma coisa para descarregar a excitação — explodir, envolver-se sexualmente ou ambos. Esse comportamento não é sinal de paixão, mas de medo — o medo da insanidade, que também equivale ao medo da intimidade. O excesso de intimidade é assustador porque traz à tona o espectro de ser possuído pelo outro como se foi pelo genitor. O que enlouquece a criança é a dupla mensagem: sedução e rejeição, amor e ódio.

Conter um sentimento intenso é o sinal de uma natureza apaixonada, quer se trate de amor, raiva, tristeza ou mágoa. A contenção é o oposto de "suportar algo". A pessoa aprende a suportar situações dolorosas ou incômodas eliminando o sentimento. Na contenção, ela reconhece o sentimento e o integra em sua personalidade. Isso não é fácil para aquele cuja personalidade é equipada para a sobrevivência, posto que esta depende da repressão dos sentimentos. Como se aprende a contenção quando se tem sido um sobrevivente por quase a vida inteira? Descrevi, neste capítulo, vários exercícios que ajudam a manter um sentimento de raiva intensa. Mas o que fazer a respeito dos sentimentos sexuais?

A resposta pode ser surpreendente, a menos que se saiba que fortes sentimentos sexuais são mais fáceis de conter do que os fracos. A razão é que uma pessoa com fortes sentimentos sexuais tem mais senso de *self* e uma força egoica maior para conter o sentimento. A maioria dos pacientes, no entanto, não pertence a esta categoria, o que significa que boa parte do trabalho terapêutico é elaborada para aumentar seu sentimento sexual. Isso é feito por meio da respiração profunda até o baixo ventre, onde estão os sentimentos sexuais. Chorar profundamente é o principal mecanismo para conquistar isso. Além disso, o paciente torna-se mais *grounded* com os exercícios que mobilizam sensações nas pernas. Todos os descritos anteriormente ajudam.[35]

Os terapeutas bioenergéticos dispõem de um exercício especial que aumenta a carga na região pélvica sem excitar os genitais: chamo-o de arco pélvico (veja a Figura 6). Nesse exercício, a pelve fica suspensa entre a cabeça e os pés. Para chegar à posição correta, você deve se deitar de costas numa esteira ou na cama. Dobre os joelhos, mantendo os pés afastados mais ou menos na largura dos quadris. Depois, pegue os dois tornozelos com as mãos e arqueie-se para cima, impulsionando-se com as mãos e deixando a cabeça cair para trás. Só a cabeça, os cotovelos e os pés devem tocar a cama

FIGURA 6

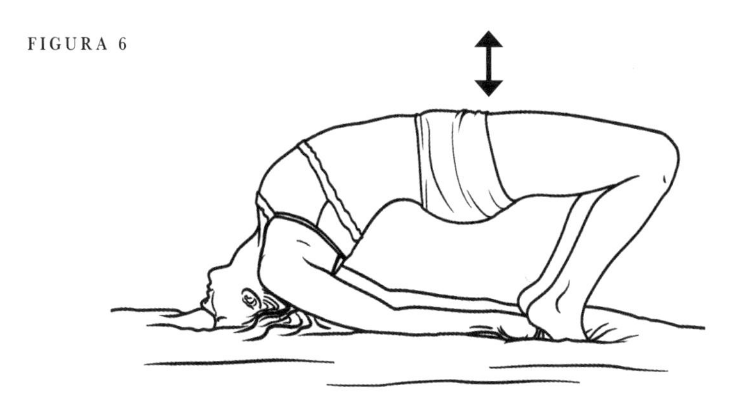

ou a esteira. Empurre os joelhos para a frente até onde conseguir e deixe a pelve suspensa.

Se sua respiração for livre e profunda, a pelve se tornará carregada e começará a vibrar para cima e para baixo. Esse é um movimento muito natural, em que os indivíduos que estão relativamente livres de tensão na região lombar, nas nádegas e coxas vivenciam uma sensação muito prazerosa e excitante na pelve, a qual, embora sexual, não é genital. Porém, muitos ficam assustados quando a pelve desenvolve esse movimento involuntário. Quando ele se torna forte, às vezes gera uma sensação de descontrole, o que pode ser apavorante. O exercício também pode ser doloroso se os músculos da parte anterior da coxa (quadríceps) estiverem contraídos e tensos. Quando isso acontece, é possível permanecer no exercício se não for muito doloroso ou voltar à posição inicial e tentar de novo. Praticá-lo regularmente alonga e relaxa os músculos tensos, permitindo que se desenvolvam mais sentimento sexual e prazer. Conseguiremos entender esse exercício se soubermos que essa cultura está baseada em duas injunções — não perder a cabeça e não se deixar levar pelo tesão. Ou, ainda, não ser arrebatado pela paixão. Entretanto, aquele que não é arrebatado por um sentimento irresistível não conhecerá a chave da vida. As pessoas que descobriram essa chave têm uma moralidade interna rara nessa cultura.

É fundamental remover a culpa do paciente por seu sentimento sexual, que é o núcleo do processo analítico. Conforme os sentimentos sexuais de um paciente tornam-se fortes, eles aparecerão em seus olhos, pois ambas as extremidades do corpo ficam mais vivas e excitadas. Olhos brilhantes são um sinal de forte sentimento sexual. Agora, o paciente pode praticar mantendo a carga nos olhos ao fazer contato visual com o terapeuta e outras pessoas com quem interage. Isso não é fácil, pois a maioria das pessoas fica envergonhada e com medo de revelar seus sentimentos sexuais, sobretudo indivíduos que sofreram abuso sexual. É da máxima importância que o terapeuta reconheça os sentimentos sexuais do paciente sem ficar envolvido, pois isso violaria a relação terapêutica.

O próximo passo é lógico. O paciente deve ser encorajado a não ter relações sexuais, a menos que haja um forte amor entre os dois indivíduos. Abster-se conscientemente quando se tem um sentimento sexual promove a contenção e aumenta a força egoica. Se o sentimento for forte, a masturbação fornece uma boa saída. O controle consciente de sentimentos fortes é a marca do indivíduo maduro que tem autodomínio ou conquistou-o por meio da terapia. Esse indivíduo não tem medo de que a expressão de um sentimento forte o faça parecer ou sentir-se louco.

Para compreender o medo da insanidade, precisamos estar conscientes do papel de nossa cultura na loucura das pessoas. Vivemos numa cultura hiperativa que superexcita e hiperestimula todos os que estão expostos a ela. Há movimento demais, barulho e som demais, coisas demais e sujeira demais. Uma capa da revista *New York* mostrava um homem atormentado tampando os ouvidos e gritando: "O barulho está me deixando louco". Podemos sobreviver sem nos tornarmos loucos, mas para tanto temos de amortecer os sentidos a fim de não ouvir o barulho, ver a sujeira ou perceber o movimento contínuo da vida. Entretanto, uma hiperatividade similar continua nos lares de hoje com seus televisores e aparelhos eletrodomésticos. Não podemos reduzir a velocidade ou nos acalmar. A hiperatividade é abastecida pela mesma frustração que impulsiona a criança hiperativa, ou seja, a incapacidade de ficar em contato com o núcleo íntimo e profundo do próprio ser, a alma ou espírito. Nossa cultura é direcionada para o exterior, no sentido de que estamos tentando encontrar o significado da vida em sensações, não em sentimentos; em fazer, não em ser; em possuir coisas, não o próprio *self*. É louca e nos deixa loucos porque nos dissocia de nossas raízes na natureza, do chão sobre o qual nos apoiamos, da realidade.

Contudo, acredito que o pior problema seja o foco excessivo na sexualidade e em sua exploração. Somos continuamente expostos a imagens sexuais, que excitam mas também frustram, pois não há possibilidade de descarga imediata. Essa hiperestimulação obriga o indivíduo a eliminar seu sentimento sexual para não ser dominado ou perder o controle. Mas, como o sentimento é a vida do corpo, o indivíduo neurótico cujos sentimentos sexuais foram reprimidos é impelido a atuar sexualmente em busca de excitação e sentimento. Isso costuma assumir a forma de estupro, abuso sexual de crianças ou pornografia. Não conseguimos lidar com esse problema com sermões ou lições de moral, pois ele decorre de uma perda de contato com a natureza e com a nossa verdadeira natureza — a vida do corpo.

10. O medo da morte

Todo paciente tem, consciente ou inconscientemente, medo de abdicar do controle egoico e entregar-se ao corpo, ao *self*, à vida. Esse medo tem dois componentes: o medo da insanidade e o medo da morte. No Capítulo 7, vimos que o medo da insanidade decorre da percepção subliminar de que um excesso de sentimento poderia dominar o ego e resultar em loucura. Essa percepção está ligada à vivência na infância de quase ter sido levado à loucura pela hostilidade, pelo molestamento, pela confusão e pelas mensagens duplas aos quais tantas crianças são submetidas. Da mesma forma, o medo da morte está relacionado com uma vivência muito precoce em que a criança percebe que poderia morrer. Essa vivência é tão chocante para o organismo que ele congela de terror. A morte não ocorre, a criança se recupera, mas a memória corporal não pode ser apagada, embora seja reprimida da consciência em benefício da sobrevivência. A memória corporal persiste na forma de tensão, alarme e medo nos tecidos e órgãos do corpo, sobretudo na musculatura.

Observando o corpo do indivíduo, é possível analisar esse medo. Se o corpo é muito rígido, nós o descrevemos como "paralisado de medo". Não se trata apenas de uma metáfora, mas da expressão literal do corpo. Se a rigidez ou tensão está associada à falta de vitalidade corporal, dizemos que está "morrendo de medo". Há os que ficam "fora de si" de medo, o que constitui o estado esquizofrênico. Em outros indivíduos, a tensão é mais aparente na região do peito, que é superinflado, o que denota um pânico latente.[36]

A maioria das pessoas não percebe quanto está amedrontada a menos que seja ameaçada pela perda de amor ou segurança. Mas o medo está sempre lá, abaixo da superfície, inibindo sua entrega à vida e ao corpo. São sobreviventes que caminham numa trilha estreita entre sentimento demais, temendo a insanidade, e sentimento de menos, temendo a morte. Em todos os pacientes com quem trabalhei, encontrei esse medo da morte como uma resistência forte e inconsciente à respiração profunda e à entrega.

A primeira vez que deparei com esse medo da morte foi em um participante de um *workshop* para profissionais interessados em análise bioenergética. Ele tinha cerca de 35 anos. Estava deitado sobre o banco bioenergético durante um intervalo nas sessões e, quando passei por ele, vi em seu rosto uma expressão de morte; imediatamente pensei que só poderia ter vindo de alguma batalha muito precoce com a morte. Quando reiniciamos as sessões, perguntei-lhe se ele poderia comentar as minhas observações diante do grupo. Ele concordou. Relatou que, quando tinha cerca de 1 ano de idade, quase morrera. Segundo seus pais, ele parou de comer e a perda de peso tornou-se tão grave que ele foi levado ao hospital em estado crítico. A anamnese revelou que ele fora amamentado no peito, o que fora interrompido logo antes de ficar doente. Ele não fazia nenhuma ligação entre esses dois fatos, mas fiquei fortemente convencido de que a perda do peito fora a perda de seu mundo e que ele não aceitara um substituto. Nem todas as crianças que são desmamadas apresentam uma reação tão grave que possa ameaçar sua vida, mas o desmame é por vezes traumático para a criança, como sabem muitas mães que amamentaram seus filhos. Quase tudo depende da sensibilidade do genitor para a angústia da criança.

Ao longo dos anos, fiquei sabendo que muitos de meus pacientes, quando crianças, tinham medo da morte, medo de morrer. Esse medo geralmente surgia à noite, quando estavam sozinhos no quarto ou na cama. Lembro que, na pré-adolescência, tinha medo de adormecer por temer morrer durante o sono. A consciência foi a minha garantia de que eu não ia morrer; era a minha maneira de manter o controle. Por que uma criança teria esse tipo de pensamento? De onde ele viria? Alguma vez vivenciei uma doença ou situação que ameaçasse minha vida? Eu sabia que tivera as doenças comuns de infância, mas grande parte de meus primeiros anos foi enterrada e esquecida pelo tipo de repressão que afeta a maioria de nós. Embora tivesse algumas vivências de alegria, havia uma tristeza em mim, como revelam minhas primeiras fotografias. Não foi uma infância feliz. E acredito que isso seja verdadeiro para a maioria das pessoas.

As crianças, sobretudo os bebês, precisam de amor incondicional para crescer como adultos saudáveis. Na realidade, sua sobrevivência depende de um vínculo amoroso com um adulto. Os bebês em berçários, que são alimentados e limpos, mas não são pegos no colo ou entretidos com brincadeiras, podem desenvolver depressão por anaclisia e morrer. O contato físico agradável excita seu corpo, estimulando todas as funções, sobretudo a respiração. Sem esse contato, a atividade protoplásmica básica de expansão e contração, como na respiração, diminui aos poucos, levando à morte. O bebê tem esse contato no útero e, se ele não for restabelecido após o nascimento, o organismo do recém-nascido entra em choque. É claro que ninguém acredita que um bebê recém-nascido possa sobreviver sem cuidados, mas não avaliamos a dependência da criança diante da figura materna. Qualquer ruptura nesse vínculo, ou até mesmo a ameaça de ruptura, resulta em choque para o organismo. O choque surte um efeito paralisante sobre o funcionamento básico do corpo, o que pode ser fatal se ele for profundo e prolongado. Porém, todo choque é uma ameaça ao processo da vida. Um barulho alto e repentino pode fazer que o bebê entre momentaneamente em choque. Seu corpo enrijece e ele para de respirar. Essa reação, conhecida como reflexo de susto (ou de Moro), está presente desde o nascimento. Quando o choque passa, o bebê começa a chorar, recobrando a respiração. É evidente que, quando ele cresce, o organismo torna-se mais forte e ele não entra tão facilmente em choque em decorrência de um som. Mas até mesmo os adultos podem ficar sobressaltados com um barulho alto e repentino e entrar momentaneamente em estado de choque.

Sempre que um genitor berra ou grita com um filho pequeno, isso surte um forte efeito negativo em seu corpo. É possível saber se a criança sofre um choque porque seu corpo enrijece e depois ela irrompe em soluços. Se berrarem com ela com frequência, ela não reagirá, pois ficará adaptada ao estresse, a fim de manter o estado de rigidez ou tensão. Ela não pode mais ficar chocada porque está em contínuo estado de choque, o que deduzimos de sua contida. Nesse caso, o choque não é apenas pelo som, mas também pela ameaça ao vínculo amoroso com a mãe. Um olhar hostil ou de raiva, uma atitude fria ou a declaração "Mamãe não ama mais você" podem causar esse mesmo efeito. Machucar uma criança com tapas, socos e surras choca traumaticamente o organismo porque seu ego não se desenvolveu a ponto de entender que a ação lesiva de um genitor não é uma negação definitiva do amor. Ela reage a essa ação como se fosse uma ameaça à sua vida. Em nossa sociedade, a criança comum sofre um grande número de choques; em alguns casos, ela pode sucumbir ao tratamento destrutivo de seus pais.

Alguns pais são maldosos, mas a maioria oscila entre o amor e a hostilidade. Um acesso de raiva pode ser seguido de determinada expressão de amor que conforta a criança e resgata sua esperança de que o vínculo amoroso com o genitor é seguro, mesmo que isso implique a entrega do *self*. Porém, um vínculo baseado na submissão nunca é seguro, visto que a criança tentará se rebelar e o genitor manterá viva a ameaça. Nenhum genitor confia plenamente em um filho submisso, pois sabe que essa submissão encobre o ódio. E a criança sabe, bem lá no fundo, que é odiada. Para ela, a sobrevivência exige a negação dessa realidade — a negação da ameaça à sua vida, do medo da morte e de sua sensação de vulnerabilidade. A sobrevivência também exige um esforço para manter o vínculo necessário com o genitor. Isso se torna uma grande luta que envolverá o indivíduo quando criança ou adulto por toda a sua vida, pois esse padrão de comportamento se torna estruturado na personalidade e no corpo como uma atitude habitual.

Aquilo que vemos estruturado no corpo é o estado de choque manifestado na inibição da respiração. Por fora, o indivíduo não parece estar em choque. Para a maioria, aparenta estar agindo normalmente. Sua respiração parece estar regular e livre. Porém, isso ocorre porque a respiração, a vida, é rasa e superficial. O estado de choque existe em um nível mais profundo, no inconsciente reprimido, na perda da paixão, no medo da entrega e na tensão e rigidez do corpo.

A entrega ao corpo consiste em nada mais do que permitir que ocorra sua respiração plena e livre. O medo da entrega está ligado a prender a respiração. Bloqueamos a respiração livre restringindo a inspiração ou a expiração: na primeira, detemos a entrada de ar; na última, impedimos que ele saia por completo. Ambos agem para limitar a quantidade de oxigênio que o corpo absorve, o que reduz a atividade metabólica e diminui a energia e o sentimento. A restrição da inspiração é encontrada em esquizofrênicos ou personalidades esquizoides, em que está associada a um terror latente, cujo efeito é paralisar todas as ações. Em contraste, o indivíduo neurótico tem dificuldade de deixar o ar sair totalmente. O medo que bloqueia a expiração plena é o pânico, que difere do terror na medida em que quem está em pânico busca escapar do perigo, enquanto o aterrorizado fica congelado. O perigo é diferente nos dois casos. No terror, o perigo é vivenciado como uma ameaça esmagadora à existência, enquanto no pânico o perigo representa uma possível ameaça a ela. Para a criança pequena, o pânico resulta sobretudo da perda do vínculo com a mãe ou o genitor. Assim, a criança que é separada da mãe, seja por uma multidão ou por ser deixada com um estranho, entra em pânico, grita ou chora alto na tentativa de recuperar o equilíbrio e a segurança. Quando o vínculo é restabelecido, ela se prende à segurança por amor à vida. Também prende o ar, ou seja, mantém o peito inflado. Essa posição, que só permite uma respiração superficial, reprime o sentimento de pânico fornecendo uma falsa sensação de segurança decorrente da capacidade de reter. Na estrutura neurótica de caráter, o medo é reprimido e o indivíduo geralmente não tem consciência da sua gravidade. Na estrutura esquizoide, a tentativa de reprimir o medo é menos eficiente devido à fraqueza do ego, e o indivíduo quase sempre tem consciência do seu medo. No entanto, em ambos os casos ele é manifestado no corpo esquizoide por um peito prostrado e no neurótico por um peito inflado. O peito prostrado é flácido, o peito inflado é rígido.

Essas distinções são importantes para compreendermos os medos que impedem a entrega ao corpo. O terror inibe qualquer ação agressiva e, como a respiração é um ato agressivo em que o organismo absorve ar, a força dessa ação de absorção de ar é uma boa medida da capacidade do organismo de ser agressivo, ou seja, de ir em busca do que necessita e quer. Por outro lado, expirar é um ato passivo, uma rendição, um relaxamento das contrações musculares que inflam o peito. Em virtude do medo da rendição, na vida adulta o neurótico agarra-se às pessoas como se agarrava à mãe na infância. Todas as crianças muito pequenas agarram-se à mãe, ao corpo dela ou às suas roupas, pois ela constitui sua segurança básica. Quando ficam maiores e mais fortes, a ânsia de ser independente e andar com as próprias pernas predomina. A segurança representada pela mãe é substituída por uma sensação de segurança no próprio *self* e no próprio corpo. Entretanto, a segurança no *self* só se desenvolve quando a criança se sente segura no vínculo com a mãe. Sempre que esse vínculo é ameaçado, seu corpo se contrai e sua respiração fica prejudicada. A sensação de necessitar dela ressurge e sua dependência dela aumenta.

O pânico pode se desenvolver sempre que a vida é ameaçada. No pânico, a pessoa perde o controle dos próprios atos quando tenta escapar da ameaça, respirando rápida e superficialmente. Alguns indivíduos entram em pânico mais que outros quando se defrontam com uma ameaça à vida, enquanto uns poucos com forte senso de segurança interna conseguem manter o controle egoico em tais situações sem entrar em pânico. Por outro lado, há pessoas que entram em pânico em situações que não ameaçam sua vida, como atravessar uma ponte alta dentro do carro ou perceber-se sozinhas na multidão. A síndrome do pânico é um quadro neurótico reconhecido que acomete indivíduos que não conseguem sair de casa sozinhos sem vivenciar um pânico intenso. Se queremos compreender por que uma pessoa entra em pânico quando está sozinha, longe de casa, devemos reconhecer que ela sente estar numa situação que ameaça a vida. Como o sentimento é irracional, devemos supor que a situação desperta uma memória corporal de quando ela esteve numa situação como essa, de risco de vida, quando criança. Talvez a situação mais comum seja uma reação negativa da mãe ao choro da criança. Quando a criança chora, está precisando da mãe. Se esta não consegue atender a essa demanda por qualquer motivo, isso é vivenciado pela criança como uma perda da mãe, o que constitui uma ameaça à sua vida. Em desespero, ela chora cada vez mais alto e por mais tempo, impelida pela necessidade. Esse choro esgota sua energia e pode ocasionar um estado de pânico, em que a criança não consegue respirar com facilidade. Para proteger sua vida, o corpo interrompe o choro prendendo a respiração para recuperar o controle. Quando isso acontece, a sensação de morte iminente desaparece. A criança adormece exausta e, conforme o tempo passa, a memória dessa vivência é reprimida, mas o corpo não esquece.

Uma vivência isolada não leva à neurose. Infelizmente, muitas crianças em nossa cultura não sofrem apenas de falta de nutrição e apoio que lhes permitiriam crescer como adultos maduros e independentes, mas também são ameaçadas pelos pais com punições por atos inocentes. A maioria dos pais também cresceu em lares nos quais havia um comportamento violento de um ou ambos os genitores. Como carecem de segurança interior e estabilidade, muitos pais atuam sua frustração e raiva nos filhos, que vivem sob a constante ameaça da perda do amor e em constante estado de medo. Esse medo é manifestado nos muitos distúrbios emocionais ou físicos de que as crianças sofrem. Não é de surpreender que só conheçam a luta pela sobrevivência.

Alguém poderia argumentar que os casos que atendo são incomuns e não representam a infância típica. Mas ninguém, exceto aqueles que estão vivendo isso, sabe como é o lar comum — mesmo aqueles que vivem em uma família extremamente infeliz podem negar o grau de infelicidade que vivenciam. Os pacientes que me procuram são pessoas comuns que ninguém consideraria loucas ou perturbadas. Trabalham, podem ser casadas, têm filhos e uma situação financeira relativamente equilibrada. Porém, quando as conhecemos, tomamos consciência de um grau de conflito e infelicidade chocante. A história a seguir fala da infância e da vida de uma paciente.

Alice tem 32 anos e está casada há uma década. Ela relatou o seguinte: "Quando criança, estava sempre apavorada e nervosa. Sentia-me odiada por minha mãe e rejeitada tanto por ela como por meu pai. Minha mãe me criticava o tempo todo. Sentia-me muito sozinha, inútil e deprimida. Por qualquer demonstração de emoção ou problema, minha família se voltava contra mim, dizendo que era minha culpa, e depois ignorava o caso. Eu sentia que não era boa o bastante e que nunca estaria à altura. Na adolescência, tentei ser perfeita, mas acabei desenvolvendo insônia e problemas de estômago. Tornei-me ansiosa e deprimida. Receitaram-me benzodiazepínicos para os distúrbios do sono e medicamentos para o estômago. Ao longo dos anos fiz diversas terapias, tanto individuais como em grupo, e fiz algum progresso, mas ainda preciso dos remédios para dormir para tocar a vida. Ainda sofro de constipação, tensão muscular na área do diafragma e uma sensação crescente de solidão e vazio que fazem que me sinta isolada tanto no casamento como na vida".

Alguém duvida de que as vivências de sua infância foram responsáveis por seus problemas quando adulta? Alice não duvidava disso. Mas, com todo o *insight* que obteve na terapia, ainda sentia, na época em que a atendi, que não era capaz de melhorar e libertar-se do passado. Isso nos trouxe a seguinte questão: que medo a prendia de tal maneira ao passado que, apesar de seus melhores esforços, não lhe permitia se libertar para viver plenamente no presente? Antes de respondermos a essa questão, precisamos compreender melhor o presente.

Quando Alice me procurou, havia muito pouco prazer e nenhuma alegria em sua vida. Ela sofria de um medo extremo de fracassar, o que parecia ter algum fundamento no fato de que, nos últimos dez anos, perdera vários empregos por causa de seus problemas pessoais. Ao mesmo tempo, estava claro que, dado o grau de sua ansiedade, era quase impossível que ela ficasse bem. Estava presa num círculo vicioso. A ansiedade tornava praticamente impossível para ela manter um emprego, o que por sua vez aumentava sua ansiedade. Presa nessa armadilha, a vida de Alice era uma luta desesperada pela sobrevivência.

A pista para a resolução de seu conflito estava na sua afirmação de que, na adolescência, tentara ser perfeita. Esse esforço obviamente fracassou, pois ninguém é perfeito. Porém, se ela não tentasse ser perfeita, iria sentir-se inútil e impotente. Era um inferno, e eu podia compreender seu desespero para libertar-se. Mas como? Ajudá-la a se tornar mais forte para que se empenhasse mais para ser perfeita apenas levaria a mais fracasso e a um desespero maior. Qualquer esforço e qualquer tentativa estavam fadados ao fracasso. Desistir de tentar mudar, aceitar a si mesma era assustador, mas era o único caminho para obter um pouco de sanidade.

O que Alice precisava admitir a princípio eram sua infelicidade e sua necessidade de chorar, para o que ela tinha inúmeros motivos. Quando apontei isso para ela, ressaltou que já chorara muito. Essa é uma resposta comum e sem dúvida verdadeira, mas a questão é: quão profundo era o choro? Se o choro for tão profundo quanto a dor e a tristeza, libertará completamente a pessoa. A dor em Alice estava no fundo de seu ventre, associada ao seu distúrbio gástrico, mas também era sentida na área do diafragma, devido a uma faixa de tensão que impedia tanto sua respiração como seu choro de chegarem ao fundo de seu ventre. Nessa região estão nossos sentimentos mais profundos: nossa mais profunda tristeza, nosso maior medo e nossa mais intensa alegria. As doces sensações de derretimento que acompanham o verdadeiro amor sexual são vivenciadas no fundo do ventre como uma incandescência que pode se propagar pelo corpo todo. Sensações prazerosas no ventre são vivenciadas pelas crianças nos balanços e gangorras, de que tanto gostam. Mas, assim como é o local da alegria, o ventre também é o lugar em que a tristeza é sentida quando não há alegria.

Para atingir essa alegria, Alice tinha de se abrir para o desespero. Se conseguisse chorar a partir daquele desespero profundo, tocaria a alegria que confere o verdadeiro significado à vida. Embora devamos reconhecer que o desespero é assustador, deveríamos saber também que decorre do passado, e não do presente. Alice estava em desespero porque não conseguia ser perfeita e conquistar a aprovação e o amor de seus pais. Seu desespero persistiu até o presente porque ela ainda estava lutando para superar o que considerava suas falhas e fraquezas para conquistar esse amor. Na realidade, estava tentando "superar" seu desespero, o que é impossível, pois o desespero é seu verdadeiro sentimento. É possível negar o desespero e viver de ilusão, mas isso não vai durar nada e logo cairemos em depressão.[37] Podemos tentar nos elevar acima do desespero, o que abala nossa sensação de segurança; ou podemos aceitá-lo e entendê-lo, o que nos liberta do medo.

Aceitar o desespero significa senti-lo e expressá-lo em soluços e palavras. O choro é uma declaração do corpo; as palavras vêm da mente. Quando bem combinados, estimulam a integração entre corpo e mente que liberta da culpa e promove a liberdade. As palavras certas são importantes. "Não adianta" é uma frase-chave. "Não adianta tentar; nunca vou conquistar seu amor" é a afirmação que expressa a compreensão de que o desespero é fruto de uma vivência passada. A maioria dos pacientes, contudo, projeta esse desespero no futuro. Quando sentem o desespero pela primeira vez, geralmente dizem "Nunca vou ter alguém que me ame" ou "Nunca vou encontrar um parceiro". Eles não entendem que não se pode encontrar amor não importa quanto se procure e que, quanto mais desesperado estiverem, menos provável será que outra pessoa corresponda com sentimentos positivos. O verdadeiro amor é a excitação que se sente na antecipação do prazer e da alegria que se teria com a intimidade e o contato com o outro. Amamos as pessoas que nos fazem sentir bem; evitamos aquelas cuja presença é dolorosa.

Alice tinha medo de seu desespero porque, em um nível profundo, ele estava associado à morte. Ela vivera praticamente a vida inteira à beira do desespero, assustada demais para senti-lo. Era como alguém na praia que só molha os pés por medo de ser arrebatado pela força do mar. O mar é um símbolo de nossos sentimentos mais profundos — tristeza, alegria, sexualidade. É a fonte da vida, e só nos entregando a ela podemos vivê-la plenamente. Ir fundo no próprio desespero é mergulhar nas profundezas do ventre, o qual, representando o mar, também é fonte da vida. Nenhum adulto jamais se afogou nas próprias lágrimas, embora o medo de afogar-se sustente o pânico. O bebê que é provado de qualquer contato amoroso acaba morrendo; uma criança muito pequena nessa situação poderia morrer porque seu corpo precisa do contato e do apoio de uma figura materna. A criança que chega perto da morte devido a um suporte amoroso insuficiente e sobrevive torna-se um neurótico que viverá à beira do desespero e do pânico por toda a vida, a menos que seja libertado do medo revivendo o trauma original e descobrindo que não vai morrer.

Deve ficar claro que falar sobre o medo da morte, embora necessário para ajudar o paciente e entender seu problema, não é suficiente para eliminá-lo. Dizer a uma criança para não ter medo do escuro porque não há ninguém lá não ajuda muito, porque, embora não haja realmente nenhuma figura assustadora na escuridão do quarto, há uma figura como essa na escuridão de seu inconsciente. Penetrar no próprio inconsciente é adentrar o ventre por meio da respiração profunda. Conforme a onda respiratória de expiração flui para baixo, até a pelve, conseguimos perceber os sentimentos trancados nessa área. Poderíamos sentir que não fomos amados e que poderíamos ter morrido, mas, por mais triste que seja essa consciência, também nos daríamos conta de que *não* morremos. Para um adulto, não ser amado não é uma sentença de morte. A pessoa pode amar e entregar-se ao próprio *self*. A mulher madura, de 50 anos, mãe de vários filhos, que me disse "Se ninguém me amar, eu morro", é uma mulher trágica que tem tanto medo de viver quanto de morrer.

Na época em que tratei Alice, eu não compreendia a profundidade do medo da morte, por isso, embora pudesse ajudá-la com o aspecto neurótico de seu problema — isto é, a necessidade de ser perfeita —, não fui capaz de ajudá-la a encarar o medo latente da morte que motivava esse impulso irreal. Durante a terapia, ela progrediu um pouco na compreensão dos seus problemas e sentiu-se um pouco mais forte, mas não fui capaz de ajudá-la a abrir caminho para o seu *self* mais profundo. A maioria dos terapeutas consideraria esse resultado satisfatório, mas, sem uma base sólida no próprio *self* e no próprio corpo, há o perigo de uma recaída no desespero, pois a pessoa não consegue sentir a alegria da vida. Isso não quer dizer que a pessoa possa realizar consistentemente as rupturas que a libertariam de seu medo da morte e de seu desespero, mas acredito de fato que é fundamental para o terapeuta compreender a profundidade do desespero do ser humano moderno e ter à sua disposição os meios e a compreensão para lidar com isso. O caso seguinte ilustra o princípio que uso para lidar com esse problema.

Todo paciente precisa atravessar a barreira criada pelo medo da morte, e Nancy realizou essa ruptura. Era uma mulher de 50 anos que sofria de personalidade borderline. Por toda a sua vida fora anoréxica e sua existência só poderia ser descrita como marginal. Realizou essa ruptura após vários anos de terapia, durante os quais conquistou a vontade de lutar por sua vida. Tínhamos feito um trabalho considerável para ajudá-la a respirar melhor, expressar sentimentos de tristeza e protesto e defender-se numa situação de vida negativa. Contudo, seus sentimentos nunca se tornaram suficientemente fortes porque sua respiração nunca fora profunda o bastante.

Quando se deitava sobre o banco, respirando e depois emitindo o som prolongado, interrompia o som justamente quando poderia ter desatado em soluços profundos. Sentia-se muito assustada e dizia: "Está ficando muito escuro. Sinto que vou morrer". Esse sentimento poderia assustar qualquer um, mas por que ela sentia que ia morrer bem quando sua respiração estava mais forte? A resposta é que sua respiração mais profunda tocara um medo da morte que sempre esteve dentro dela. Nancy quase morrera quando criança. A história que me contou é interessante: quando tinha mais ou menos 2 anos, era uma garotinha rechonchuda e bonitinha. Sua mãe, vendo-a engordar, temeu que ela se tornasse uma mulher gorda, como acontecera com a irmã de sua mãe. Guiada por esse medo, ela perseguiu a garotinha com a questão da alimentação e aterrorizou-a tanto que ela perdeu o apetite e não conseguia comer. Quando Alice perdeu peso e ficou magra, a mãe entrou em pânico e insistia para que ela comesse, sem resultado. A menina acabou internada num hospital em estado crítico.

Eu tinha certeza de que sua anorexia resultava dessa vivência. Ela ainda estava aterrorizada com a ideia de engordar quando começou a terapia comigo. Mas engordar era muito difícil para ela. Por um lado, significava que teria um corpo e seria alguém. Isso poderia resultar num confronto com a mãe, com quem se sentia aterrorizada. Uma ruptura importante aconteceu várias sessões depois daquela em que Alice vivenciou seu medo da morte. Eu lhe garantira que não havia perigo de morrer. Expliquei que o que tinha acontecido era que, conforme ela respirava mais profundamente, sentia seu terror e parava de respirar, interrompendo o fluxo de oxigênio para o cérebro. Isso produzia a sensação de escuridão. A única coisa plausível de ocorrer era que ela desmaiasse; nesse caso sua respiração prosseguiria espontaneamente e ela recuperaria a consciência. Quando voltamos a esse exercício na sessão seguinte, ela ainda vivenciou a escuridão e o medo de morrer, mas em menor grau. Tínhamos estabelecido uma forte aliança terapêutica nesse ponto, que lhe permitia confiar em mim. Na terceira ocasião, enquanto estava deitada na cama chutando e tentando gritar, um som forte irrompeu e ela desatou a soluçar profundamente, um soluçar que vinha de seu ventre. Quando parou de chorar, exclamou: "Não morri! Não morri!" Sentia que havia atravessado um medo que a havia perseguido, emperrando e restringindo sua vida. A coragem para lidar com seus problemas aumentou sobremaneira, pois ela havia conquistado algum sentimento no ventre que poderíamos descrever como "ter peito". Mas isso não quer dizer que seu medo desaparecera totalmente. Ela enfrentara seu medo da morte, mergulhara no submundo e agora precisava elaborá-lo.

Uma de minhas pacientes relatou um incidente que aconteceu com sua filha de 5 anos de idade. Ela estava jogando bola com os pais e divertindo-se muito. Seu irmão mais novo, de 2 anos, que observava, quis tomar o lugar dela. Ela se recusou a dar-lhe a bola e, quando os pais insistiram, atirou a bola nele. Ela não o atingiu, mas o pai repreendeu-a severamente, dizendo que não devia fazer isso porque poderia machucá-lo. A repreensão foi como um choque e ela começou a gritar. O pai, achando que a reação dela era irracional, disse-lhe que parasse de gritar, o que só a fez gritar mais alto. Querendo ensinar-lhe uma lição, ele a colocou num grande armário e fechou a porta, dizendo que poderia sair quando parasse de gritar. Depois de alguns minutos, ela de fato parou, mas não saiu de lá. Alarmado, o pai abriu a porta e encontrou-a no chão, branca e incapaz de respirar. Levaram-na correndo para o hospital, onde o médico ministrou um broncodilatador. A menina sofrera um ataque de asma que poderia ter causado a sua morte. Incapaz de parar de gritar e receosa de nunca mais poder sair do armário, ela teve uma reação de pânico na qual seus brônquios se contraíram, tornando quase impossível para ela respirar. Estava em estado de choque.

Tenho trabalhado com muitos asmáticos. Quando fazem qualquer um dos exercícios para aprofundar a respiração, como chorar, chutar ou gritar, começam a respirar com dificuldade, chiando, e imediatamente utilizam o inalador, que alivia temporariamente o espasmo bronquial, permitindo-lhes respirar com mais facilidade. No entanto, isso não elimina a tendência ao espasmo, que é uma reação de pânico quando a respiração fica mais profunda. Como ficam muito assustados com a falta de ar, que marca o início de um ataque de asma, atribuem esse medo à incapacidade de respirar. Em parte isso é verdade, mas também é fato que é o medo que gera a incapacidade de respirar. É o medo de serem rejeitados ou abandonados por chorar, gritar ou serem muito exigentes. Essa expressão vocal, que foi reprimida em prol da sobrevivência, é ativada pela respiração mais profunda. Assim que compreendem essa dinâmica, seu medo diminui. Então, eu os encorajo a render-se a um choro mais alto e ao grito, o que conseguem fazer sem ter um ataque de asma. Mesmo quando aparece um pouco de falta de ar, com chiado, desaconselho o uso do inalador, assegurando-os de que, se não entrarem em pânico, serão capazes de respirar com facilidade. Para seu espanto, isso dá certo em quase todos os casos.

Alice, cujo caso descrevi antes, não era uma típica paciente com síndrome do pânico. Seu peito não era inflado e ela tinha mais dificuldade para inspirar do que para expirar. Seu medo era mais profundo e beirava o terror — uma reação à hostilidade da mãe, não à rejeição e ao abandono. Alice poderia ser descrita como personalidade borderline com forte tendência à cisão e à dissociação esquizoides. Seu medo latente era o de ser morta, não o de ser rejeitada ou abandonada. É um medo mais intenso e profundo e requer uma mobilização maior de raiva para superá-lo.

No pânico há também um medo da morte, mas em menor grau. Para ajudar os pacientes a entrar em contato com seu pânico, uso a técnica descrita no Capítulo 3: o paciente se deita sobre o banco bioenergético e emite um som que é sustentado tanto tempo quanto possível. Ao final do som, tenta soluçar. Quando desata a soluçar, depara com o medo de se afogar na tristeza ou de ser dominado pelo desespero. Para se proteger desses sentimentos, o corpo tenta inibir a respiração. A parede torácica torna-se mais tensa e os brônquios se contraem. Nesse ponto, o paciente sente o pânico.

Lisa, que vivenciou esse pânico, observou: "Sinto que não sou capaz de respirar. Sinto meu peito e minha garganta muito tensos". Mas ela não reconheceu que estava revivendo seus traumas de infância. E acrescentou: "Conheço essa sensação [o aperto no peito]. É uma dor tão profunda que não sei se quero morrer ou se vou morrer. É uma dor silenciosa, um inferno particular". Ela, depois, explicou que fora abandonada quando criança. Nenhum dos pais estava interessado nela, nem sequer consciente de sua luta e infelicidade. Queriam uma criança feliz, e Lisa vestiu uma máscara sorridente e alegre para ocultar a tristeza e o desespero. Quando se permitiu chorar profundamente, sentiu-se livre ao abdicar da máscara. Lisa nunca fora casada e não vivenciara o êxtase do amor. Não ousava abrir o coração para o amor; havia dor demais dentro dele. Mas só quando essa dor é vivenciada é que o medo dela vai embora. Na época em que expressou os *insights* acima, conheceu alguém a quem sentia estar amando de verdade.

Sally era uma mulher cujo corpo entre a cabeça e a pelve era tão estreito e contraído que eu a considerava uma dama numa camisa de força. Tinha uma cabeça bem formada, forte, e um rosto largo, bonito. Seus pés e pernas eram bem torneados e fortes. Em vista de seu rosto largo e das pernas saudáveis, a estreiteza de seu tronco não poderia ser considerada um problema de desenvolvimento, e sim fruto de vivências traumáticas na infância. Essa contração era tão forte que sua respiração estava gravemente restringida. Apesar dessa redução em seu volume respiratório, Sally não era fraca. Sua musculatura se mostrava bem desenvolvida e capaz de sustentar um forte esforço. A tensão em seu tronco servia a uma função especial, que era restringir qualquer explosão violenta ou impetuosa. Camisas de força são usadas em hospitais psiquiátricos com essa finalidade. Sally era uma dama numa camisa de força.

Sally começou a fazer terapia para aprender a enfrentar a ameaçadora ruptura de seu casamento. Esse casamento não era feliz, mas a perspectiva de ficar sozinha a assustava. Descreveu o marido como alguém em quem não se pode confiar. Ele mudava constantemente de emprego, e Sally suspeitava de que fosse infiel. Era mais um menino do que um homem. Sally era a responsável da família, ganhando dinheiro, administrando a casa e cuidando do filho. O casamento não poderia dar certo, porque Sally sentia-se usada e seu marido sentia-se preso. Ele reagia às exigências de Sally de ter uma postura mais responsável com promessas que não cumpria. Quando finalmente se separaram, Sally ficou deprimida, com ideias suicidas. Ela não conseguia imaginar-se vivendo sozinha, nem vislumbrar a possibilidade de encontrar outro homem. Embora os homens se sentissem atraídos por ela, sentia-se desolada. Lá no fundo, sentia-se uma criança abandonada. Na superfície, continuava a trabalhar e administrar sua situação de vida.

No entanto, terapia não é aprender a enfrentar. A vida tem de ser mais do que uma questão de sobrevivência. Precisamos encontrar alguma alegria na existência, caso contrário entraremos em uma depressão que pode tornar problemática até mesmo a sobrevivência. Sally não sentia nenhuma alegria; a grave contração de seu corpo impedia qualquer sensação de liberdade e bem-estar. Tinha de ser libertada de sua camisa de força muscular, mas para ajudá-la a fazer isso era preciso entender o que a levara a estar naquela camisa de força psicológica e compreender as forças em sua personalidade que a mantinham tão presa.

Quando questionei Sally a respeito de sua história, ela relatou algo que sua mãe lhe havia contado. Sally era a última de três filhos, oito anos mais nova que a irmã do meio. Ao nascer, o que aconteceu em casa, numa aldeia rural, ela parecia tão fraca e cianótica que sua mãe acreditava que fosse morrer. Portanto, foi abandonada. Mas não morreu e na realidade transformou-se numa criança cheia de vitalidade. Sally sempre atribuiu seu medo de abandono a esse incidente, mas quando nos aprofundamos em sua história outros aspectos desse medo de abandono emergiram. Quando tinha 4 anos, o período edipiano crítico, seu pai saiu de casa. Sua mãe o acusara de ser irresponsável e de traí-la. Nesse aspecto, a própria vivência de Sally parecia reproduzir a da mãe. No entanto, o pai de Sally visitava a família de tempos em tempos. Ela se lembrava de quanto ficava empolgada e feliz ao vê-lo e de como se sentia oprimida quando ele partia. Falamos muito sobre esse tema durante a terapia. Em determinada sessão, ela disse: "No minuto em que um homem me deixa, sinto que vou morrer. Quando tenho uma briga com um homem, sinto que, se ele for embora, morrerei".

Quando Sally começava a chorar, dizia: "Não me deixe, papai". Ela reconheceu que esperara do pai amor, apoio e proteção, o que sentia não receber da mãe. Quando ele deixou a família, a mãe teve de sair para trabalhar e Sally era deixada com a avó, com quem ficava aterrorizada. Teve um sonho no qual estava na praia à beira-mar e via a avó vindo em sua direção. Sentia que seria morta. No sonho, tinha um impulso de entrar no mar e afogar-se. Sally também se recordava de um incidente em que sua avó lavou seu cabelo com água muito quente, o que a fez gritar de dor e tentar tirar a cabeça da água. Entretanto, a mulher empurrou sua cabeça de volta para dentro da água, dizendo que tinha de ser quente o bastante para matar os piolhos. Sua avó era muito severa com ela e ameaçava se matar se Sally não fosse uma menina obediente e "boazinha". Para tornar a ameaça eficaz, sempre carregava consigo uma bolsinha que supostamente continha ervas venenosas, que ela ameaçava comer toda vez que Sally chorava ou protestava. A incapacidade de chorar ou de protestar fortemente contra maus-tratos ainda estava presente na personalidade de Sally devido à sua grave restrição respiratória causada pela tensão no peito e na garganta.

Libertar o corpo de Sally dessa tensão não era tarefa fácil, pois ela imobilizara sua agressividade. Revoltar-se era convocar um desastre que lhe provocava o temor de ser abandonada ou morta. Ela entendeu que seus problemas decorriam do início da infância e que seu medo de ser morta não tinha fundamento no que dizia respeito à sua vida atual, mas seu medo de abandono parecia ter uma realidade no presente. Quase todos os pacientes entram em pânico diante da ideia de ficar sozinhos, de não ser amados, apesar do fato de muitos terem vivido parte da vida sozinhos. Sally opunha-se a esse medo com a esperança de encontrar alguém que a amasse e a quem seria submissa como fora à avó. A submissão, no entanto, prejudica a relação e desperta o medo do abandono. Se a outra pessoa tem o mesmo medo e a mesma necessidade de contato, torna-se uma relação de codependência, que é apenas um substituto para o amor. Sally e o marido estavam num relacionamento como esse.

Após o divórcio, Sally apaixonou-se por outro homem, que veio a ser exatamente como seu marido e seu pai irresponsável e desonesto. Ele se apresentou com muita força, declarando um amor por ela que não tinha base real. Quando a relação chegou ao fim, depois de Sally descobrir que ele mentia, ela entrou em profundo desespero, sentindo que não conseguia continuar, que ia morrer. Foi de grande ajuda para ela quando ressaltei que a pessoa que está procurando ser salva acaba sendo condenada. Ela não precisava de um homem e era muito capaz de andar com as próprias pernas, mas resistia a assumir essa postura porque isso implicava encarar o desespero provocado pelo fato de que seu pai nunca voltaria e de que ela jamais encontraria um homem que a amasse. Sally conseguia enxergar a sua situação conscientemente, mas não emocionalmente, porque a vivenciava como muito dolorosa e assustadora. Tinha medo de que, ao admitir que fora traída pelo pai, pelo marido e pelo namorado, isso desencadeasse uma ira assassina contra eles, a qual explodiria num acesso furioso de raiva que vivenciaria como loucura. Para impedir que isso acontecesse, ela se trancara numa camisa de força psicológica. Porém, embora libertar essa ira pudesse ter sido perigoso quando Sally era criança, isso não valia para a mulher que era agora nem para a situação em que estava. Como minha paciente, ela podia libertar sua ira chutando e socando a cama com toda a alma. Ela fez isso e também expressou uma raiva intensa contra mim por não ter levado seu desespero tão a sério quanto ela desejava. Ressentia-se de minha afirmação de que ela tinha dentro de si os meios para elaborar seu problema. Nesse sentimento, identificava-me com sua avó, que exigira uma atitude madura de uma criança muito triste e assustada. Eu também estava apontando sua necessidade de ser mais realista e madura, reconhecendo seu desespero como fruto do passado e permitindo-se chorar profundamente — libertando, desse modo, sua dor. A raiva reprimida costuma ser descarregada na pessoa que tenta ser útil.

No Capítulo 3, enfatizei a importância de levar o paciente a chorar e mostrei que isso não é tão fácil de fazer como se imagina. A maioria das crianças não é incentivada a expressar sua tristeza; na realidade, algumas apanham quando choram. Diante disso, desenvolvem um lábio superior rígido, e muitas se orgulham de sua capacidade de não chorar mesmo que sejam feridas. Expressar a própria tristeza por meio de lágrimas e do choro é uma maneira de compartilhar sentimentos. Independentemente do que se diga, a maioria das pessoas reage positivamente a um indivíduo que chora. Podem tentar reanimá-lo, mas raramente ele é rejeitado por chorar. Porém, quando se trata de desespero e vontade de desistir, é outra história. Somos como pessoas voltando para casa depois de uma derrota, cujas chances de sobrevivência são ameaçadas por qualquer sinal de fraqueza. "Continue tentando, não desista." Isso faria sentido se estivéssemos sendo perseguidos por um inimigo ou se nas imediações houvesse um abrigo seguro nos aguardando. Mas, neste mundo, ninguém pode encontrar nenhuma segurança real que não esteja no próprio *self*. Riqueza, posição e poder não são respostas para um sentimento latente de desespero e insegurança. Na verdade, é o esforço para superar o próprio desespero e insegurança que garante sua presença contínua na personalidade.

Quando Sally estava sentindo seu desespero, sugeri que se deitasse sobre o banco e respirasse. Depois, pedi-lhe que gritasse: "Não adianta! Nunca terei alguém para me proteger e amar!" Quando ela fez isso, desatou a soluçar profundamente, e então se viu ofegante, com falta de ar. Seu choro tinha parado e ela só conseguia dizer "Não consigo respirar, não consigo respirar" e "Vou morrer". Mas ela estava respirando — na realidade, mais profundamente do que já havia respirado na terapia. É verdade que ofegava, mas isso representava um desejo de viver, não só de sobreviver. O fato de estar ofegante também podia ser entendido como fruto do conflito em sua personalidade — entregar-se ao sofrimento e ao medo de ser abandonada se o fizesse ou continuar lutando. Apoiei sua entrega, dizendo-lhe que se rendesse ao choro. Quando ela se entregou, o choro tornou-se mais suave e profundo. Quando começou a ofegar, sentia pânico, mas este desapareceu quando ela se rendeu ao choro. Observei que seu peito se acalmara e o ventre relaxara. Depois, sugeri que desse alguns chutes e fizesse o exercício de *grounding* para manter a respiração mais profunda. Quando Sally se levantou do último exercício, seu rosto tinha uma expressão diferente. Havia nele uma luz inédita para mim. Seus olhos brilhavam. Ela disse, simplesmente: “Sinto-me bem”.

O sentimento de pânico sempre surge nos indivíduos quando uma forte onda expiratória não consegue passar livremente através do diafragma para chegar ao ventre. Ela fica bloqueada por uma contração do músculo diafragmático, que pode ser dolorosa e gerar náuseas. É fundamental compreender essa reação se quisermos ajudar os pacientes a respirar profundamente. A náusea e a vontade de vomitar desenvolvem-se quando a onda avança contra a tensão no diafragma, que age como uma parede de pedra que obriga a onda a recuar e mover-se na direção oposta, ou seja, para cima. Quando a onda atravessa o diafragma e chega ao ventre, entra no submundo psicológico, um mundo de escuridão. Na mitologia, o diafragma, que tem a forma de uma cúpula, é concebido como a representação da superfície da Terra. Mas toda vida começa na escuridão da Terra ou do útero antes de emergir para a luz do dia. Temos medo da escuridão porque a associamos à morte, à escuridão do túmulo e do submundo. O mesmo vale para a escuridão da noite, quando a consciência morre e dormimos para renascer revigorados na manhã seguinte. A entrega da consciência egoica é assustadora para muitos indivíduos que têm dificuldade de dormir ou se apaixonar. Aqueles em cujo inconsciente não existe o medo da morte conseguem descer ao submundo psicológico do ventre e encontrar a alegria e o êxtase que a sexualidade oferece. É preciso ter a coragem de confrontar o anjo com a espada flamejante que guarda a entrada do Jardim do Éden, nosso paraíso terrestre, se desejamos encontrar a alegria.

Duas semanas depois, quando Sally veio para sua sessão, informou que perdera a sensação de bem-estar. Garanti que ela a recuperaria se expressasse seu sofrimento e desespero outra vez. Deitada na cama e chutando fortemente, ela gritou: “Estou cansada de tentar! Não adianta! Não consigo mais fazer isso!” Mais uma vez, os gritos abriram espaço para um pouco de choro profundo, mas dessa vez ela não sentiu pânico ao se entregar ao choro. No final da sessão, voltou a vivenciar sensações de bem-estar no corpo. Na realidade, a declaração “estou cansada de tentar” foi relevante para sua situação de vida. Sempre lhe pediam que fizesse hora extra e levasse trabalho para casa, o que interferia em seu desejo de passar mais tempo com o filho. Sua personalidade neurótica não lhe permitia protestar. Submissão era sobrevivência, era tudo que conhecia. Mas, ao tornar-se mais viva por meio do choro e da respiração profundos, sentiu com mais intensidade a dor de sua situação e também sua raiva por isso. Fortalecida por esse sentimento de raiva, certo dia confrontou seu chefe, que, para sua surpresa, não fez nenhuma objeção quando ela se recusou a trabalhar além do horário, exceto em emergências.

Sally ainda tinha mais trabalho corporal para fazer. A tensão diminuíra notavelmente, mas seu corpo ainda estava longe de mostrar-se pleno — ou seja, satisfeito. Ela conseguia enxergar a luz no fim do túnel, mas ainda não a tinha alcançado. Precisava continuar o trabalho, respirando para expandir mais o peito, gritando para abrir mais a garganta e chorando para descontrair o ventre. Esse trabalho seria contínuo por um longo tempo para aumentar sua sensação de segurança e aprofundar sua alegria. Sally ainda tinha de liberar uma raiva considerável contra a avó por assustá-la, contra a mãe por abandoná-la e contra o pai por sua sedução e rejeição. Sua relação com os homens era o elemento crítico de sua neurose. Acreditando que precisava deles, permitira que eles a usassem. Em certo momento, sua raiva contra o ex-marido explodiu num sentimento de que poderia castrá-lo. Entretanto, reconheceu que seu sentimento de necessidade a levara a agir de modo sedutor com os homens. Essa sensação de necessidade, no entanto, diminuíra muito com as irrupções de sentimento forte, o que reduziu o pânico latente e permitiu-lhe sentir que era capaz de ficar sozinha e de encontrar alegria na liberdade.

William era o menino de ouro cujo problema descrevi no Capítulo 5. Trabalhei com ele durante vários anos e ele progrediu consideravelmente na vida. Ele fora casado muitos anos antes com uma mulher agressiva de quem era dependente. Depois, com o divórcio, ficou deprimido. Mobilizando sua energia, tirou a si mesmo da depressão e voltou a ser um homem ativo. Saía com outras mulheres e começou a progredir na profissão, mas sentia que ainda faltava algo. Na primeira vez que me consultou, pude perceber pela enorme tensão em seu corpo que era um homem torturado. Ele conseguia sentir a tensão e sabia que precisava aliviá-la, mas, embora concordasse comigo quanto à gravidade de sua tensão, não reagia emocionalmente. Não chorava nem ficava com raiva. No entanto, estava disposto a fazer um trabalho corporal para aprofundar a respiração e tornar-se mais conectado à realidade. Esse trabalho ajudou-o a se sentir melhor e a ser mais produtivo. Ao mesmo tempo, o paciente elaborou a relação com a mãe, que o fizera acreditar que era um ser superior. A análise ocorreu junto com o trabalho físico. Seu pai nunca fora uma figura forte, que lhe desse apoio, porque a mãe assumira posse exclusiva dele. Eu agora realizava o papel do qual seu pai abdicara e ele partilhava os acontecimentos de sua vida comigo.

Ao longo dos vários anos seguintes, William continuou progredindo. Conquistou reconhecimento no trabalho e conheceu uma mulher por quem sentia amor e respeito. Conquistou também a capacidade de chorar, o que sempre fazia nas sessões e em casa quando praticava os exercícios de bioenergética. A essa altura, estava muito bem-sucedido e pensando em se casar. Exatamente nessa época, quando tudo parecia estar indo bem, voltou a se queixar de uma sensação de frustração. Apesar do sentimento de amor por sua companheira, grande parte de sua excitação sexual com ela havia desaparecido. No início da discussão desse caso, falei sobre minha crença de que sua incapacidade de sentir qualquer raiva forte contra a mãe fosse um fator fundamental de bloqueio contra sua entrega. Mas, como ele ainda não conseguia sentir nenhuma raiva, sua frustração apenas se aprofundava.

Em determinada sessão, William queixou-se da falta de entusiasmo pela vida, da falta de paixão pela companheira e pelo trabalho. Deitado sobre o banco, começou a chorar. Sugeri que dissesse "Meu Deus, é uma luta tão grande!" Sua garganta contraiu-se e ele não conseguia emitir essas palavras. Levantou-se, dizendo: "Tem algo de assustador nisso". Parecia assustado, quase em um estado de pânico. Pedi-lhe que voltasse a se deitar de costas sobre o banco e dissesse, "Meu Deus, não consigo respirar!" Ele o fez e depois disse: "É verdade". Sentia um medo que estava entre o pânico e o terror, o que nunca se permitira vivenciar. Depois me contou um detalhe fundamental: praticamente todo mês, quando era menino, chorava por noites a fio quando ia dormir. "Acordava com uma perspectiva de futuro muito sombria e desoladora", disse, "mas depois, quando saía da cama e começava a fazer as coisas, essa sensação desaparecia". Também admitiu que ainda sentia essa desolação, mas que ela não durava muito.

William estava na posição de *grounding* enquanto relatava isso. Quando se levantou, fiquei espantado com a mudança em seu rosto. Estava suave, brilhante e rejuvenescido. Era como se tivesse sido libertado de uma cela escura. Depois me dei conta de que sua expressão habitual era uma máscara. Ele costumava sorrir, mas o sorriso era tão rígido e tenso quanto seu corpo. A mudança em seu rosto devia-se agora ao reconhecimento de seu desespero. "Estou desiludido com a minha vida", ele observou. Mas por que ele teve de ocultar e até mesmo negar isso? Essa negação traía a existência de um medo profundo.

Quando falamos sobre a sua falta de raiva, ele disse: "Considero-me um sucesso. Tenho dinheiro, amigos e posses. Não me sinto pior do que outras pessoas". Para mim era claro que ele estava profundamente envergonhado de mostrar que não estava bem. William fora criado para acreditar que era uma pessoa superior, divina. Não podia ser um mero mortal. Fora proibido de mostrar qualquer interesse sexual por garotas. "Sexo não era algo admitido em minha família", explicou. "Minha mãe nunca disse uma palavra a respeito de sexo para minhas irmãs. Ela passava muito tempo na igreja. Fui coroinha. Ela estava preocupada com castidade e santidade, com ser casto e bom." Quando William não obedecia, era repreendido, e quando era "mau", levava palmadas. Nunca foi espancado. Qual era então o grande medo que o obrigara a negar seus sentimentos e lutar para ser superior a todo custo? Depois me dei conta de que a mãe de William tinha um traço de insanidade em sua personalidade, como todos os fanáticos têm. Quando menino, ele ficava aterrorizado com o que ela poderia fazer, e ficava em pânico temendo que ela o rejeitasse se ele a desafiasse. Eu já aludira ao fanatismo dela como um sinal de irrealidade ao longo da terapia, mas William a considerava apenas incomum. Agora, pela primeira vez, ele conseguia admitir que havia um traço de insanidade na mãe. A venda fora retirada de seus olhos e ele conseguiu ver alguma luz. O mundo não era mais um lugar desolado e sombrio. Essa luz foi ficando mais brilhante nas sessões seguintes.

A história de Mary reflete os passos terapêuticos que a levaram a fazer um considerável progresso rumo à alegria. Como mencionei brevemente em capítulo anterior, ela era Gestalt-terapeuta, tinha 33 anos e era casada quando começou a terapia comigo. Estava participando de um *workshop* profissional que organizei para um grupo de terapeutas, e ficou muito impressionada com a minha capacidade de compreender sua luta para analisar seu corpo. A característica principal era uma acentuada cisão entre as metades superior e inferior de seu corpo, que davam a impressão de terem sido separadas à força. Sua cintura era fina e alongada. As duas metades pareciam fracas; seu peito era tenso e contraído; o pescoço, fino e ligeiramente alongado; o rosto, suave e de aparência frágil. A parte inferior tinha uma aparência semelhante de fraqueza, manifestada em uma pelve estreita, tensa, e em pernas longas e finas. Seus pés também não pareciam fortes. A aparência de fraqueza no corpo de Mary denotava uma carga energética reduzida que também se manifestava em uma intensidade de sentimentos diminuída. Sua agressividade, por exemplo, era fraca. Além disso, seu corpo mostrava uma falta de integração entre suas partes: cabeça, tórax e pelve não estavam energeticamente bem conectados um ao outro.

Quando apontei isso para Mary no *workshop* e observei que ela tinha um grande problema que requeria uma abordagem terapêutica orientada para o corpo, ela me disse que nenhum outro terapeuta vira suas dificuldades. Era doutora em Psicologia e, em nível verbal, conseguia segurar as pontas muito bem, o que enganava a maioria de seus colegas. Tinha um rosto jovem e atraente e um sorriso ansioso que expressava seu desejo de agradar, mas também mascarava sua tristeza e pânico. Quando começamos a terapia, ela ficou agradecida por eu ter percebido sua dor e tristeza. Acolheu bem o incentivo para chorar, o que ela precisava fazer com urgência. Também praticou um pouco de chutes e gritos, usando a expressão "por quê" para protestar contra o que sabia ter sido uma infância infeliz. Não foi difícil para Mary perceber quanto fora ferida quando criança. Conforme trabalhávamos para aumentar sua percepção de si mesma como pessoa, ela relatava memórias e incidentes da infância que mostravam seu medo. "Quando eu era pequena, minha mãe costumava me amarrar. Uma vez, ela me amarrou do lado de fora, na porta de tela. Lembro que gritei para que me deixasse entrar, mas ela ignorou meus apelos. Tanto minha irmã como eu costumávamos ser espancadas e surradas por minha mãe com a colher de pau ou um cabide."

Mary recorda sua infância como um pesadelo. Ela era sonâmbula, e às vezes corria como se estivesse tentando fugir. Tinha sonhos assustadores. "Eu estava no mar e tubarões vinham na minha direção. Às vezes eu acordava antes que me atacassem, mas outras vezes eles mordiam e arrancavam minha perna antes que eu conseguisse acordar. Havia sangue na água. Não me lembro de gritar, mas acordava aterrorizada. Havia outro tipo de sonho que era menos claro. Eu estava num bosque e uma serpente me perseguia, mas eu me sentia paralisada e não conseguia me afastar. Esses sonhos ocorreram entre os 4 e 5 anos de idade. Até mesmo agora sou capaz de sentir um terror dentro de mim. Era uma criança muito ansiosa, mas fingia ser corajosa. Mesmo aos 12 anos de idade, eu ficava aterrorizada se tivesse de pedir alguma coisa a alguém. Era uma tortura para mim."

Quando perguntei a Mary quem ela achava que fosse o tubarão, ela disse: "Sempre achei que fosse meu pai. Ultimamente, porém, percebo muito medo em relação à minha mãe. Nunca senti que minha mãe me odiasse. Agora sinto que ela não me ama. Tenho medo de encarar o fato de que ela me odeia".

Durante essa sessão, Mary revelou que ficara sabendo que seus pais haviam casado porque a mãe engravidara dela. Ela sentia que o pai não quisera ficar com a mãe. Houve um conflito sobre o nome dela quando nasceu e finalmente lhe foi dado o nome preferido pelo pai. Depois, ela disse: "Quando eu era pequena, sempre senti que era a verdadeira noiva de meu pai". Mary tinha consciência de que seu o pai tivera um envolvimento sexual com ela, embora não tivesse nenhuma sensação de que ele abusasse dela.

Para Mary, era essencial sentir seu problema corporal e saber como fora causado por vivências de infância. Na terapia, mantive-a focalizada na cisão em seu corpo e na necessidade de integrar os segmentos corporais. Isso acontece quando a onda de excitação associada à respiração flui intensamente pelo corpo todo. Respirar sobre o banco estimula esse fluxo. Em determinada sessão, deitada sobre o banco e respirando, ela começou a chorar e disse: "Meu Deus, não consigo suportar a cisão no meu corpo entre as metades superior e inferior. Sinto como se estivesse sendo torturada". Ela fora torturada psicologicamente e seu corpo fora fragmentado pelos conflitos emocionais oriundos do interesse sexual do pai por ela e do ciúme e da hostilidade da mãe que lhe foram dirigidos. Ao mesmo tempo, não conseguia protestar contra o que estava acontecendo porque seus pais eram cegos ao próprio comportamento. Com meu incentivo, ela gritou: "Você está me torturando, não consigo suportar isso!" Mas, depois, acrescentou: "Sinto como se não conseguisse escapar!" Com esse comentário, desmoronou no chão, soluçando profundamente.

Depois, acrescentou: "Minha mãe ficava atrás de mim o tempo todo, atacando-me toda vez que eu tentava ser livre ou mostrar qualquer sentimento sexual. Desisti. Tornei-me sua pequena serva e ela ficou muito feliz. Mas depois, quando passei a frequentar a escola, fiquei bastante constrangida. Achava que havia algo de errado comigo. Sentia-me culpada por ter raiva dela". Mas ela também se sentia culpada por seus sentimentos sexuais dirigidos ao pai. Em uma sessão posterior, queixou-se de uma sensação de agonia na pelve. Sentia uma relutância em aprofundar-se mais nessa sensação. Depois, quando conversamos sobre seu medo das sensações profundas na pelve, ela disse: "Oh, Deus. Sinto que estou me protegendo contra a insanidade do meu pai. Ele enlouqueceria se eu permitisse que meus sentimentos sexuais viessem à tona". Ela começou a chorar profundamente e depois acrescentou: "É como se toda a energia do meu pai estivesse vindo para a minha pelve. Os olhos dele sempre estavam observando essa região. Era uma loucura, um tormento, insuportável. Eu sabia que ele era pervertido, mas agora sinto isso com clareza. Mas, como ninguém confirmava isso, fizeram que eu me sentisse mal. Eliminei os sentimentos sexuais de pelve e tornei-me um 'anjo', uma boa menina católica. Quando tinha qualquer sentimento sexual ou mostrava qualquer excitação, sentia-me perversa. É muito triste. Mas", acrescentou, "agora tenho boas sensações corporais e, embora me sinta mais sexual, sou menos sedutora". Essa melhora foi fruto do alívio de tensão em seu corpo por meio do choro, dos gritos, chutes e socos, que permitiram que a onda de excitação fluísse de modo mais livre. Ela também fazia regularmente os exercícios bioenergéticos em casa, o que fortaleceu seu corpo. Em consequência do forte trabalho corporal e da concomitante expressão de sentimentos, seu medo diminuiu de forma considerável.

Em certa sessão, enquanto estava deitada sobre o banco, respirando, saí da sala por um minuto. Quando voltei, ela estava em pânico. Gritou: "Não me deixe com ela". Quando lhe perguntei do que estava com medo, ela disse: "Senti que ela ia arrancar a minha vagina". Ficou claro tanto para Mary quanto para mim qual era a sua luta. Sentindo-se odiada pela mãe, voltou-se para o pai em busca de amor, mas o amor dele tinha uma conotação pervertida que a excitava e assustava — e, ao mesmo tempo, tornava-a mais vulnerável ao ciúme e à ira da mãe. Ela havia sido literalmente dividida com violência pelos pais, cada qual exigindo um padrão emocional diferente. A mãe exigia um comportamento assexuado, virginal, enquanto o pai correspondia à sua sexualidade.

Em outra sessão, quando estava sobre o banco, percebeu sua dificuldade para respirar. Ela havia chorado e sua garganta se mostrava contraída. Disse: "Se eu chorar muito, vou sufocar e morrer. Vou morrer". Mas a paciente não conseguia parar de chorar. "Oh, meu Deus", ela dizia, "minha tristeza é esmagadora. Não consigo suportá-la. Ela me odeia e eu preciso dela. Meu peito parece um grande grito contra seus olhos frios e raivosos. Oh, meu Deus! Sem o amor do meu pai, não haveria razão para viver. É por isso que os homens têm sido tão importantes para mim."

Mary afastara-se da própria sexualidade para evitar ser dominada pelo interesse sexual de seu pai por ela e para se proteger do ciúme e da raiva da mãe. Porém, essa atitude destruiu sua integridade e debilitou sua segurança. Vulnerável como estava, recorreu aos homens em busca de proteção e amor. O resultado foi que os homens a usavam sexualmente em nome do amor, o que comprometeu ainda mais seu senso de *self*. Para se tornar mais independente, mais agressiva, precisava enxergar sua traição para consigo mesma. Ela comentou: "Fico chocada com o fato de poder ser tão doce e generosa com os homens. Sempre me senti especial para o meu pai, para os meus professores. Se um homem me faz sentir especial, retribuo com sexo". Ao mesmo tempo, ela foi capaz de mobilizar a raiva contra eles por usá-la. Contudo, em virtude das atitudes destrutivas de seus pais, havia nela uma ira assassina que tinha de ser liberada aos poucos. Era deveras assustadora.

A relação de Mary com os homens era tão distorcida quanto suas relações com os pais. Por um lado, ela se sentia especial; por outro, ficava com raiva. Disse: "Eles agem como se me possuíssem, o que me deixa furiosa. Mas também me sinto culpada diante deles, o que reconheço ser uma negação do sentimento de que quero feri-los". Sua autopercepção consciente se aprofundava a cada sessão. "Percebo que me deixo ser vítima, permitindo às outras pessoas que descarreguem sua hostilidade e seus sentimentos ruins em mim. Antes de perceber isso, eu me considerava um anjo." Mais tarde, ela acrescentou: "Quero que as pessoas me compensem, que cuidem de mim. Sinto que, por eu ter sido um anjo, elas me devem algo". Ela também se deu conta de como essa atitude era neurótica; também percebeu sua ira e sentiu sua natureza assassina. Porém, ao bater na cama com a raquete de tênis e dizer "Eu vou te matar", ficou assustada e comentou: "Consegui sentir a loucura em mim". Depois, ao admitir o sentimento de raiva/loucura, o medo diminuiu. E, conforme sua raiva se tornava mais forte, ela dizia: "Com esse sentimento, não preciso de um homem para me proteger".

Ao golpear a cama em outra sessão, ela observou: "Consegui sentir o calor subindo pelas costas enquanto dava os golpes. É bom ter costas (sensação de coluna vertebral) e frente". A emoção associada com as costas é a raiva, enquanto o sentimento ao longo da parte da frente do corpo é de desejo e amor. Mary conseguia entender agora como e por que perdera a sensação de ter uma coluna vertebral, de ser capaz de enfrentar as pessoas. "Quando pequena, se eu demonstrava raiva, meu pai ficava furioso e minha mãe me culpava. Ao ler meu diário, percebi como reprimi a raiva. Se eu ficava irritada com alguém, culpava-me. Eu queria ser boa. Era assim que minha mãe achava que eu devia ser. Meu pai era um homem enraivecido e eu não queria ser como ele. Quando tinha entre 7 e 9 anos, sentia-me culpada se fosse atrevida com minha mãe e me confessava ao padre."

Outro aspecto da terapia de Mary estimulou sua autoestima e seu autodomínio e foi o foco dos sentimentos associados à sua pelve e sexualidade. Ela conseguiu aumentar a carga em sua pelve por meio da respiração e do choro mais profundos, que fizeram que a metade inferior de seu corpo vibrasse fortemente quando a excitação fluiu para baixo. Fazer o exercício de *grounding* também ajudou muito. A liberação de qualquer emoção forte aumenta o fluxo de excitação. Em outro momento, depois de ter chutado fortemente a cama enquanto gritava "Não consigo suportar isso! Não vou mais suportar isso!", sua pelve começou a se movimentar com sua respiração. Ela comentou que teve algumas sensações muito gostosas e agradáveis na parte inferior do corpo. Essa sensação persistiu por duas semanas, período durante o qual ela também se sentiu cansada, em parte porque se mudara para uma nova casa, mas sobretudo por ter se rendido ao corpo.

Lutar cansa, e a luta pela sobrevivência cansa demais. A maioria dos ocidentais é composta de sobreviventes, por isso a fadiga é o sintoma mais comum na população. É o lado físico da depressão. Contudo, os sobreviventes não podem se dar ao luxo de sentir cansaço ou depressão porque seriam tentados a desistir da luta e morreriam. Sua defesa é negar a fadiga e seguir em frente porque sentem que sua sobrevivência depende disso. Como disse uma mulher: "Se eu me deitar, sinto que nunca mais vou me levantar". Mas enquanto a pessoa não estiver pronta para se deitar, negará a sensação de cansaço. Um viajante carregando uma mala pesada e correndo para pegar o trem não sentirá como seu braço está cansado enquanto não puser a mala no chão. Na terapia, sentir-se cansado é um sinal de progresso se o paciente conseguir associar o cansaço a desistir da luta.

Na sessão seguinte, Mary comentou que se sentia mais feminina. Observei que estava mais em contato com seu corpo e consigo mesma. Ela descreveu seu sentimento como uma quietude interior que há muito tempo não vivenciava. Notei que sua voz estava mais profunda e que havia uma ausência completa de ansiedade em seu comportamento. Deitada na cama, ela disse: "Há um calor subindo da minha pelve até a região lombar. É muito agradável. Sinto uma tristeza suave e quero chorar. Sinto que estou voltando para mim mesma. Sinto que estou em casa". Mencionou que, como sua pelve estava se movendo espontaneamente, ela também era capaz de sentir os lábios se movimentando. "Eles se sentem conectados um ao outro", comentou. Agora ela era capaz de chorar mais suave e profundamente.

"Estava pensando no meu pai e nos homens que conheci. Consegui sentir a dor de tê-los perdido, mas ao mesmo tempo tenho uma boa sensação de mim mesma, de estar à parte. Ao ficar à parte, tenho uma sensação maravilhosa de mim mesma. Isso faz que essa separação valha a pena. Percebo que, quando o sentimento de estar à parte se torna muito forte, minha pelve recua e o velho sentimento 'papai, preciso de você' surge. Sinto que tenho de escolher: os homens ou eu. Não posso estar disponível para eles e também para mim mesma." Quando discutimos essa questão, mostrei a Mary que, quando focalizava seu senso de *self* e não o que um homem poderia fazer por ela, agia como uma mulher verdadeiramente sexual. Quando usava o sexo para obter o amor masculino, assumia o papel da filha/prostituta. Uma mulher sexual consegue conter a excitação sexual em vez de precisar descarregá-la. Mary comentou: "Sinto-me diferente, como se tivesse renascido". E então chorou, dizendo: "Sempre ansiei por isso".

Essa ruptura não significou que a terapia de Mary estivesse encerrada. Em sua viagem de autodescoberta, ela atravessara seu inferno interior, mas o purgatório ainda aguardava por ela. Um trabalho considerável precisava ser feito para fortalecer sua ligação com sua sexualidade e sua pelve. Essa ligação estava associada ao desespero. "Se eu for sexual, não posso ter meu pai. Se tenho a mim mesma, não posso ter um homem." Mary era inteligente o bastante para se dar conta de que esse "ou isso ou aquilo" não fazia sentido, que estar disponível para o próprio *self* não significa que não se possa ter um parceiro, mas saber disso intelectualmente não mudava seus sentimentos. A cisão entre ego e sexualidade jazia profundamente estruturada em sua personalidade e em seu corpo, e associada a ela estava um sentimento profundo de desespero, contra o qual ela ainda lutava. Mas Mary estava perto de entregar-se ao próprio corpo.

A entrega ao corpo é basicamente uma entrega à sexualidade, que se encontra na própria base da estrutura corporal, ou seja, na pelve. Essa entrega constitui um processo físico, não psicológico, embora possa ser auxiliado pela compreensão dos medos que bloqueiam a entrega. O processo físico da entrega implica permitir que a onda de excitação associada à respiração flua até a pelve e as pernas. Quando isso acontece, a pelve se movimenta espontaneamente para trás com a inspiração e para a frente com a expiração. Esse movimento espontâneo foi chamado por Reich de "reflexo do orgasmo" porque ocorre no clímax do ato sexual, quando o indivíduo se entrega completamente ao seu sentimento sexual. O resultado é um sentimento de alegria, como apontei no capítulo anterior, no qual descrevi o exercício conhecido como arco pélvico.

Esse exercício pode ser usado para estimular a sensação de autodomínio. Para mim, autodomínio implica o direito de ter e manter: ter o próprio *self* e também ter e manter o ser amado. Quando a pelve dos pacientes se torna carregada ao fazer esse exercício, coloco um cobertor enrolado entre suas coxas e peço-lhes que o apertem tanto quanto puderem. Sugiro também que projetem o maxilar inferior para a frente para mobilizar a agressividade. Às vezes, peço-lhes que ao mesmo tempo morda uma toalha de mão enrolada. Focalizar a agressividade em um objeto aumenta a carga e a atividade vibratória da pelve, que se propaga pelas pernas e pés. É evidente que a toalha pode ser considerada uma representação do seio, enquanto o cobertor representa o corpo do ser amado. Se conseguimos permitir que o sentimento de posse tome conta, conquistamos uma forte sensação de autodomínio, assim como o sentimento de ter o direito de possuir o mundo. Isso permite que nos liguemos ao mundo ou ao universo numa sensação ativa, e não mística. Isso se torna uma base para uma sensação permanente de alegria.

Quando compareceu à sessão seguinte, Mary relatou: "Eu realmente me sinto feliz agora. Tenho esses doces sentimentos por alguns homens, mas não estou dependente deles. Desfruto dos sentimentos. Posso ficar sozinha e me sentir bem comigo mesma. Tenho tanto os sentimentos como a liberdade, o que é maravilhoso".[38] Depois, ela acrescentou: "Agradeço por sua ajuda e pelo fato de não ter se envolvido comigo. Isso me permite estar livre e não envolvida com você".

Enquanto as pessoas estão envolvidas umas com as outras, não são livres. Se precisam de algo um do outro, mostram-se dependentes. Num relacionamento, a dependência lança cada indivíduo de volta à sua vivência de infância, quando era submisso e vulnerável. Para libertar ambos da dependência, para ajudá-los a crescer como adultos maduros, é preciso compreender o papel da culpa sexual que torna as pessoas submissas — ou seja, disponíveis para os outros. O conceito de que cada qual deveria estar disponível para o outro é um acordo comercial em que nenhum indivíduo está disponível para si mesmo. No próximo capítulo, veremos como a culpa sexual acaba originando o caráter neurótico.

11. Paixão, sexo e alegria

No capítulo anterior, discuti o medo da morte, que acredito estar na base de todos os problemas emocionais que os pacientes levam para a terapia. O medo da morte resulta em um medo da vida. O indivíduo não consegue se entregar à vida ou ao corpo porque entregar-se significa abrir mão dos controles egoicos, o que o colocaria diante do medo de morrer. Esse medo decorre de uma experiência muito precoce de estar próximo da morte ou da possibilidade de morte, o que faz que o organismo se feche numa armadura como medida de defesa para não ficar vulnerável a essa possibilidade novamente. Contudo, viver em uma armadura permanente significa admitir a possibilidade de ser atacado ou ameaçado com a perda da vida. Essa é a condição física e psicológica do sobrevivente. A energia que está investida no esforço para sobreviver não está disponível para gozar a vida. Porém, isso também significa que o medo da morte o impede de viver plenamente e o aproxima da morte.

Vida e morte são estados opostos. Quem está vivo, não pode estar morto, e vice-versa, mas pode estar meio-vivo e meio-morto, como vimos no capítulo anterior. Quem não está plenamente vivo está parcialmente morto e, portanto, assustado com a morte. O indivíduo plenamente vivo não está assustado com a morte simplesmente porque não está assustado. Mostra-se livre das contrações crônicas que representam o medo. Seu corpo está solto e relaxado. Ele não nega a morte, mas esta não é uma realidade física até que ocorra. Quando ocorrer, ele não ficará com medo, pois não há nenhum sentimento na morte. A vida é o antídoto para o medo da morte.

O ser humano corajoso não teme a morte porque essa é a essência da coragem. Ao longo de toda a história, os homens têm arriscado a vida por liberdade, que é essencial para sentirmos alegria. Sem liberdade, a alegria é impossível, e sem alegria, a vida fica vazia. Durante os debates na assembleia de Virgínia sobre a independência da Inglaterra, Patrick Henry pronunciou palavras que agora são famosas: "Dê-me a liberdade ou então a morte". Seus ideais compunham uma paixão forte o bastante para se opor ao medo da morte. Outros homens corajosos agiram de modo semelhante porque também tinham uma paixão que lhes permitia encarar a morte sem medo. Muitas pessoas morreram por suas crenças religiosas, porque estas estavam associadas a uma paixão pelos princípios ou doutrinas da religião. Porém, os amantes também arriscaram e perderam a vida em busca da paixão. É a natureza da paixão que move o indivíduo para ações que transcendem o impulso de autopreservação do ego. Só nessa transcendência ele é capaz de vivenciar a alegria e até mesmo o êxtase que a vida oferece.

A verdadeira paixão, pela própria natureza, afirma a vida mesmo quando pode culminar na morte do indivíduo. Ela busca a intensificação da vida. Falamos de paixão pela arte, pela música e pela beleza quando esses aspectos da vida nos despertam fortes sentimentos. Jamais falaríamos de paixão pelo álcool, por jogos de azar ou por qualquer ato destrutivo em relação à vida. Podemos ficar apaixonadamente enraivecidos diante de uma injustiça, mas ter um acesso de ira não é um sentimento apaixonado. Acredito que a diferença esteja no fato de que a paixão é quente; ela decorre de um fogo intenso. A raiva também é quente. Porém, a ira é fria, mesmo que seja violenta. Muitos de nós têm fortes sentimentos de ódio, mas estes não constituem uma paixão. Os sentimentos intensos estão relacionados ao amor, e isso inclui a raiva, como mostrei no Capítulo 5.

Todos nós sabemos que os sentimentos sexuais podem atingir um nível de paixão se houver amor suficiente associado ao desejo sexual. O desejo sexual resulta da excitação do aparelho genital, enquanto o sentimento de paixão está localizado no fundo do ventre, como uma cálida sensação de derretimento. A excitação genital atinge uma intensidade elevada, mas quando se limita aos órgãos genitais não deve ser qualificada como paixão, na minha opinião. A necessidade de urinar ou evacuar também pode se tornar muito forte e resultar em sentimentos de prazer quando satisfeita, mas essas sensações limitadas não constituem paixão. Junto com o amor, a raiva e até a tristeza, a paixão também é uma emoção, o que significa que pode incluir o corpo todo no sentimento. O desejo sexual é uma expressão de amor porque visa reunir dois indivíduos numa experiência mútua de prazer. Entretanto, quando o desejo está limitado ao contato sexual, é muito estreito e limitado como expressão de amor para constituir uma paixão.

Em tais circunstâncias, o ato sexual não resulta nos sentimentos de alegria e êxtase que ela pode proporcionar.

A cisão entre sexo e amor, entre desejo sexual e paixão sexual está relacionada à cisão na personalidade entre ego e corpo. Se o ego não se entrega ao corpo na sensação de desejo sexual, o ato sexual torna-se uma expressão limitada de amor e, portanto, insatisfatória em nível profundo. Essa incapacidade de ser satisfeito no amor em nível sexual mantém a sensação de desespero que o indivíduo vivenciou em seus primeiros relacionamentos. Acredito que devemos ser críticos em relação à visão moderna e sofisticada de que o ato sexual em si fornece satisfação, ou que a capacidade de desempenhar sexualmente é um bom critério de saúde. Nessa cultura, estamos preocupados com o desempenho sem considerar que o sentimento é essencial para tornar qualquer ato uma expressão de saúde.

Os adultos não conseguem vivenciar a alegria como as crianças porque sua posição lhes impõe responsabilidades por seus atos e comportamento, algo de que a criança está livre. Assim, os adultos não conseguem brincar de maneira despreocupada como as crianças. A brincadeira do adulto sempre tem uma nota de seriedade porque seu ego está envolvido no resultado da atividade. Jogar cartas, por exemplo, que é uma diversão para as crianças, é algo sério para os adultos, para quem o resultado — ganhar ou perder — costuma ser mais importante do que o jogo em si. Quando ganhar ou perder torna-se importante na brincadeira das crianças, é um sinal de que o ego delas se desenvolveu a ponto de ser autoconsciente. O ego autoconsciente julga e controla o comportamento, o que destrói nossa capacidade de entregar-nos livre e plenamente aos sentimentos. Isso não significa que os adultos não consigam vivenciar a alegria. Eles não a vivenciam em suas atividades cotidianas, que são sérias, pois elas estão diretamente relacionadas com o sustento ou a proteção da vida. O adulto saudável pode vivenciar essas atividades como prazerosas se estiver disposto a aceitar a responsabilidade pelo seu resultado.

Há, entretanto, uma atividade em que a entrega do ego autoconsciente é encorajada: o ato de amor sexual. A entrega amorosa no ato sexual resulta em uma descarga orgástica que envolve o corpo todo em seus movimentos convulsivos e é vivenciada como alegre e até mesmo extática. Como a reação orgástica é profundamente satisfatória, o sentimento de alegria permanece, conferindo à vida seu mais profundo significado.[39]

A capacidade de vivenciar um orgasmo pleno é a marca de uma natureza apaixonada. É o resultado do acúmulo de um nível de excitação positiva suficientemente forte para dominar o ego e permitir que a pessoa expresse livre e totalmente a paixão plena de seu amor. Num orgasmo como esse não há ambivalência, retenção ou hesitação na entrega do *self*. Alguns indivíduos o vivenciam em raras ocasiões. Infelizmente, não é uma vivência comum. Para muito poucos é uma reação sexual habitual. Há indivíduos que têm uma natureza verdadeiramente apaixonada e são capazes de se comprometer de cabeça, corpo e alma com suas ações e sentimentos. Conheci pessoas assim, e é uma alegria estar com elas. Isso não quer dizer que todos os seus atos sejam intensos e apaixonados. Pelo contrário, têm uma capacidade para a paixão que se manifesta no brilho de seus olhos, na vivacidade de seu corpo e na graciosidade de seus movimentos.

Infelizmente, na infância, é essa vivacidade que cria os conflitos que levam à repressão da paixão. Nos capítulos anteriores, detalhei alguns dos traumas e medos que comprometem a integridade da criança e obrigam-na a reprimir suas paixões. Embora esses conflitos comecem no início da vida, atingem seu clímax durante o período edipiano, quando o amor da criança pelo genitor do sexo oposto atinge seu primeiro florescimento sexual. Como no mito edipiano, os sentimentos despertados ameaçam a criança e às vezes os pais. Uma criança nessa situação sente que sua vida está ameaçada, a menos que se retire da situação eliminando os sentimentos sexuais apaixonados que tinha pelo genitor do sexo oposto. A eliminação dos fortes sentimentos sexuais equivale a uma castração. Encontro esse medo de castração em todos os pacientes, nos quais está associado ao medo de morrer. Essa resolução da situação edipiana resulta em uma diminuição da força e da intensidade de todos os sentimentos, na culpa sexual, que é inconsciente, e no desenvolvimento de uma atitude caracterológica, ou habitual, de submissão à autoridade. Essa atitude pode ser oposta a uma rebeldia superficial, que constitui um esforço para negar e superar a submissão.

Recuperar a paixão é a tarefa terapêutica, como tenho descrito ao longo deste livro. Implica energizar o corpo por meio de uma respiração mais profunda, encorajando o paciente a chorar mais profundamente, ajudando-o a compreender a origem de seu medo e removendo-o por meio da expressão da raiva no contexto terapêutico. O objetivo é ajudá-lo a se sentir livre para se expressar de maneira apropriada. Porém, a chave para a paixão está na recuperação da plena excitação sexual, sobretudo na pelve, e não só nos genitais. Isso só acontece quando o fluxo de excitação associado à respiração se propaga pela pelve, integrando os segmentos do corpo para que cabeça, corpo e alma sejam vivenciados como uma unidade.

Para encontrar sua paixão sexual, o paciente precisa obter mais energia e excitação na pelve. Ele também precisa compreender os medos que bloqueiam esse fluxo descendente. Mary era uma paciente cujo caso discuti no Capítulo 10. Ela conquistara uma boa compreensão por meio da análise e do trabalho corporal, mas seu medo da própria sexualidade ainda era considerável. Em determinada sessão, ela descreveu uma ruptura da seguinte maneira: "Quando você pressionou com os dedos os músculos da minha pelve e eu respirei fundo até a área de sua pressão, tive uma sensação de paraíso. Mas não consegui mantê-la, fiquei triste e chorei". Nesse procedimento, a pessoa leva sua energia para baixo, até a pelve, a fim de aliviar a sensação de pressão. O resultado é uma sensação de vitalidade e plenitude na pelve. Entretanto, ela não conseguiu sustentá-la sozinha porque ainda estava muito assustada e envergonhada.

Na sessão seguinte, Mary apresentou uma atitude diferente. Ela comentou: "Estou cansada de ser tão ansiosa, tão medrosa. Não quero mais continuar desse jeito. Estou cansada de lutar. Vou deixar a vida me levar. Sei que vou sobreviver". Estava mais próxima de uma entrega ao corpo. Essa nova atitude decorreu de um *insight* mais profundo e doloroso: "Nunca senti quanto sou frustrada, quanto tenho sido devastada. Sinto tanta vergonha que quero cobrir meu rosto". Era vergonha da sexualidade. Ela acrescentou, referindo-se ao pai: "Sempre fui sua pequena mulher-filha. Sentia-me muito especial, grande. Depois, tudo explodiu e me senti um nada, inútil".

Mary disse: "Quando atravesso a vergonha, sinto que meus olhos ficam brilhantes. É uma sensação adorável. Sinto uma suavidade doce, uma sensação de derretimento. Oh, Deus! Sinto-a tão doce em minha pelve, mas minha cabeça é louca". Era necessário mais trabalho para que o fluxo de excitação ascendente e descendente permanecesse ancorado em uma cabeça lúcida e uma pelve suavemente carregada. Isso só acontece quando o medo da entrega está totalmente resolvido.

Mary veio para a sessão seguinte depois de ir a um *workshop*. Começou dizendo que sentira uma resistência a ir e que estava relutante em abrir-

-se para qualquer sentimento. Relatou ter trabalhado com uma terapeuta na questão da relação com a mãe e chorado ao vivenciar o seu anseio por ela. Depois descreveu como, a caminho de casa depois do *workshop,* cantou o que chamou de "canção da mãezinha", como se fosse uma garotinha. Para mim era óbvio que ela havia regredido, abandonado a posição mais madura que conquistara. Um passo atrás como esse indica que ela havia tocado em um medo profundo. Isso foi confirmado por um sonho que Mary teve imediatamente após o *workshop.* Relatou que uma menina tentava matá-la com uma faca. Sentiu que, quando a menina fosse estocá-la no coração, ela poderia se proteger, mas depois a menina fez um movimento para atacar sua pelve e ela se sentiu impotente. Era como se ela fosse matá-la de um jeito ou de outro. Quando perguntei a Mary quem ela achava que fosse a menina, ela logo respondeu: "Minha mãe". Depois, relatou que sempre sentira que a mãe a rejeitara por ser menina. Percebendo a hostilidade materna, voltara-se para o pai em busca de aceitação e amor, o que ele lhe deu. Mas essa relação se tornou pervertida pelo interesse sexual dele por ela. Em sua inocência de menina, ela aceitou com entusiasmo o interesse e o afeto dele, o que a salvou, mas ao mesmo tempo foi traída por isso. Mary não se deu conta da traição enquanto sua ilusão de ser especial e linda não caiu por terra diante da humilhação que sofreu quando ele a exibiu para seus amigos bêbados. Em desespero, ela abriu mão de sua sexualidade e se voltou para a mãe e para a igreja, tornando-se uma filha dedicada e uma católica muito devota. Mas ainda se sentia feia e cheia de vergonha. Essa devastação não teria ocorrido se sua mãe estivesse disponível para ela. Se ela tivesse tido o amor da mãe, não teria perdido a si mesma para o pai, tornando-se sua mulher-filha. A relação de seus pais era distorcida. A mãe era fria, tensa, muito religiosa e antissexual. O pai era sexualmente solto, de boa aparência e orientado para o prazer. Os opostos se atraem. Essas duas pessoas foram atraídas uma para a outra porque cada um precisava do que o outro tinha. Porém, como não podiam aceitar e entregar-se a essa necessidade, atacavam o que o outro representava. Mary tornou-se a vítima, a que ficou no meio e levou as pancadas — sobretudo da mãe, que a invejava e odiava pela excitação sexual que provocava no pai. Mary sentiu-se tão culpada por seu envolvimento sexual com o pai que ficou perdida e desamparada. Seu medo da mãe destruíra sua integridade, e esse medo ainda estava presente nela. Para sentir-se sólida em seu crescimento e sexualidade, tinha de encarar o medo e aliviá-lo mobilizando sua raiva. Ela entendeu minha explicação da situação. Deitada na cama e torcendo uma toalha, ela abriu os olhos para olhar para a mãe e disse: "Você realmente me odiava, não é?" Dizendo isso, viu o rosto da mãe e a expressão em seus olhos que a assustava. Ela disse: "Fico com medo quando olho nos olhos de alguém, especialmente se forem de uma mulher. Durante anos não conseguia ver os olhos de minha mãe. Quando estava maior, lembro-me de uma fotografia dela que vi quando tinha 4 anos. Lembro-me daqueles olhos frios que davam a impressão de que ela queria me matar. Senti-me paralisada. Não conseguia respirar".

Para ajudar Mary a resolver o medo, tive de fazê-la inverter o exercício. Ao torcer a toalha, ela gritou para a mãe: "Odeio você. Eu vou te matar". Ao expressar esses sentimentos, ela comentou: "Eles me fazem sentir bonita. Costumava me sentir tão feia!" E, com raiva, acrescentou: "Não me olhe desse jeito. Isso me apavora tanto!" Mary nunca mobilizara antes uma raiva assassina contra a mãe. Sentira-se muito culpada pelo envolvimento sexual com o pai e muito amedrontada pela mãe. Foram necessários quase três anos de terapia para levá-la ao ponto em que estivesse suficientemente libertada de seus sentimentos de culpa e vergonha para ser capaz de defender-se. Conquistara força e confiança em sua capacidade de sobreviver sozinha, de andar com as próprias pernas. Mas seria errado pensar que essa ruptura marcava o fim da terapia. Termos como "mais forte" e "mais autoconfiante" são relativos. Seu corpo precisava consideravelmente de mais trabalho para aumentar sua energia e tornar-se mais integrado. Diante de uma situação de estresse excessivo ou decepção amorosa, ela ainda poderia desmoronar. Nunca superamos por completo os efeitos dos primeiros traumas da vida. Porém, se formos feridos de novo, podemos mobilizar nossas forças mais rapidamente e recuperar o estado de bem-estar e prazer em nosso corpo. Cada crise que enfrentamos na vida torna-se uma oportunidade para fazer que nossa individualidade continue crescendo. Na realidade, portanto, o processo terapêutico é interminável. Nossa viagem de autodescoberta não termina enquanto vivermos, pois cada experiência de vida pode ser acrescentada à riqueza de nosso ser. Isso tem sido a regra em minha viagem pessoal.

Fui atraído para Reich por sua teoria de que se pode encontrar realização sexual por meio da entrega aos próprios sentimentos sexuais. Ele chamou essa capacidade de potência orgástica, para denotar que a paixão sexual não era medida pela força do impulso sexual, mas por quão plena e total fosse a descarga ou o alívio da excitação. Em um orgasmo pleno ou total, o corpo todo, incluindo a mente, participa de uma reação convulsiva que descarrega completamente toda a excitação sexual. Essa reação convulsiva é desencadeada por ondas de excitação que atravessam o corpo conectadas com o ritmo respiratório mais intensificado. Embora eu empregue, como Reich, o termo "convulsivo", os movimentos não são caóticos nem clônicos; são serpenteantes. Nessa ação, a pelve se movimenta para a frente com a expiração e para trás com a onda respiratória. O mesmo movimento pode ocorrer com uma respiração profunda e plena sem nenhuma carga sexual ou excitação genital. Nessa situação, o movimento é chamado de reflexo do orgasmo e não leva a nenhum clímax. É vivenciado como muito relaxante e agradável. No ato sexual, quando explode a forte carga sexual no aparelho genital, os movimentos pélvicos se tornam completamente involuntários e são rápidos e vigorosos. A pessoa se sente arrebatada para além do *self*, o que constitui a forma mais elevada de entrega. A consciência do *self* desaparece quando nos fundimos com o processo cósmico. A experiência é de êxtase.

Em consequência da terapia com Reich, fui capaz de vivenciar uma entrega plena aos meus sentimentos sexuais e conhecer o seu êxtase. Não obstante, tem sido uma experiência rara. Apesar disso, fortalece minha convicção de que o amor e a paixão sexual são aspectos da identidade do ser humano com o universo. Mas, se essa identidade faz parte da nossa natureza, por que é tão difícil se entregar? Descrevi os medos que impedem ou bloqueiam essa entrega, mas, visto que são medos universais em nossa cultura, devemos reconhecer que têm relação direta com ela. O que acontece na família reflete atitudes e valores culturais, e, enquanto não reconhecermos a natureza distorcida desses valores, seremos impotentes para evitar esse efeito destrutivo sobre nós mesmos e nossos filhos.

A cultura desenvolveu-se conforme o homem foi saindo do estado puramente animal e tornou-se um indivíduo autoconsciente. Essa mudança ascendente da postura de quadrúpede para a postura ereta colocou o homem acima dos outros animais e também, em sua mente, acima da natureza. Ele podia observar objetivamente os processos naturais e aprender algumas das leis que governavam seus atos. E, agindo assim, começou a conquistar algum controle sobre a natureza e, por extensão, sobre a sua própria. Desenvolveu um ego, instância autodirigida e autoconsciente, que lhe permitiu ascender sobre as outras criaturas, o que o levou a acreditar que era diferente, o que ele certamente era, e especial, o que não era. Esse desenvolvimento foi possibilitado por um progresso evolutivo por meio do qual o homem adquiriu um corpo com mais carga energética e uma gama maior de movimentos físicos, sobretudo nas mãos e no rosto, incluindo seu aparato vocal. Ele pode fazer mais coisas e expressar-se de mais maneiras que qualquer outro animal. Nesse sentido, é superior a eles, mas ainda assim não é especial. Nasce como todos os outros e morre como eles. Seus sentimentos podem ser mais sutis, mas os animais também sentem. Ele floresceu e realizou muito em sua breve permanência na Terra, mas seu progresso ascendente alienou-o de sua base na terra e na natureza e suas atividades tornaram-se destrutivas para si e para a natureza. O impacto destrutivo de nossa cultura sobre a natureza é agora relativamente bem-aceito, mas não estamos prontos para reconhecer o efeito destrutivo que exerce sobre a personalidade humana. Vemos os danos em abuso de crianças, violência furiosa, depressão, vício e atuação sexual, mas acreditamos que está em nosso poder controlar e remediar a situação se tivermos vontade de fazê-lo.

Minha tese é de que a vontade é incapaz de mudar esse estado de coisas, porque ela também faz parte do problema. Conquistamos poder e estamos apegados a ele. Nossa cultura é movida pelo poder, literal e psicologicamente. Sem poder, nossa civilização chegaria ao fim, mas, à medida que o poder aumenta, está nos levando cada vez mais rápido, em todas as nossas atividades, a um ponto em que estamos perdendo o controle de nossa vida. Nosso corpo não consegue mais acompanhar o ritmo das atividades exigidas dele — o que constitui a base do estresse. Se relaxamos por alguns minutos, é só para podermos correr mais depressa nos minutos seguintes. Somos impelidos a continuar, impelidos a ter êxito – na verdade, estamos sendo impelidos para fora de nosso corpo. Nos mais de cinquenta anos desde que comecei a estudar a condição humana, tenho visto uma deterioração geral no corpo das pessoas que me consultam. Está menos energizado, menos integrado e menos atraente do que o corpo dos pacientes que eu costumava atender. Condições limítrofes são praticamente o distúrbio dominante. O antigo paciente histérico sobre o qual Freud escreveu quase nunca é visto. O indivíduo histérico não conseguia lidar com seus sentimentos; o indivíduo esquizoide não tem muitos. A maioria das pessoas hoje está dissociada do próprio corpo e vive amplamente em sua cabeça ou ego. Vivemos em uma cultura egotista ou narcisista em que o corpo é considerado um objeto, e a mente, o poder superior e controlador.

No contexto do processo terapêutico, o poder e a vontade são as forças negativas que impedem a cura. O poder está na mente do terapeuta, pois ele se considera o agente capaz de produzir as mudanças desejadas no paciente. Conscientemente, ele sabe que não pode mudá-lo, mas seu conhecimento da psicologia subjacente à sua angústia emocional pode lhe dar uma sensação de poder se ele, como a maioria dos indivíduos nessa cultura, for narcisista e tiver uma necessidade de poder para sustentar sua autoimagem.

Esse poder é exercido por meio de seu julgamento e controle do material analítico. De um jeito ou de outro, ele pode indicar sua aprovação ou desaprovação do que o paciente diz e faz. E, como ele é o guia que deve conduzir o paciente através do submundo, ele de fato tem esse poder. Assim como todos os pais. Se o terapeuta nega esse poder, está sem contato com as realidades da vida. A questão é se reconhece e admite que tem poder e não deixa que lhe suba à cabeça.

O poder é a questão com a qual lutei durante toda a minha prática terapêutica. Com a capacidade de ver claramente o problema de um paciente ao ler a linguagem de seu corpo, acreditava que poderia dirigi-lo para o que precisava fazer para melhorar. Quando o paciente seguia minha orientação, em geral se sentia melhor, mas isso não se sustentava. Embora eu tivesse aprendido com Reich que a questão não é fazer, mas sentir, minha própria personalidade era tal que eu não conseguia refrear-me de tentar *fazer* acontecer. Devo ter acreditado que, se eu fizesse acontecer seria o ser superior que estava fadado a ser. Acredito que praticamente todas as pessoas nessa cultura foram doutrinadas segundo a ideia de que é preciso fazer acontecer, isto é, tornar-se saudável e potente, bem-sucedido e amoroso. Sei que isso é verdadeiro para os meus pacientes, e dei-me conta de que também é verdadeiro para mim. Se aquilo que almejamos é a paixão, a realização sexual e a alegria, não podemos fazer isso acontecer mais do que poderíamos fazer a vida acontecer segundo nossa vontade e nosso esforço.

Quando trabalho com as pessoas agora, ainda me mantenho no controle do processo terapêutico porque sou o guia. É minha responsabilidade compreender o paciente e seus problemas e apontá-los para que ele também os veja e compreenda. Sem a minha compreensão, estamos ambos perdidos; sem a autocompreensão, ele está perdido. É minha responsabilidade guiá-lo em sua viagem de autodescoberta. Mas a cura está além do meu controle.

A cura é uma função natural do corpo. Quando nos cortamos, o corpo não se cura espontaneamente? Os organismos vivos não teriam sobrevivido todo esse tempo sem sua capacidade inata de curar seus ferimentos e doenças. Como médicos, podemos ajudar no processo natural da cura, mas não efetivá-la. Sendo assim, por que não curamos naturalmente nossos distúrbios emocionais, visto que representam ferimentos para o corpo e para a mente? A resposta a essa pergunta é que não permitimos que a cura ocorra. Nós a bloqueamos consciente e inconscientemente por medo, como vimos nos capítulos anteriores. Não podemos eliminar o medo por uma ação deliberada da vontade; o máximo que podemos fazer é reprimi-lo para não o temermos. Contudo, em consequência disso, reprimimos as atividades vitais do corpo, incluindo o processo da cura natural e espontânea. É só por meio da rendição do controle egoico que o corpo consegue recuperar sua plena vitalidade e energia, sua saúde natural e sua paixão.

Entregar-se ao corpo e a seus sentimentos pode soar para alguns como uma derrota — o que é para o ego que busca dominar. Mas só na derrota podemos nos libertar da corrida da vida moderna para sentir a paixão e a alegria que a liberdade proporciona. Esse objetivo, contudo, não se alcança facilmente. Estamos sobrecarregados com o conhecimento de certo e errado e com uma autoconsciência que limita nossa espontaneidade. E, como assinalei em outra parte, a viagem de autodescoberta nunca termina. A terapia, no entanto, é uma questão prática. Ninguém pode e nem deveria permanecer em terapia a vida toda. Seis anos deveria ser o máximo, já que a criança leva esse tempo para conquistar independência para sair de casa e ir à escola.

Quando o paciente encerra sua terapia bioenergética, precisa ter à disposição o entendimento e as técnicas que lhe permitirão dar prosseguimento ao processo de autoconscientização, autoexpressão e autodomínio. Necessita entender a ligação entre o corpo e a mente e saber que sua tensão crônica está associada a conflitos emocionais não resolvidos que decorrem da infância. Esses conflitos influem no presente, enquanto as tensões persistirem no corpo. Portanto, vai trabalhar para reduzi-las e até mesmo eliminá-las. Isso significa que continuará fazendo os exercícios básicos de bioenergética como parte de sua rotina normal de manutenção da saúde. Há mais de trinta anos eu os pratico toda manhã, assim como escovo os dentes.

Para respirar, eu me deito sobre o banco bioenergético de três a cinco minutos, permitindo que minha respiração se aprofunde. Para intensificar esse processo, uso também a voz, emitindo um som vigoroso e prolongado. Embora alto, é um som fácil de emitir sem esforço. Em geral, o efeito é induzir um pouco de soluço. Assim que começo a chorar, minha respiração se torna mais fácil e mais profunda. Chorar é importante para mim porque sempre resisti a chorar, pelas mesmas razões que levam os indivíduos a resistir ao choro. Tenho sido uma pessoa determinada que tenta superar seus problemas. Embora isso não tenha dado resultado, não sou capaz de nem estou disposto a desistir. Chorar é desistir, e isso significa fracasso. Mas terapia significa desistência e, com o passar dos anos, aprendi que, sempre que desisto em alguma área da vida, conquisto liberdade. Porém, meu caráter neurótico está tão profundamente entranhado em minha personalidade que esse é um processo contínuo. Só desisto um pouquinho de cada vez.

Chorar serve a outra função semelhante em minha vida: mantém-me em contato com a minha tristeza — a tristeza dos anos em que eu não era livre para ser verdadeiro comigo mesmo e a tristeza de que nunca recuperarei aquele estado de inocência. Em contraste com o animal, vivemos com o conhecimento de que há lutas, sofrimento e morte. É o lado trágico da condição humana. Mas o outro lado é ser capaz de vivenciar a glória da vida de uma maneira que nenhum outro animal consegue. Em termos religiosos, isso diz respeito à glória do Senhor. Considero as duas sinônimos. Essa glória é vista na beleza de uma flor, de uma criança ou de uma mulher e na majestade de uma montanha, uma árvore ou um homem. A vivência dessa glória constitui uma exaltação que encontra expressão nas criações artísticas humanas, sobretudo na música. Uma tese básica de minha filosofia é que não se pode separar os dois lados sem destruir o todo. É impossível vivenciarmos a glória se não somos capazes de aceitar o aspecto trágico da vida. Não há glória se negamos a realidade ou fugimos dela. Preciso chorar para conservar a minha humanidade. Choro não só por mim, mas por meus pacientes e por toda a humanidade. Quando vejo a luta e a dor em meus pacientes, muitas vezes as lágrimas me vêm aos olhos. Depois, quando se livram da dor chorando e desistem da luta, vejo seus olhos e rostos brilharem e meu coração se alegra por eles. Mas só consigo sentir essa alegria se eu também estiver preparado para desistir da luta, e é por isso que preciso chorar.

Outro exercício que pratico desde que criei a abordagem bioenergética é o de *grounding*. Depois que trabalho sobre o banco para aprofundar a respiração, inverto a posição curvando-me para a frente e tocando o chão com os dedos. Esse exercício está descrito em detalhe e ilustrado no Capítulo 2. Manter essa posição geralmente faz que minhas pernas vibrem conforme as ondas de excitação fluem através delas. A vibração não só aprofunda a minha respiração como me conecta mais plenamente com o chão, o que é o mesmo que estar conectado com a realidade do próprio corpo. Somos criaturas da terra animadas pelo espírito do universo. Nossa humanidade depende dessa ligação com a terra. Quando a perdemos, tornamo-nos destrutivos. Perdemos de vista a nossa identidade com as outras pessoas e criaturas, pois negamos nossa origem comum. Recuamos para a cabeça, para um mundo criado por nós onde nos consideramos especiais, onipotentes e imortais. Quanto mais recuamos para cima, para longe do chão, mais cresce nossa autoimagem. Nesse mundo aéreo não há sentimentos de tristeza ou alegria, de dor ou glória. Não há sentimentos reais, só sentimentalismo.

Como tantos outros indivíduos modernos, tornei-me muito egotista, muito narcisista. Precisei descer de minha posição de superioridade, que construí para negar a humilhação que fui obrigado a sentir quando criança. Empoleirado nessa plataforma elevada, tinha medo de cair ou fracassar, pois minha identidade estava presa à minha superioridade. Felizmente, preservei alguma identificação com meu corpo, o que me fez perceber que qualquer alegria que eu esperava encontrar estaria no domínio do corpo e da sexualidade. Descer à terra foi para mim um processo longo e difícil, mas, quando senti de fato os pés no chão, foi uma vivência de alegria.

Estou mais em contato com meu corpo do que jamais estive, mais consciente de suas tensões e fraquezas. Como prova do que digo, consigo perceber meus sentimentos com mais facilidade. Desse modo, minha raiva surge mais depressa quando sou provocado ou magoado, mas também consigo expressá-la de maneira mais adequada. O resultado é que estou menos assustado ou ansioso. Quem não está assustado é capaz de aceitar a vida como ela vem. Isso me dá uma sensação de paz interior, que é a base da alegria. E frequentemente tenho uma sensação de alegria, que vivencio em conexão com a beleza natural das pessoas e coisas que me rodeiam.

Quando a pessoa apenas sobrevive, o significado está ligado a comportamentos e coisas que favorecem a sobrevivência, tais como ser bom, ser forte e ter poder. Como é da natureza da mente humana procurar significado, os indivíduos orientados para a alegria encontram significado em atitudes e comportamentos que estimulam esse sentimento. Desse modo, atribuo significado a atitudes como dignidade, honestidade e sensibilidade. Meu objetivo é agir de tal modo que possa sentir orgulho de mim mesmo, evitando qualquer ação que me faça sentir envergonhado ou culpado. A dignidade decorre do sentimento de que posso manter a cabeça erguida e olhar alguém diretamente nos olhos. A honestidade é uma virtude, mas também uma demonstração de respeito pela própria integridade. Quando a pessoa conta uma mentira, a personalidade está dissociada. O corpo sabe a verdade que as palavras ditas negam. Essa dissociação é um estado muito doloroso e só é justificada quando dizer a verdade implica uma séria ameaça à vida ou integridade. Muitos mentem sem sentir nenhuma dor, mas isso denota simplesmente que estão sem contato com seu corpo e são insensíveis aos próprios sentimentos.

A sensibilidade é a característica daquele que está plenamente vivo. Quando nos amortecemos, perdemos a sensibilidade. Por isso as crianças são os indivíduos mais sensíveis, como nós todos sabemos. Precisamos ser sensíveis aos outros, mas também a nós mesmos. Se não fizermos isso, não poderemos ser sensíveis aos outros. O problema é que o indivíduo insensível não tem consciência de sua falta de sensibilidade. Não estou falando em vigilância, pois esse é um estado de tensão aguda. A sensibilidade é a capacidade de perceber as nuanças sutis de expressão associadas à vida, tanto humana quanto não humana. Essa sensibilidade depende de uma tranquilidade interior que decorre da ausência de luta ou de esforço. Esses são os valores que conferem à vida um sentido verdadeiro, pois promovem a alegria.

12. A paixão e o espírito

A ENTREGA A DEUS

É bem conhecido o ditado que afirma que nem só de pão vive o homem, mas ele não é levado a sério numa cultura como a nossa, preocupada com os bens materiais. Para compreender essa preocupação, devemos reconhecer que ela decorre de uma identificação com o ego e seus valores. O ego valoriza objetos e atividades que servem para exaltar a imagem do indivíduo aos olhos dos outros. O acúmulo de propriedades serve a esse propósito, assim como dinheiro, poder, sucesso, fama e *status*. Sendo o ego parte da personalidade humana, estamos todos interessados em nossa imagem e posição na comunidade. Surge um problema sério quando a busca de valores egoicos se torna a atividade dominante de uma cultura. O resultado é que outros valores mais importantes e profundos, que chamamos de espirituais, são ignorados ou desvalorizados porque não enxergamos sua relevância para nossa vida cotidiana. A oposição entre materialismo e espiritualismo não permite reconciliação, pois são conceitos antagônicos. Se usamos o termo "valores egoicos" para caracterizar a busca de coisas materiais, então a exaltação de sentimentos espirituais pertence ao domínio dos valores corporais. O ego e o corpo simplesmente refletem duas facetas diferentes da personalidade humana. Ambos são essenciais para o funcionamento saudável do indivíduo.

Os valores corporais são sustentados por qualquer objeto ou atividade que promova as sensações de bem-estar do corpo, e inclui amor, beleza, verdade, liberdade e dignidade. Esses são valores internos relacionados ao nosso senso de *self*, em oposição aos valores egoicos, ou materiais, que decorrem da nossa relação com o mundo externo e com nossos aspectos exteriores. Os valores internos são valores espirituais verdadeiros, pois estão associados às atividades do espírito e despertam sentimentos fortes e paixões. Por outro lado, ninguém é realmente apaixonado pelos valores egoicos, embora muitos sejam impulsionados por uma intensa ambição de conquistá-los. O ímpeto ou a ambição de tornar-se famoso ou a obsessão de ser rico não despertam sensações corporais de bem-estar. Eu diria que é gostoso ser rico, mas essa sensação está relacionada com a percepção do ego de que a riqueza proporciona segurança e poder. Para nossos ancestrais, a ideia de riqueza não despertaria muito sentimento, ao passo que dignidade, honra e respeito evocariam fortes sentimentos positivos. A falta de identificação com esses valores está na base dos problemas sociais que assolam nossa sociedade hoje.

Outro valor espiritual praticamente ausente em nossa sociedade é o sentimento de identificação e harmonia com a natureza, com o meio ambiente e com os membros da comunidade. Os povos originários têm uma ligação emocional muito íntima com seu meio, pois dependem totalmente dele para sobreviver. O indivíduo moderno, que na verdade também depende do meio natural para sua sobreviver, tornou-se alienado e dissociado dele por sua identificação com o ego. Assim, embora acredite que está mais seguro do que o indígena ou o aborígene, que usam a magia para aumentar sua sensação de segurança, o homem moderno é profundamente inseguro em nível corporal devido à perda da ligação com o *self*, a terra e o universo. Toda atividade religiosa almeja promover esses valores internos espirituais, ou corporais. Eles refletem os bons sentimentos que decorrem de uma sensação de harmonia e ligação com as forças da natureza e do universo. Se substituirmos essas forças pela palavra "Deus", seremos capazes de avaliar o poder do sentimento religioso.

Quando esses sentimentos são fortes, constituem uma paixão que empolga o espírito e o mantém num alto nível de carga energética. Quando essa paixão ou qualquer aspecto dela, como a paixão pela beleza, está presente num indivíduo, acredito que seja impossível que ele se torne deprimido, ansioso ou compulsivo. Em uma época em que os valores espirituais ou internos estão perdidos, em que a religião perdeu seu poder de influenciar o sentimento e o comportamento, a depressão e a angústia emocional tornaram-se endêmicos. Por outro lado, duvido que um sistema de crenças, religiosas ou de outra natureza, possa substituir o sentimento de paixão. Este se desenvolve no indivíduo quando ele abre mão de seus controles egoicos, libertando o corpo da escravidão à vontade e aos valores do ego. Essa entrega é a base da cura religiosa, em que a entrega é a Deus.

O problema com algumas práticas de cura religiosa é que a entrega não é a Deus, mas a um representante de Deus ou a uma ordem doutrinária que exige submissão a uma autoridade. Isso é semelhante ao que acontece nas seitas, em que também há uma entrega do ego ao líder com uma resultante sensação de liberdade e o sentimento de paixão. A submissão não é uma verdadeira entrega e, mais cedo ou mais tarde, o espírito vai revoltar-se contra a perda da liberdade de ser verdadeiro consigo mesmo. Acredito que a verdadeira cura tem de vir de dentro do indivíduo, e não de uma força externa. Deus representa um papel na autocura, pois a força curadora é o espírito de Deus que está dentro do corpo. É evidente que o espírito é do indivíduo — a força vital que mantém sua vida, movimenta seu corpo e cria a sensação de alegria. Porém, como vimos nos capítulos anteriores, a entrega ao corpo desperta um medo da morte, um medo de não sobreviver caso se abra mão dos controles egoicos. O paciente não tem fé porque a fé que teve quando criança no amor de seus pais foi traída e ele sentiu que ia ou podia morrer. Entretanto, embora a entrega seja assustadora, é o único caminho para curar as feridas da infância. É preciso fé para entregar-se ou render-se ao corpo, à escuridão do inconsciente, ao submundo de nosso ser. Isso também requer um guia, uma pessoa em quem se possa ter fé porque atravessou o desconhecido em seu próprio processo de cura e em sua busca para encontrar Deus dentro de si. Ao mesmo tempo que a pessoa se liga ao Deus interior, também se liga ao Deus exterior, aos processos cósmicos que deram origem à vida e dos quais nossa existência depende. Embora nós, seres humanos modernos, sejamos infinitamente mais cultos do que os povos originários, temos a mesma necessidade de harmonia em nossa relação com a natureza e o universo.

Antes de perdermos nossa inocência e nos tornarmos autoconscientes, sentíamos essa harmonia. Talvez alguns se lembrem de ter sentido essa ligação e harmonia quando, ainda crianças, vivenciaram a alegria. Quando meu filho tinha cerca de 5 anos, fiz um esforço para levá-lo à escola dominical. Meu argumento era o de que ele ia conhecer Deus. Ele disse: "Eu conheço Deus". Quando lhe perguntei o que ele conhecia, apontou para algumas flores que estavam nascendo no jardim, perto de onde ele estava, e respondeu: "Ele está ali". Percebi que ele carregava um sentimento de Deus que era mais importante do que aquilo que poderia aprender na escola e deixei de lado o meu esforço para levá-lo às aulas de religião. Tive a certeza de que, se ele tinha consciência de que Deus estava nas flores, também sabia que Deus estava em seu próprio corpo. Essa crença de que todas as coisas vivas têm uma característica divina é um dos principais conceitos da religião hindu, que postula que a essência de Brahma é um atributo de todas as criaturas. Os povos originários acreditavam que havia um espírito em todas as coisas, vivas e não vivas, que devia ser respeitado. Rios, lagos, montanhas e florestas e todas as coisas que existissem neles eram animadas por um espírito, assim como o homem. O animismo, como essa crença era chamada, foi o primeiro sistema religioso. Dado que as crianças pequenas pensam como os povos originários, não é de surpreender que meu filho espontaneamente visse Deus em todas as coisas.

No início da pré-história, o homem vivia plenamente no mundo natural, como um animal entre tantos outros. Era um tempo de inocência e também de liberdade. Na mitologia, era uma época paradisíaca porque os olhos eram brilhantes e os corações, repletos de alegria. Também havia dor e sofrimento, pois esses sentimentos não podem ser separados do prazer e da alegria, assim como a noite não pode ser separada do dia ou a morte da vida. Porém, na vida em que há prazer e alegria, a dor e o sofrimento tornam-se suportáveis. Uma vida como essa contrasta marcadamente com a existência moderna, em que há poucos prazeres reais e pouca ou nenhuma alegria. É preciso ser cego para não enxergar essa realidade no rosto e no corpo das pessoas que encontramos nas ruas ou em outros lugares públicos. Na maioria dos casos, o rosto delas é tenso e contorcido, os maxilares são rígidos, os olhos são apáticos, assustados ou frios. Isso é evidente apesar das máscaras que elas usam para ocultar sua dor e tristeza. Os corpos estão congelados ou desarticulados, terrivelmente obesos ou muito magros, rígidos ou prostrados. Há inúmeras exceções a essa descrição, mas a beleza real é rara e a verdadeira graciosidade, quase inexistente. É uma cena trágica. Em contraste, vi uma imagem, em um documentário na televisão, de uma menina de uma tribo extremamente pobre. Eram nômades vivendo no deserto do Saara. A menina levava nas costas um feixe de lenha que tinha juntado para o acampamento, para a fogueira noturna. Como as noites no Saara são amargamente frias, aquele feixe de lenha era sua contribuição para o seu povo. Tratava-se de uma demonstração de seu amor e seu corpo refletia a alegria que ela sentia. Seus olhos brilhavam e o rosto estava radiante. Nunca esqueci aquela imagem.

Há muitos anos não vejo um rosto como esse, mas lembro-me dessa expressão no rosto das moças quando era menino, em Nova York. Era outra época e, posso dizer, outro mundo. Não havia automóveis nem geladeiras. O gelo era entregue por um vendedor de gelo e o carvão, por uma carroça puxada a cavalo. Era uma época mais lenta e mais tranquila. As pessoas tinham tempo para se sentar nos degraus em frente de casa e conversar umas com as outras. Estava longe de ser um paraíso, e eu não era uma criança feliz, mas lembro-me de momentos de alegria, quando brincávamos nas ruas. Comparada a esse tempo, a cidade de Nova York, onde ainda mantenho meu consultório, tem um ar irreal e quase apavorante.

Os mais velhos costumam falar do passado em termos mais favoráveis do que do presente. Isso já acontecia quando eu era jovem. Pode ser atribuído ao fato de que a pessoa viu seu passado com os olhos da juventude, com mais excitação e esperança. Mas, embora isso possa ser verdade, é igualmente verdadeiro que a qualidade de vida tem se deteriorado imensamente ao longo da minha existência. Embora eu sinta mais alegria hoje do que nunca, acredito que em toda grande cidade houve uma perda progressiva daquelas características que contribuem para a alegria de viver — perda que é diretamente proporcional ao aumento de riqueza e poder. Tornamo-nos uma cultura materialista dominada por uma atividade econômica exclusivamente voltada para o aumento de poder e a produção de bens materiais. O foco no poder e nas coisas que pertencem ao mundo externo mina os valores do mundo interior — como dignidade, beleza e graça.

Acredito que a perda dos valores morais e espirituais está diretamente relacionada ao aumento de riqueza. Dizem que um camelo poderia passar pelo buraco de uma agulha antes que um rico entrasse no reino dos céus. Mas aquele é o reino de Deus na terra, onde a alegria é possível. Infelizmente, o homem foi expulso desse reino — que era o Jardim do Éden — por ter desobedecido às injunções de Deus de que não se comesse o fruto proibido da árvore do conhecimento. Porém, tendo conquistado o conhecimento, ele se tornou *Homo sapiens*, o que o fez passar do estado animal para a condição humana. Essa passagem, o primeiro pequeno passo para que o homem se tornasse uma criatura civilizada, levou um longo tempo. Os passos seguintes aconteceram com mais rapidez.

Da Idade da Pedra à Idade do Bronze foi uma questão de quatro a cinco mil anos; da Idade do Bronze à Idade do Ferro, levou menos de dois mil anos. O ritmo da civilização acelerou na medida em que o conhecimento cresceu, e houve um desenvolvimento correspondente em sua concepção de divindade.

A ideia de um Deus masculino todo-poderoso, Deus-pai, desenvolveu-se há relativamente pouco tempo e está limitada às religiões da civilização ocidental. Na religião mais antiga, o animismo, todos os espíritos da natureza eram cultuados. O politeísmo representou a adoração de deuses masculinos e deusas femininas, cada qual associado a aspectos específicos da vida humana. A elevação à supremacia de um único deus masculino estava associada à ascensão ao poder de um governante masculino, o rei todo-poderoso que era considerado descendente ou representante da divindade. Os deuses não residiam mais na terra. Primeiro mudaram-se para o alto de uma montanha — o Monte Olimpo, onde viviam as divindades gregas —, e depois o Deus supremo foi removido para algum lugar remoto no céu, inacessível ao homem mortal.

Esse processo de separação entre o divino e o secular representou uma progressiva desmistificação da natureza e do corpo. A terra era considerada uma massa de matéria que, quando ativada pela energia do sol, poderia produzir plantas. O homem então aprendeu a controlar esse fenômeno natural por meio da agricultura, o que o supriu com uma confiável fonte de alimento. Depois, com a introdução de máquinas e fertilizantes químicos, seu poder de fazer isso parecia ilimitado. Todos conhecemos essa história. Mas também nos tornamos conscientes de que há um perigo nesse processo. Estamos aprendendo que interferimos no equilíbrio ecológico da natureza e corremos perigo por isso. Porém, fizemos a mesma coisa com nosso corpo, reduzindo-o a processos bioquímicos e, desse modo, roubando-lhe sua natureza divina. O homem moderno na cultura ocidental perdeu sua alma, como ressaltou Jung.[40]

Alguém poderia argumentar que o desenvolvimento da civilização foi a maior conquista do homem, a coroação de sua glória. Eu tanto concordaria como discordaria. A civilização está identificada com a vida das cidades, mas, se as grandes cidades de hoje são a glória do homem, também são sua vergonha. Poucas estão livres da poluição do ar, da hiperatividade, dos congestionamentos, do barulho, da violência e da sujeira. Sempre há algumas esquinas de beleza tranquila, mas elas são soterradas pela feiura da publicidade moderna, que expressa sua obsessão por bens materiais e sexo.

A desmistificação transfere um objeto ou processo do reino do sagrado para o do vulgar. O objeto sagrado torna-se uma coisa, o processo sagrado torna-se uma operação mecânica. Esse se tornou o destino do corpo humano e da sexualidade em nossos tempos. O ato sexual, que é a comunhão de dois indivíduos envolvidos na dança sagrada da vida, tornou-se para muitas pessoas um desempenho e uma viagem egoica. Por motivos especiais, podemos considerar as funções corporais objetivamente, como processos bioquímicos ou mecânicos, mas não devemos perder de vista que há uma realidade mais profunda em todos os processos vivos. O amor nunca pode ser explicado bioquímica ou mecanicamente, assim como o poder de despertar sentimento das palavras "Eu te amo" não pode ser explicado pelas ondas acústicas que transmitem o som. O amor é um estado de intensa excitação positiva no corpo, mas isso nos diz pouco mais que a vida em si mesma — é um estado de excitação. Eu caracterizaria o amor como a expressão fundamental da existência, porque, como a força por trás da função reprodutora, ele é o criador da vida. Reduzir a vida, o amor e o sexo a processos fisiológicos é ignorar o aspecto emocional do corpo — o qual é expressão de seu espírito.

A filosofia e a religião orientais não separam nem dissociam Deus da natureza ou o espírito do corpo. Os chineses acreditam que todos os processos na natureza e no cosmo são governados pela interação de dois princípios ou forças, *yin* e *yang*, que, quando estão em equilíbrio, asseguram o bem-estar do indivíduo. O pensamento hindu reconhece uma força energética denominada prana, que corresponde à respiração. A análise bioenergética utiliza um princípio energético para compreender os processos vitais e trabalha com um conceito energético, usando a respiração para libertar o indivíduo das tensões corporais que aprisionam seu espírito e limitam sua liberdade. O pensamento oriental está enraizado na visão de que o homem não é senhor de sua vida, que está sujeito a forças que é incapaz de controlar — forças que podem ser designadas pelos termos "destino" ou "carma". Em contraste, o pensamento científico ocidental não vê limites para o possível poder do homem de controlar a vida. Essa visão baseia-se em nossa identificação com a mente e seus processos imaginativos, que não são limitados por tempo, espaço ou possibilidades de ação. Em contraste, a identificação com o corpo obriga o homem a se dar conta das limitações de seu ser e da relativa impotência de seus atos.

A atitude oriental perante a vida tem sido descrita como fatalista. O homem é considerado impotente para mudar o curso dos acontecimentos. Portanto, o bom senso aconselharia aceitação e entrega. Essa postura é rejeitada pela maioria dos ocidentais, que a considerariam derrotista. Somos incentivados a brigar, a lutar, a acreditar que onde há vontade há um jeito. A vontade é uma função muito valiosa quando bem usada. Seu lugar, contudo, é em situações de emergência nas quais deve ser feito um tremendo esforço em benefício da sobrevivência. Manter-se no controle e não entrar em pânico é uma função do controle egoico agindo por meio da vontade. Perder a cabeça numa situação de perigo implica risco de vida. Atacar um inimigo ameaçador requer vontade, porque a tendência do corpo é fugir. Vista por esse prisma, a vontade é uma força positiva. Mas não tem cabimento e se torna uma negativa nas situações em que não há perigo e a atividade deveria ser agradável. Imagine usar a vontade para desfrutar de uma relação sexual! Como já assinalei neste livro, a alegria depende de uma entrega do ego e da vontade.

Essa entrega do ego permite que a pessoa se volte para o seu íntimo para ouvir a voz de Deus. A meditação, como praticada nas religiões orientais, é um meio pelo qual o indivíduo silencia o barulho do mundo externo a fim de ouvir sua voz interior – a voz do Deus dentro dele. Para deixar de fora o barulho do mundo externo, é preciso interromper o fluxo de pensamentos — o chamado fluxo de consciência. Ele se origina da estimulação constante do cérebro anterior por tensões musculares subconscientes. Cessa quando se entra em um estado de relaxamento corporal profundo, em que a respiração é plena e profunda. Na realidade, abdica-se do controle inconsciente associado a um estado interior de vigilância. Quando isso acontece, uma sensação de paz interior impregna o corpo. A consciência não é obscurecida. O indivíduo está totalmente consciente, mas a consciência não está focalizada — não está inconscientemente armada para enfrentar o perigo.

Estive nesse estado, e a vivência é linda. Aproxima-se do sentimento de alegria. Pode-se dizer que é uma alegria mais moderada. Tive essa experiência após uma semana em que fiquei literalmente estirado no chão por recomendação médica, para tratar do ciático. Uma dor persistente na região lombar, nas nádegas e na perna direita, com parestesias, indicava problemas em algum nervo; o quadro persistiu por vários meses, apesar do tratamento. Telefonei para um colega ortopedista, familiarizado com análise bioenergética, que me aconselhou a deitar no chão com os joelhos flexionados e os pés apoiados numa caixa de livros. Eu devia comer deitado no chão, dormir no chão e ler no chão. Ele recomendou um tipo de movimento rastejante se eu precisasse ir ao banheiro. Essa posição no chão eliminou o peso da região lombar, permitindo que os músculos tensos relaxassem. Porém, o efeito que surtiu em minha personalidade foi inesperado. Aquilo foi me acalmando e me trazendo para dentro. No quinto dia, sentei-me do lado de fora, numa cadeira ao sol, com as mãos no colo. Eu não estava pensando. Conseguia sentir a profunda pulsação interna de meu corpo conforme respirava profundamente sem nenhum esforço consciente. Não meditei. Apenas me sentei como um gato, contemplando os arredores. Foi celestial.

Meu problema de ciático não foi resolvido com aquela semana no chão, embora a dor tivesse diminuído. Talvez eu devesse ter ficado mais tempo, mas tinha coisas para fazer e uma viagem marcada para a Grécia dez dias depois. Na Grécia recebi uma massagem e várias sessões de acupuntura que ajudaram um pouco. O problema estava diminuindo, mas eu ainda sentia dor. Em determinado momento, percebi que estava completamente livre de dor, e que já estava assim havia alguns dias. Quando tentei pensar no momento que a dor cessara, só consegui recordar um incidente que aconteceu mais ou menos na época em que a dor desapareceu: eu tinha ficado muito bravo com um colega que estava associado ao estresse que eu sabia ter sido a causa da dor ciática. Quando falei com ele, um sentimento de raiva disparou pelo meu corpo numa onda de excitação que descarregou toda a tensão de minhas costas e me livrou da dor. Isso me levou a perceber que a raiva, quando expressada do jeito certo, constitui uma força curativa.

Essa raiva era a voz de Deus dentro de mim. Não foi algo que fiz consciente e deliberadamente. Apenas aconteceu. Alguma força em meu corpo irrompeu como um surto de raiva. Em outra ocasião, vivenciei um surto de amor que me transformou. Na realidade, toda emoção — medo, tristeza, raiva, amor – é uma pulsação de vida, um surto de sentimento do núcleo do próprio ser. Esse núcleo está sempre pulsando, sempre enviando impulsos que mantêm o processo da vida. É o centro energético do organismo, como o sol é o centro energético do sistema solar. É responsável pelo batimento do coração, pelo ritmo respiratório de inspiração e expiração, pelos movimentos peristálticos dos intestinos e por outras estruturas tubulares. O pensamento hindu reconhece os centros energéticos denominados chacras, mas acredito que deve haver um centro principal ou primordial para manter a integridade de um organismo tão complexo como o de um mamífero. Os grandes místicos religiosos situaram esse centro no coração, que consideram a morada de Deus no homem. Esse é certamente o local do impulso do amor, que é a mola propulsora da vida e a fonte da alegria.[41] Embora estejamos familiarizados com a pulsação do coração, o fato é que cada célula, cada tecido e o corpo todo pulsam, o que significa que se expandem e se contraem ritmicamente. O coração se expande e se contrai ao bater, os pulmões se expandem e se contraem ao respirarmos. Quando essa pulsação rítmica é livre e plena, sentimos prazer. Ficamos prazerosamente excitados. Quando a excitação aumenta a ponto de a pulsação ficar mais intensa, sentimos alegria. Se a intensidade da excitação atinge seu auge, vivenciamos o êxtase. Na ausência de qualquer excitação ou pulsação, o organismo está morto. A excitação é fruto de um processo energético no corpo relacionado ao metabolismo. Uma fonte de energia – o alimento – é metabolizada ou queimada para liberar a energia necessária ao processo vital. Se considerarmos a vida uma fogueira que arde continuamente em água, o amor pode ser descrito como sua chama. Poetas e compositores têm usado essa metáfora há anos. Mas ela é mais do que uma metáfora. Aquele que ama literalmente brilha, com a chama de seu sentimento iluminando seus olhos. Essa intensidade de sentimento ou de excitação pode ser descrita como paixão.

Amor, paixão, alegria e êxtase também são termos usados para descrever a relação do homem com Deus, o deus interior e o deus exterior. Há um fogo no universo e uma pulsação energética relacionada a um processo de expansão e contração. Como nossa vida decorre desse processo e é parte dele, sentimo-nos identificados com ele. Alguns místicos conseguem de fato sentir a ligação entre as batidas do coração e a pulsação do universo. Eu realmente senti meu coração bater no mesmo ritmo que o coração dos pássaros. Na cidade, eles são as únicas criaturas livres.

O fenômeno da empatia, em que somos capazes de perceber o que o outro está sentindo, acontece quando dois corpos vibram no mesmo comprimento de onda. A empatia é a ferramenta básica do terapeuta. Está ausente nas pessoas cujo corpo é muito rígido, de modo que há pouca atividade pulsátil. Quando nosso corpo tem mais vitalidade, ficamos mais sensíveis aos outros e aos seus sentimentos. É claro que, quando estamos mais cheios de vida, também aumenta nossa capacidade de amar e sentir alegria.

Embora o amor seja a fonte da vida, não é seu protetor. É ingenuidade acreditar que ser uma pessoa amorosa garante uma vida sem mágoas. Todos os indivíduos começam a vida amando e sendo amáveis, o que não impede os ataques e traumas aos quais tantos são submetidos na infância. As páginas deste livro atestam a dor e os danos que sofreram. Um organismo vivo não sobreviveria por muito tempo se não contasse com meios de defesa. Na maioria dos organismos, essa defesa assume a forma de raiva. Costumamos reagir com raiva a um ataque à nossa integridade ou liberdade. A raiva é um aspecto da paixão pela vida. O indivíduo apaixonado defende apaixonadamente o direito de todos à vida, à liberdade e à busca da felicidade. Um Deus justo não aceitaria que fosse de outro modo.

O ESPÍRITO QUE DANÇA

A alegria é um sentimento extraordinário para adultos cuja vida gira em torno de atividades e coisas comuns. Essas coisas e atividades podem nos dar prazer, mas a excitação associada a elas raramente atinge o auge da alegria. A principal razão para a ausência de alegria nas atividades cotidianas é que elas são dirigidas e controladas pelo ego. As crianças pequenas vivenciam facilmente a alegria nas atividades comuns, pois nenhuma de suas ações simples é controlada pelo ego. A criança age espontaneamente, sem pensar nem planejar, reagindo aos impulsos naturais de seu corpo. Em contraste com os adultos, cujos movimentos são dirigidos e controlados pelo ego, a criança é movida por sentimentos ou forças que independem de sua mente consciente. A diferença entre mover-se a partir do ego ou de um centro consciente e ser movido por uma força que emana de algum centro profundo do corpo distingue o extraordinário do comum, o sagrado do secular, a alegria do prazer.

Quando vi meu filho pequeno pular de alegria, dei-me conta de que ele não o fazia de modo consciente ou deliberado, mas era erguido do chão por uma onda repentina de excitação positiva que o impelia para cima. Ele teve uma vivência "mobilizadora". Todas as vivências extraordinárias têm a característica de serem "mobilizadoras". Essa característica também acompanha a maioria das experiências profundamente religiosas, que os crentes considerariam manifestações da presença ou da graça divina. Essa é uma interpretação válida, pois a força que move a pessoa tem de ser maior do que o seu *self* consciente.

Vivências profundamente mobilizadoras ocorrem em situações que não têm ligação direta com a religião ou o conceito de Deus. A mais comum delas é apaixonar-se. E que vivência alegre é estar apaixonado! Isso acontece quando nosso coração é tocado ou mobilizado por outro indivíduo. O amor sincero por qualquer criatura também pode ser considerado uma manifestação da graça divina. Quando nos entregamos ao amor, entregamo-nos ao Deus dentro de nós. O amor move um indivíduo para a intimidade com o objeto amado, almejando proximidade ou contato físico com ele — e, na sexualidade, uma fusão energética dos dois organismos. O sentimento que aproxima dois indivíduos no amor é a paixão, que também descreve o desejo de proximidade com Deus. A paixão denota um sentimento tão intenso que nos mobiliza a transcender os limites do *self* ou do ego. Quando isso acontece num orgasmo sexual que envolve o corpo todo em movimentos convulsivos, essa é uma vivência transcendental por excelência. Isso não acontece muito em nossa sociedade porque o sexo e a sexualidade passaram do domínio do sagrado para o do comum e secular. O sexo é algo que se faz para relaxar ou aliviar a tensão, e não uma expressão de paixão.

Outra atividade que compartilha dessa característica de vivência "mobilizadora", embora em grau muito menor que o sexo, é a dança. Normalmente, somos mobilizados a dançar pela música. Quando ouvimos música animada, nossos pés e pernas não conseguem ficar parados. Se o ritmo for forte e persistente, podemos ser enlevados e arrebatados por ele. Dançar assim é uma vivência mobilizadora que pode levar a um estado transcendental. Dançar é parte das cerimônias religiosas da maioria dos povos originários. Porém, quer esteja associado a religião ou romance, dançar sempre leva à alegria e, muitas vezes, também ao amor. A chave para a transcendência do *self* é a entrega do ego.

Todas as religiões proclamam que a entrega a Deus é o caminho para a alegria. Sri Daya Mata, chefe espiritual da Self-Realization Fellowship (SRF), organização fundada pelo famoso guru indiano Paramahansa Yogananda, diz: "Nenhuma vivência humana pode comparar-se ao amor e à bênção perfeitos que inundam a consciência quando realmente nos entregamos a Deus". Embora essa declaração represente um preceito básico da filosofia hindu, ecoa ideias similares que podem ser encontradas em todas as religiões. Também eu acredito que esse é o verdadeiro caminho. No entanto, as pessoas perderam o caminho para Deus — do contrário não seria necessário guiá-las ou aconselhá-las. As crianças conseguem vivenciar a alegria sem necessidade de orientação ou aconselhamento, o que deve significar que estão em contato com o Deus dentro delas. Para os adultos que perderam esse contato, recuperá-lo não é tarefa fácil. Sri Daya Mata dá alguns bons conselhos sobre como fazer isso, mas nem mesmo o melhor deles funciona porque não conseguimos segui-lo. Estamos bloqueados por medos inconscientes que tornam a entrega um empreendimento perigoso, como vimos nos casos discutidos nos capítulos anteriores.

A religião oriental oferece procedimentos úteis para estimular a entrega a Deus. A mais famosa dessas práticas é a meditação, que permite ao indivíduo voltar-se para dentro a fim de entrar em contato com o Deus interior. Entoar um mantra ou emitir um som ajuda a eliminar o barulho do mundo externo, acalmando a atividade mental. A meditação é hoje amplamente empregada no Ocidente como técnica de relaxamento, um meio para reduzir o enorme estresse ao qual estão sujeitos tantos indivíduos no mundo industrializado. Para atingir essa entrega ao Deus interior, a meditação deve ser conduzida por um tempo prolongado. A maioria dos monges que lutam por esse contato profundo retira-se do mundo por longos períodos e abandona todos os prazeres mundanos. Afastar-se do mundo externo também é um traço da religião cristã para aqueles que desejam levar uma vida profundamente religiosa, impassível às preocupações e interesses do mundo externo. Oração, canto e contemplação são as atividades que, para os cristãos, promovem o contato com o Deus interior. Muitos indivíduos no mundo todo tornam essas práticas parte de seu cotidiano. Porém, conforme aumentam a pressão e o ritmo da vida com o crescimento do comércio e da tecnologia, a vida religiosa tanto no Oriente como no Ocidente parece desaparecer cada vez mais. Esse desaparecimento coincide com a perda de contato com a natureza, com o corpo e com o aspecto espiritual da vida.

Mas é necessário retirar-se do mundo para ser espiritual e vivenciar um contato com Deus? Esse talvez não seja um modo prático e realista de viver para a maioria dos que estão envolvidos com atividades comuns para ganhar seu sustento e criar uma família. Contudo, quando essas atividades são empreendidas com um espírito de reverência pelas grandes forças da natureza e do universo que tornam a vida possível, as atividades cotidianas adquirem um viés espiritual. A espiritualidade não é um modo de agir ou de pensar; é a vida do espírito que se expressa nos movimentos espontâneos e involuntários do corpo em ações que não são dirigidas nem controladas pelo ego. Esses movimentos são pulsáteis e rítmicos como o batimento cardíaco, a ação peristáltica dos intestinos e as ondas respiratórias que fluem para cima e para baixo através do corpo. A atividade vibratória natural do corpo que sustenta as funções citadas é, na minha opinião, a manifestação básica do espírito vivo. Quando essa atividade vibratória cessa, tomamos consciência de que o corpo está morto, de que o espírito está extinto e de que a alma deixou o cadáver. Quando nossos olhos brilham, isso denota uma atividade vibratória extremamente carregada nos olhos, que também produz uma irradiação. A vibração também é evidente na voz. Uma voz sem vida denota perda ou diminuição da própria vitalidade ou do próprio espírito. Essa atividade involuntária no corpo é o que percebemos como sentimento. Só as criaturas vivas têm sentimentos, porque sentindo é que vivenciamos a vida do espírito. Quando o espírito de alguém está fraco, o sentimento é fraco. Espíritos fortes refletem-se em sentimentos fortes. É o espírito em nós que nos mobiliza para amar, chorar, dançar e cantar. É o espírito no homem que clama por justiça, luta pela liberdade e alegra-se com a beleza de toda a natureza. É também o espírito que nos mobiliza para a raiva. A força do espírito se reflete na intensidade dos sentimentos. Quando o espírito é forte, a pessoa tem uma natureza apaixonada. Nesses indivíduos, a chama da vida queima luminosa e eles percebem que seu espírito reflete o amor de Deus.

O conceito de espírito não é místico. O espírito manifesta-se na vivacidade, no brilho dos olhos, na ressonância da voz e na desenvoltura e graciosidade dos movimentos. Essas características estão relacionadas com um alto nível de energia do corpo, e dele decorrem. Mas ninguém compreende isso numa sociedade dirigida por máquinas que iguala energia a esforço e poder de ação. A energia da vida age de outro modo. Funciona simplesmente para proteger e promover o bem-estar do organismo e para perpetuar a espécie. O bem-estar do organismo é vivenciado nos sentimentos positivos do indivíduo, que partem do prazer, passam pela alegria e, às vezes, alcançam o êxtase. Esses sentimentos positivos refletem o grau de excitação positiva no corpo e manifestam-se em sua atividade pulsátil. Quando a pulsação é forte e profunda, mostra-se também tranquila e contida, o que se vê no calmo batimento do coração e na profunda e suave atividade respiratória. Essa atividade rítmica estável é vivenciada como prazer. No momento em que o indivíduo se esforça para atingir uma meta, o corpo sofre pressão e o ritmo suave e estável do movimento prazeroso se perde.

O esforço e a pressão surgem quando sentimos necessidade de mobilizar energia extra para determinada tarefa. Essa mobilização requer o uso da vontade, o que cria um estresse no organismo. Indivíduos com alto nível de energia praticamente não enfrentam o estresse nas atividades cotidianas. Seu corpo é mais relaxado, seus movimentos, mais graciosos, e seu comportamento segue um padrão mais tranquilo. Como um carro muito potente, consegue subir um morro com menos esforço. Indivíduos cuja energia é baixa precisam se esforçar, o que esgota sua energia devido ao estresse, deixando-os cansados e sentindo que não podem ter êxito ou atingir suas metas se não fizerem um esforço ainda maior. Em geral, têm medo de desacelerar ou parar, porque temem fracassar ou talvez não ser capazes de recomeçar. Muitos seguem em frente para evitar a depressão. As queixas mais comuns das pessoas no mundo industrializado são cansaço e depressão.

Qualquer um que esteja familiarizado com a vida moderna sabe que o ritmo de atividade aumentou muito neste século, na mesma proporção do aumento na velocidade das viagens e das comunicações. Como alguém pode se entregar quando está indo tão depressa que não consegue parar? Como alguém pode sentir o Deus interior quando está indo a cem quilômetros por hora ou mais numa estrada lotada? Sim, nesta sociedade caótica e compulsiva, alguns se orgulham de estar na pista mais veloz. Quanto mais depressa se movem e quanto mais fazem, menos tempo têm para sentir, o que pode ser um motivo para que se mantenham tão ocupadas.

A atividade pulsatória da vida é vista claramente na medusa ou água-viva. A pulsação cria nela ondas internas que a movimentam pela água. A mesma atividade pulsatória é observada nos vermes ou serpentes, na forma de ondas que movem essas criaturas através do espaço. Nos animais superiores, a atividade pulsatória é mais interna, como nas ondas peristálticas que movimentam a comida no intestino. Como o coração é o órgão do corpo que pulsa mais forte, é considerado por muitos místicos a casa de Deus. Podemos, no entanto, considerar: Deus é a força que cria a pulsação ou é a pulsação propriamente dita? Ao sentir essa atividade pulsatória espontânea do corpo, podemos acreditar que ela é uma manifestação direta do espírito interior.

Há também uma atividade pulsatória nos céus, no girar dos corpos celestes, na periódica emissão de luz e ondas de rádio. Ao perceber a harmonia entre a pulsação interna de nosso corpo e a do universo, sentimo-nos identificados com o plano universal, com Deus. Somos como dois diapasões vibrando no mesmo tom.

Como a pulsação é um aspecto do mundo natural, o homem poderia muito bem acreditar que há um espírito sagrado em todas as coisas. Essa crença é a base da religião animista. Com conhecimento, objetividade e poder crescentes, o ego humano negou o espírito divino na natureza e nas outras criaturas, considerando-se o único ser que compartilha da divindade. Alguns indivíduos chegaram efetivamente ao ponto de negar qualquer ligação com o divino ou o Deus interior. Só aquele que perdeu todo o contato com a atividade pulsátil do seu corpo chega a essa conclusão. Para ele, o coração bate porque recebe sinais do cérebro, que foi geneticamente programado para enviar esses sinais, assim como um computador faz um sistema funcionar se tiver sido programado.

Não duvidamos de que nosso cérebro seja programado pela hereditariedade e pela experiência para coordenar as complexas operações computadorizadas do corpo, mas isso deixa em aberto a questão de quem programou o homem. A resposta religiosa é Deus, que criou o homem, o que implica a existência de uma força divina ativa para explicar a evolução. Uma visão mecanicista da vida não deixa espaço para o espírito divino e, portanto, para nenhuma possibilidade de vivência mobilizadora que dê significado à vida. Se reconhecermos que o espírito vivo dentro de um organismo é divino, evitaremos o conflito entre uma visão mística e religiosa da vida e uma mecanicista.

A negação do espírito caracteriza o indivíduo narcisista dos tempos atuais.[42] O narcisista considera o mundo e a vida de forma mecanicista: estímulo e resposta, ação e reação, causa e efeito. Não há espaço para o sentimento nessa estrutura de caráter. Os sentimentos são imprecisos, incomensuráveis, quase sempre imprevisíveis e certamente não racionais. No narcisista, a vida do espírito é desconhecida e negada. Ele existe conscientemente em sua cabeça, está dissociado de seu corpo e vive a vida de sua mente. O narcisismo é estranho para as crianças, cuja vida gira em torno da realização de seus desejos, da alegria da liberdade e dos prazeres da autoexpressão. As crianças gostam de ser admiradas, como todos nós, mas não sacrificam seus sentimentos para ser especiais ou superiores. Elas competem e querem estar em primeiro lugar porque são muito autocentradas. São criaturas apaixonadas que querem tudo, mas não são egotistas. Amam e querem ser amadas porque seu coração está aberto. Como observaram os pais a respeito de sua filha de 9 meses: "Ela é um pacotinho de alegria". A infância é justamente isso. As crianças sentem a alegria de viver quando são amadas e trazem essa alegria para os outros. São inocentes e impotentes — e, portanto, vulneráveis à negatividade e hostilidade dos adultos para com elas, inclusive seus pais. Aqueles que perderam a alegria não suportam ver que outros a têm.

Nestas páginas, vimos como a inocência das crianças é destruída e sua liberdade, perdida. O genitor atormentado não consegue suportar o choro do bebê e o ameaça. O genitor frustrado não consegue permitir que o filho tenha a alegria que ele ou ela não consegue sentir e o pune. O genitor rígido não consegue tolerar a exuberância e a espontaneidade da jovem vida e a destrói. Nem todas as crianças sobrevivem à insensibilidade e à crueldade dos que delas cuidam. O abuso infantil resultou na morte de muitas delas.

A maioria dos pais é ambivalente. Ama o filho, mas também o odeia. Vi uma mãe olhar para a filha em meu consultório com um olhar tão cheio de ódio que fiquei horrorizado. Apesar disso, existe também algum amor. As crianças não entendem a ambivalência, que é um conceito sofisticado além de sua compreensão. Quando sentem o ódio, não conseguem perceber o amor nem acreditar nele. Quando sentem o amor, esquecem o ódio. Elas aprenderão o que é ambivalência e, por sua vez, se tornarão elas mesmas ambivalentes.

Quando a criança percebe o ódio e a violência em um genitor, ela não pode evitar de pensar que sua vida corre perigo. A vivência dessa ameaça é um choque do qual o organismo talvez nunca se recupere. A criança é ameaçada de duas maneiras: primeiro, com a possibilidade de morte devido à violência, o que envia uma onda de terror através de seu corpo. No nível corporal, essa memória nunca será totalmente apagada. Em segundo, pela possibilidade de rejeição e abandono — que, para ela, também é uma ameaça de morte. Essas ameaças não são postas em prática, mas a criança muito pequena não consegue imaginar que só tenham sido lançadas para assustá-la. Ela deve submeter-se, conter a agressividade, refrear a excitação e, para tanto, restringir a respiração.

A análise bioenergética pretende ajudar o paciente a respirar mais profundamente porque sem respiração profunda não se tem energia para sentir a paixão da vida. Contudo, respirar profundamente é difícil.

Respirar é um ato agressivo. É preciso sugar o ar para dentro dos pulmões. Infelizmente, a agressividade da maioria dos bebês é desestimulada. Muitos são prejudicados desde o nascimento por lhes ser negada a experiência emocionalmente gratificante de ser amamentado. Recebem uma mamadeira, o que os coloca em uma posição passiva, pois não exige que suguem muito para obter o leite.

Os bebês amamentados ao seio conseguem sugar com vigor e, em consequência, sua respiração é mais energética. Por outro lado, descobri que os bebês amamentados ao seio podem ser gravemente traumatizados quando são desmamados muito cedo. A meu ver, o aleitamento materno normal deveria durar três anos, como acontece entre os povos ancestrais. Isso é muito raro entre nós porque as mulheres são pressionadas a não dedicar todo esse tempo ao bebê. Muitas têm de voltar ao trabalho pouco tempo depois que ele nasce para ajudar no sustento da família. Vê-se essa falta de satisfação em pacientes cuja respiração é superficial e que se queixam de sentir-se vazios, inseguros e deprimidos.

Mas a falta de aleitamento materno adequado não é a única causa da tristeza e do desespero que afligem tantas pessoas. A necessidade da criança de contato amoroso com a mãe não pode ser satisfeita por mães que são elas mesmas pessoas insatisfeitas, cujo corpo não emite uma forte excitação positiva que estimularia e excitaria o corpo do filho. As mães ficam estressadas com os bebês que exigem mais contato e atenção, e os bebês ficam estressados com as mães que não conseguem corresponder a essas exigências. No conflito que se desenvolve entre eles, o bebê sente que sua existência está ameaçada.

A sobrevivência exige uma adaptação: a criança aprende a funcionar em um nível mais baixo de energia e com a função respiratória reduzida. Fazer que esses pacientes respirem profundamente quase sempre desperta um medo de morrer.

Tive vários pacientes que se queixaram de que, ao respirar mais fundo, sentiam que uma escuridão ocupava sua cabeça e vivenciavam uma sensação de desmaio. Era como se sentissem que iam morrer — uma vivência muito assustadora. Porém, trata-se de um medo irracional. Ninguém morre por respirar profundamente. Talvez até sofra hiperventilação e desmaie, mas não há perigo nisso. E mesmo isso não chega a acontecer se for possível continuar respirando por meio do medo. Parar de respirar é que rompe o fluxo sanguíneo para o cérebro, criando uma sensação de escuridão que culmina num desmaio repentino. Aconselho os pacientes, portanto, a permanecer atentos à sua respiração. Uma paciente, que era muito assustada, encontrou coragem para permanecer com sua respiração e, para sua surpresa, a luz em sua cabeça não obscureceu e ela não desmaiou. Animada com esse resultado, repetiu diversas vezes: "Atravessei! Atravessei!" Ela saiu daquela sessão em estado de euforia.

Estou convencido de que todos temos de encarar nosso medo da morte se desejamos entrar no reino dos céus que está dentro de nós. O anjo com a espada flamejante que guarda a entrada para o Jardim do Éden, o paraíso original, também está dentro de nós. É o genitor com olhos frios e repletos de ódio que poderia ter-nos destruído por desobedecer. É a culpa que diz: "Você pecou. Não tem direito à felicidade". E, finalmente, é sua raiva voltada para dentro de si mesmo por causa da culpa, da vergonha e do medo. Essa vivência estimulante da paciente que "atravessou" não garante que ela esteja livre do medo da morte. Na verdade, aquele foi seu primeiro passo no vale da morte, um passo que ela deu sem pânico.

Haverá muitas sessões mais em que ela vai encarar o medo da morte, à medida que afirma seu direito à individualidade. Cada afirmação, cada respiração profunda tonificam a sua força vital e sustentam o seu desejo de ir mais fundo. A vida e a morte são estados opostos do ser, o que significa que, quando a pessoa está plenamente viva, não tem medo da morte. A morte do indivíduo não existe senão como acontecimento futuro. É uma ideia, não um sentimento.

Se houver algum medo em nós, podemos atribuí-lo a esse acontecimento futuro. Se não houver medo na personalidade, a morte não é assustadora. Homens corajosos podem morrer sem medo. Como diz o ditado: "O homem corajoso morre apenas uma vez; o covarde morre mil vezes". Quando a corrente da vida flui livremente através do corpo, não pode haver medo, pois o medo é um estado de contração do organismo.

A entrega a Deus elimina o medo da morte porque ativa o fluxo da vida, que fora limitada pelo ego na tentativa de controlar o medo e outros sentimentos. Mas, por esses mesmos meios, tal entrega incentiva a vida e a cura. Tive dois pacientes que estiveram à beira da morte — um por septicemia, o outro durante uma cirurgia cardíaca com órgão exposto. Ambos me disseram que, ao perceber a possibilidade da morte, colocaram a vida nas mãos de Deus. Ambos se recuperaram e afirmam acreditar que esse ato foi o momento decisivo na doença. Não há nada de místico nesse fenômeno. A entrega do ego remove as defesas que bloqueiam o fluxo da vida, o que só pode surtir um efeito benéfico sobre o corpo. A entrega do ego implica também a entrega da vontade, inclusive da vontade de viver. A vida não é uma ação que se possa determinar pela vontade. A vontade de viver é uma defesa contra um desejo latente de morrer. Representa a tentativa de superar o próprio medo da morte, mas não elimina esse medo. O que mantém a vida não é a vontade, mas um estado contínuo de excitação positiva no corpo, que se expressa como desejo de viver. Essa excitação é gerada pela atividade pulsátil do corpo, que é dada por Deus.

Certa manhã, acordei com a mais doce sensação em meu corpo. Era como se meu corpo inteiro fosse de açúcar ou mel. Ao vivenciar essa sensação, pensei: "Se você for verdadeiro consigo mesmo, não terá medo da morte". Foi uma vivência tão bela e incomum que fiquei imaginando o que a teria produzido. Não conseguia me lembrar de nenhum sonho naquela noite. Pensei nos acontecimentos da noite anterior e lembrei que tinha assistido ao filme *Platoon*, que conta a história de um grupo de soldados americanos na guerra do Vietnã. Alguns dos soldados do pelotão matam civis vietnamitas impiedosamente. Vários outros ficam indignados com esse comportamento e surge um conflito entre os homens. O conflito termina com o assassinato de dois membros do pelotão por seus próprios homens. Quando refleti sobre o filme, cheguei à conclusão de que a violência sem sentido dos soldados era devida ao medo — não só ao medo em si, mas à negação do medo. Estavam mortos de medo, mas, em vez de reconhecê-lo, negaram-no e mataram os outros.[43]

O medo é uma emoção natural que todas as criaturas compartilham. Aquele que nega o medo está negando sua humanidade. Sentir medo não significa ser covarde. Podemos agir corajosamente diante do medo, o que constitui a verdadeira coragem. Quando negamos o medo, colocamo-nos acima do mundo natural. Visto que a repressão dos sentimentos se dá pelo amortecimento do corpo, a repressão do medo reprime a raiva, a tristeza e até o amor. Perdemos a graça de Deus e tornamo-nos monstros — ou seja, irreais. Se alguém me apontasse uma arma, eu teria medo de que ele me matasse. Mas o medo de ser morto não é igual ao medo da morte. Como a morte não pode ser separada da vida, faz parte da ordem natural. Quando ela ocorre como parte da ordem natural, nós a aceitamos com equanimidade. Quando o indivíduo está com medo da morte, é porque está morto de medo. Assim, quando a pessoa é verdadeira consigo mesma, está livre de medo, inclusive do medo da morte. Pela mesma razão, se não tememos a morte podemos ser verdadeiros conosco.

Ser verdadeiro consigo significa ter a liberdade interior de perceber e aceitar os próprios sentimentos e de ser capaz de expressá-los. Significa também não sentir culpa pelo que se sente. Quando há culpa no indivíduo, ele não consegue expressar seus sentimentos de forma aberta. Há um censor em sua mente que monitora toda expressão. Isso não quer dizer que age sobre todos os seus sentimentos.

Não somos bebês desprovidos de ego. Sabemos que tipo de comportamento é aceitável para a sociedade e que tipo não é. Temos — ou deveríamos ter — um senso de autodomínio que nos capacita a expressar um sentimento ou agir sobre ele de modo apropriado e eficiente para nossas necessidades. Esse controle consciente não se baseia em medo. O medo paralisa e as ações do indivíduo se tornam desajeitadas e ineficazes. Ele perde a adorável espontaneidade que confere graça e elegância às suas ações. O autodomínio é a marca da pessoa cujas palavras e atos decorrem de uma fina sensibilidade diante da vida e dos outros.

A alegria é a vivência dessa adorável espontaneidade que caracteriza o comportamento das crianças cuja inocência não foi destruída e cuja liberdade não foi perdida.

Como vimos, as crianças perdem a inocência e a liberdade muito cedo, pressionadas pela dura realidade da vida em família. A sobrevivência, e não a alegria, torna-se o tema central de sua existência. A sobrevivência exige sofisticação, mentira, manipulação e uma vigilância constante baseadas no medo. Mas ela produz o próprio fracasso, exigindo o recolhimento da autopercepção consciente, da autoexpressão e do autodomínio. A vida se torna uma luta, e mesmo quando a situação, na idade adulta, não representa ameaça de morte o indivíduo continua lutando como se representasse.

Cada vez mais os pacientes me dizem: “Não consigo dizer o que penso ou sinto. Tenho medo de que você me rejeite”. Um deles afirmou: “Não posso dizer que amo você. Você vai me rejeitar". Outro confessou. "Não posso demonstrar nenhuma raiva de você; você vai me mandar embora". Até mesmo proferir essas palavras constituiu um passo rumo à liberdade. Abrir-se mesmo com um terapeuta que apoia a livre expressão demanda uma coragem considerável. Essa coragem, lenta mas gradativamente, cresce nos pacientes por meio do processo bioenergético: aumentando sua energia, incentivando sua autoexpressão e ajudando-o a entender seu problema.

Fazer terapia não é uma questão de aprender a defender os seus direitos. Esses procedimentos incentivam uma pseudoagressividade que é fruto da vontade, e não um ato espontâneo. Os pacientes dizem: "Sabe o que aconteceu comigo ontem? Meu chefe falou comigo com ar de superioridade e, sem pensar, eu retruquei: "Não fale comigo assim', e ele se desculpou". O paciente que me contou isso estava ainda mais surpreso com sua franqueza do que seu chefe.

Depois de ter rompido a barreira do medo, fica mais fácil abrir outra vez a porta para a liberdade. A ruptura inicial é uma vivência de alegria que vem da onda repentina de vida que flui através do corpo. É possível ter essas vivências sem passar pela terapia. Aquele a quem se diz que precisa de uma biópsia para determinar se certo tumor ou lesão é maligno vivenciará a mesma alegria, a mesma sensação de liberdade do medo quando lhe disserem que o resultado da biópsia deu negativo.

Também nesse caso, a alegria decorre de uma onda repentina de vida. A diferença entre as duas situações é que a experiência terapêutica não é acidental. É a decorrência lógica de um processo de autodescoberta. A pessoa sente cada vez mais alegria à medida que descobre o *self*. Num *workshop* recente, uma participante voltou-se para mim, empolgada, e disse: "É a primeira vez que sinto meu corpo fazendo isso". O que ele estava fazendo era pulsar. Seu corpo se tornara vivo como uma força independente, suficientemente forte para superar a sensação de que era um objeto que sua mente controlava. Isso aconteceu porque tínhamos feito um considerável trabalho de aprofundamento da respiração, usando a voz e expressando sentimentos. Esses exercícios foram como encher uma bomba para que ela conseguisse agir por conta própria.

Quando o corpo se movimenta por si só de modo totalmente orgânico, é uma vivência mobilizadora. É isso que acontece quando uma criança pula de alegria. Ela não pula num sentido consciente; o corpo é erguido do chão e a vivência é sentida como alegre.

Há alguns anos, eu estava caminhando por uma estrada de terra de maneira muito descontraída. Lembro-me de um passo que produziu uma sensação inesperada. Conforme meu pé tocou o chão, senti um fluxo atravessando meu corpo a partir do chão e senti-me uns cinco centímetros mais alto. Meu corpo se endireitou e minha cabeça se ergueu. Foi uma sensação maravilhosa. Não sei o que a causou, mas estava associada a uma onda de alegria e liberdade.

A liberdade é a base da alegria. Não se trata apenas da liberdade das amarras externas, embora isso seja essencial. Mais particularmente, é a libertação das repressões internas.

Essas repressões decorrem do medo e são representadas por tensões musculares crônicas que inibem a espontaneidade, restringem a respiração e bloqueiam a autoexpressão. Somos literalmente aprisionados por elas. Cada ruptura representada por uma onda repentina de sentimentos também abre caminho para a liberdade. Essas rupturas e aberturas surgem de tempos em tempos no decorrer da terapia, quando uma carga suficientemente forte se acumula por trás do impulso de ir em busca de algo, de abrir-se, de expressar um sentimento.

Lembro-me de uma sessão com Reich que surtiu um efeito libertador em mim. O leitor talvez se recorde de que a terapia de Reich envolvia entregar-se à própria respiração para que esta se tornasse mais profunda, livre e plena. Deitado na cama, entregando-me ao meu corpo, senti-me lentamente ir levantando, até ficar sentado.

A força em mim que produziu essa ação girou-me e então fiquei em pé. Sem saber o que ia fazer, virei-me, fiquei de frente para a cama e comecei a socá-la. Ao fazer isso, vi o rosto de meu pai no lençol e lembrei-me de que ele me dera uma surra por ter chegado tarde em casa certa noite e chateado minha mãe. Eu devia ter entre 9 e 10 anos. Eu tinha ficado na rua, brincando com os meus amigos. Eu tinha esquecido esse fato, até que ele me surgiu na mente enquanto eu golpeava a cama. Embora essa não fosse minha primeira vivência espontânea e mobilizadora na terapia com Reich, fiquei ao mesmo tempo assombrado e entusiasmado com ela. Era como se um recesso oculto de minha personalidade se abrisse, permitindo-me ingressar em uma dimensão mais ampla do ser.

A entrega a Deus é a entrega ao processo vital do corpo, aos sentimentos e à sexualidade. O fluxo de excitação no corpo cria sensações sexuais quando é descendente e sentimentos espirituais quando é ascendente. A ação é pulsatória e não pode ser mais forte em uma direção do que na outra. Em outro livro, ressaltei que não se pode ser mais espiritualizado do que sexualizado, nem mais sexualizado do que espiritualizado. Sexualidade não significa ter relação sexual, assim como espiritualidade não significa ir à igreja ou pertencer a uma ordem religiosa. Refere-se a sensações de excitação em relação a outra pessoa. Espiritualidade refere-se a sentimentos ou excitação em relação à natureza, à vida e ao universo. A maior entrega a Deus pode ocorrer no ato sexual se o clímax foi suficientemente intenso para nos colocar em órbita entre as estrelas. No orgasmo total, o espírito transcende o *self* para tornar-se uno com o universo pulsante.

Uma de minhas primeiras pacientes escreveu-me relatando uma vivência de entrega que ilustra a natureza do processo de excitação. Ela descreveu uma noite com um amigo.

Passaram a noite juntos, jantaram e depois foram para a casa dele, onde conversaram sobre seus problemas. Ele passara um período muito difícil, alguns meses antes, e ela observou que ele não se recuperara por completo. Parecia um zumbi. Ela escreveu: "Fiquei preocupada com seu olhar sempre triste e com seus movimentos lentos. Ele não parecia saudável. Não era seu velho *self.* Não falou muita coisa. Dissemos boa-noite e ele foi para o seu quarto.

Na manhã seguinte, ele veio até o meu quarto, o que não era comum nele, e perguntou se podia se aninhar comigo na cama. A casa estava tão fria que cada um de nós vestia umas seis camadas de roupa. Então eu disse: 'Claro'.

Ele se deitou de costas para mim e eu o abracei. Ele disse: 'Se você tivesse um amigo que estivesse morto, o que lhe diria para fazer?' Respondi: 'Bem, se ele está morto, não há nada que eu pudesse lhe dizer. Mas se ele apenas se sentisse morto, eu lhe diria para fazer o seu trabalho, procurar ajuda e cuidar de si, como estou dizendo a você'. Ele disse que sabia que estava com problemas porque suas mãos e pés pareciam congelados. Comentou que sua experiência recente o devastara. Disse que denunciara uma situação injusta, mas que era muito difícil, porque estava em conflito. Quando criança, tinha sido maltratado por falar francamente: 'Se ao menos não me tivessem maltratado tanto...' Dizendo isso, desatou a chorar. Acariciei-o e disse-lhe que precisava procurar ajuda.

Ele comentou que fora a alguns terapeutas, mas, quando sentiu ira, isso os apavorou. Contou-me muitas coisas. Por fim, virou-se de frente para mim e me abraçou. Senti uma forte carga percorrendo meu corpo. Estava vibrando. Ele disse que era como estar com um grande gato ronronante nos braços. A carga simplesmente continuou se acumulando e ele também passou a senti-la. Nossos corpos apenas foram em frente por si mesmos, vibrando, pulsando e movimentando-se. Em certo momento, eu disse: 'Não estou fazendo isso; só está acontecendo'. E meu Deus! Tivemos esse incrível orgasmo corporal pleno e estávamos inteiramente vestidos. Eu estava bem. Não fugi. Estava totalmente presente. Meu corpo fez essa coisa incrível. Foi muito inesperado. Ainda escuto um agradável zumbido da vivência. Agora entendo o que você quer dizer com render-se ao corpo. Foi uma experiência muito estimulante. Bem, não sei o que isso significará em longo prazo. Apenas tento viver a vida da melhor maneira e desfrutar do que posso. Esse foi um dos meus finais de semana mais incríveis".

Essa paciente passara muitos anos em terapia, trabalhando consigo mesma. Ela também era psicóloga clínica — portanto, tinha a base para compreender o que estava acontecendo e acompanhar o momento. Desenvolvera uma fé na vida e uma confiança em seu corpo que se estendiam a Deus.

A excitação sexual faz o corpo rodopiar. Vivenciamos esse rodopiar mais visivelmente quando, sem controle, acompanhamos os movimentos convulsivos do orgasmo, que produzem uma sensação de êxtase. Mas a excitação sexual intensa pode de fato fazer nossa cabeça girar; se não ficarmos assustados com isso, sentiremos alegria. O sentimento de amor pode nos fazer rodear a pessoa amada ou abraçá-la.

Reich teve a brilhante concepção de que o processo energético na relação sexual assemelha-se ao processo cósmico que chamou de sobreposição. Sua teoria era a de que, quando dois sistemas energéticos são atraídos um para o outro, começam a rodopiar um em volta do outro enquanto são impelidos a aproximar-se.

Esse processo de sobreposição cósmica pode ser visto nas fotografias de galáxias que mostram o movimento espiralado ou rodopiante de estrelas a girar no espaço. Esse movimento é mostrado numa fotografia da nebulosa espiral conhecida como G10, que aparece num livro de Reich denominado *Superposição cósmica*[44]. Reich viu os dois braços da nebulosa como ondas ou correntes de energia que estavam atraindo as estrelas, aproximando-as enquanto giravam em torno umas das outras (veja a Figura 7). A força ativa que atrai essas estrelas umas em direção das outras é o poder da gravitação, quando objetos no espaço se aproximam suficientemente para serem atraídos um ao outro. No mundo animal, chamamos de amor ou sexualidade essa força de atração que aproxima dois indivíduos. Entre os mamíferos, quando o macho monta a fêmea no abraço sexual, sua postura e atividade assemelham-se ao fenômeno da sobreposição. O movimento das ondas de excitação nos dois indivíduos lembra o fenômeno cósmico acima descrito, como mostra a Figura 8.

FIGURA 7 — **O universo espiralado**

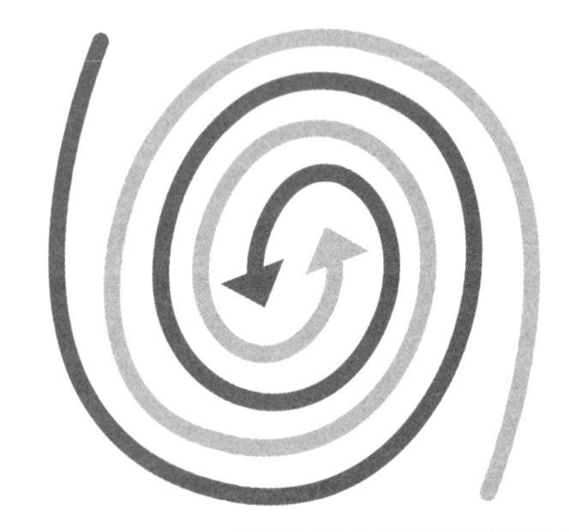

DESENHO ESQUEMÁTICO DA FORMA ESPIRAL DA GALÁXIA MESSIER 81 A PARTIR DE UMA FOTOGRAFIA DO OBSERVATÓRIO MONTE WILSON

A ideia de que o processo vital deriva dos processos cósmicos e os reflete faz sentido para mim. Nenhuma outra visão negaria nossa identificação com o universo. A vida na Terra é um acontecimento cósmico, assim como o nascimento e a morte das estrelas, embora em proporção infinitesimal. Se nós nos alegramos com Deus pelo rodopiar das esferas celestes, também podemos nos alegrar com Ele pelo rodopiar do nosso corpo na paixão sexual. Quando nos entregamos a essa paixão, entregamo-nos ao deus interior e exterior. Embora o sexo seja prazeroso para a maioria das pessoas, só aquelas que conseguem entregar o ego — aquelas para quem a excitação sexual é um acontecimento corporal total — são capazes de conhecer a verdadeira alegria do sexo.

FIGURA 8 — **Espiral no abraço sexual**

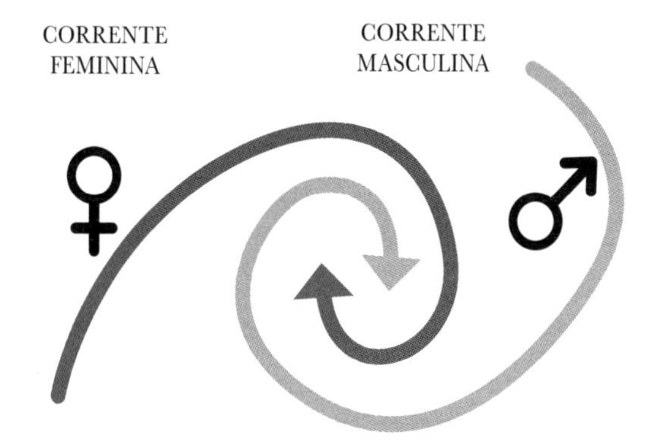

REPRESENTAÇÃO ESQUEMÁTICA DO FLUXO DE EXCITAÇÃO NO ABRAÇO SEXUAL DOS MAMÍFEROS

Notas

1. Em inglês, "It's snowing, it's snowing, a little boy is growing". [N. T.]
2. LOWEN, A. *Bioenergética*. 12. ed. rev. São Paulo: Summus, 2017.
3. SCHILLER, F. V. *Ode to joy*. Nova York, 1959, p. 42.
4. TAGORE, R. *Sadhana, the realization of life*. Nova York: MacMillan, 1916, p. 99-116. [Em português: *Sadhana, a realização da vida*. São Paulo: Paulus, 1994.]
5. LOWEN, A. *O corpo em terapia*. São Paulo: Summus,1975.
6. LOWEN, A. *Narcisismo – A negação do verdadeiro self*. São Paulo: Summus, 2017.
7. LOWEN, A. *A linguagem do corpo, op. cit.*
8. Para uma análise profunda da personalidade narcisista, veja LOWEN, A. *Narcisismo – A negação do verdadeiro self, op. cit.*
9. Para uma análise das causas da depressão, veja LOWEN, A. *O corpo em depressão*. São Paulo: Summus, 1983 (nova edição no prelo).
10. Esses e outros exercícios estão descritos detalhadamente em LOWEN, A.; LOWEN, L. *Exercícios de bioenergética – O caminho para uma saúde vibrante*. 9. ed. rev. São Paulo: Summus, 2020.
11. Veja a excelente biografia de Myron Sharaf, *Fury on Earth* [Fúria sobre a Terra] (Nova York: Da Capo Press, 1994), que documenta as realizações de Reich, mas também descreve seus problemas e conflitos pessoais.
12. Em português, essa analogia não faz sentido. [N. do T.]
13. JAMES, W. *The varieties of religious experience*. Nova York: The Medusa Library, 1906, p. 262. [Em português: *As variedades da experiência religiosa*. São Paulo: Cultrix, 1991.]
14. LOWEN, A. *Amor, sexo e seu coração*. São Paulo: Summus, 1990.
15. *Ibidem*.
16. LOWEN, A. *Narcisismo – A negação do verdadeiro self, op. cit.*
17. Para uma análise profunda da culpa, veja *Prazer – Uma abordagem criativa da vida*. 9. ed. São Paulo: Summus, 2020.
18. LOWEN, A. *Narcisismo – A negação do verdadeiro self, op. cit.*
19. Veja LOWEN, A. *Medo da vida*. 11. ed. rev. São Paulo: Summus, 2022.
20. FREUD, S. "Instincts and their vicissitudes" [Os institutos e suas vicissitudes]. In: JONES, E. *Collected papers*, v. 4. Londres: Hogarth Press, 1953, p. 67.
21. LOWEN, A. *Narcisismo – A negação do verdadeiro self, op. cit.*
22. Analisei a natureza da vergonha e da culpa em meu livro *Prazer, op. cit.* São as chamadas emoções recriminatórias. Autocríticas negativas estão na base de ambas.
23. FREUD, S. *Além do princípio do prazer*. Porto Alegre: L&PM, 2016.
24. REICH, W. *Análise do caráter*. 3. ed. São Paulo: Martins Fontes, 2020.
25. Para uma análise completa dessas relações, veja LOWEN, A. *Prazer, op. cit.*
26. LOWEN, A. *O corpo em terapia, op. cit.*
27. A esse respeito, veja a descrição de Reich de masoquismo em seu livro *Análise do caráter* (1933).

28. Para uma análise aprofundada desse problema, veja LOWEN, A. *O corpo traído*. 8. ed. rev. São Paulo, Summus, 2019.
29. LOWEN, A. *A espiritualidade do corpo*. São Paulo: Summus, 2018.
30. Para uma análise completa da personalidade homossexual, veja LOWEN, A. *Amor e orgasmo*. São Paulo: Summus, 1988.
31. Para uma explicação da dinâmica energética no corpo ao fazer esse exercício, veja LOWEN, A., *Bioenergética*. 12. ed. rev. São Paulo: Summus, 2017. O uso do exercício de cair para permitir que a entrega ocorra é discutido em meu livro *Medo da vida*. 11. ed. rev. São Paulo: Summus, 2022.
32. JANOV, A. *O grito primal*. Rio de Janeiro: Artenova, 1974.
33. CASRIEL, D. *A scream away from happiness*. Nova York: Grosset & Dunlap, 1972. p. 2.
34. *Ibidem*.
35. Para conhecer exercícios destinados a soltar a pelve, veja LOWEN, A.; LOWEN, L. *Exercícios de bioenergética – O caminho para uma saúde vibrante*, *op. cit.*
36. Ver LOWEN, A., *Amor, sexo e seu coração*, *op. cit.*
37. A fim de compreender o papel que a ilusão representa na gênese da depressão, veja LOWEN, A., *O corpo em depressão*, *op. cit.*
38. Veja LOWEN, A.; LOWEN, L. *Exercícios de bioenergética – O caminho para uma saúde vibrante*, *op. cit.*
39. REICH, W. *A função do orgasmo*. São Paulo: Brasiliense, 1994; LOWEN, A. *Amor e orgasmo*, *op. cit.*
40. JUNG, C. *O homem moderno à descoberta de sua alma*. Brasília: Brasília, 1975.
41. Para compreender melhor esses conceitos, veja LOWEN, A., *Amor, sexo e seu coração*, *op. cit.*
42. LOWEN, A., *Narcisismo – A negação do verdadeiro self*, *op. cit.*
43. Veja LOWEN, A., *Amor, sexo e seu coração*, *op. cit.*
44. No Brasil, publicado na obra *O éter, Deus e o diabo*. São Paulo: Martins Fontes, 2003.

Agradecimentos

Gostaria de agradecer a David Randolph, que indicou as referências à alegria existentes na Bíblia, e a Michael Conant e Leslie Case, que leram o manuscrito e deram algumas sugestões.

leia também

BIOENERGÉTICA
Edição revista

Neste livro, que se tornou um clássico da psicoterapia, Alexander Lowen explica as bases da terapia bioenergética e mostra como ela pode ajudar os pacientes a resolver problemas de personalidade e, também, físicos e emocionais. Nessa abordagem, usa-se o corpo para compreender a mente. Ricamente ilustrada, a obra é um marco na área e inspirará tanto psicoterapeutas quanto aqueles que desejam se sentir mais conectados consigo mesmos e com o mundo.

REF. 11086 ISBN 978-85-323-1086-6

A ESPIRITUALIDADE DO CORPO
Bioenergética para a beleza e a harmonia
Edição revista

Neste livro, Alexander Lowen nos oferece uma visão única acerca da espiritualidade. Encarando o corpo como uma manifestação externa do espírito, o autor define graça como o espírito divino agindo por meio do organismo. Partindo de sua vasta experiência clínica, Lowen apresenta casos de pacientes com sérias dificuldades emocionais que resultaram em dores e em problemas de cunho afetivo, os quais foram resolvidos pela bioenergética. Mostra, assim, que quando atingimos o estado de graça conseguimos nos conectar com todas as criaturas vivas e reconhecer nossa ligação com o mundo.

REF. 11080 ISBN 978-85-323-1080-4

NARCISISMO
A negação do verdadeiro *self*
Edição revista

Ao contrário do que diz o senso comum, os narcisistas não amam a si mesmos nem a mais ninguém. Sedutores e manipuladores, estão sempre em busca de poder e controle, deixando de lado os verdadeiros valores do *self* – autoexpressão, autodomínio, dignidade e integridade. Nesta obra revolucionária, Alexander Lowen usa sua ampla experiência clínica para mostrar que os narcisistas podem recuperar os sentimentos suprimidos e reaver sua humanidade. Por meio da terapia bioenergética, tanto os narcisistas quanto aqueles que convivem com eles encontrarão o caminho para uma existência plena e verdadeira.

REF. 11082 ISBN 978-85-323-1082-8

O CORPO TRAÍDO
Edição revista

Nesta obra pioneira, Alexander Lowen explica como os indivíduos negam a realidade, as necessidades e os sentimentos do corpo, o que acaba por desenvolver a cisão entre mente e corpo, gerando um ego sobrecarregado e obcecado com o pensar – sempre em detrimento do sentir e do existir. Aqui, Lowen elucida os fatores energéticos que produzem e mantêm tal cisão e apresenta técnicas terapêuticas comprovadamente eficazes para resolver o problema. Por meio de profundas reflexões e da análise de casos reais, o autor também traça um paralelo entre a dualidade corpo-mente nos indivíduos e nossa separação da natureza.

REF. 11117 ISBN 978-85-323-1117-7

Grupo Summus
www.gruposummus.com.br
www.gruposummus.com.br
Acesse, conheça o nosso catálogo e cadastre-se para receber informações sobre os lançamentos.

www.gruposummus.com.br